IAN
MCDONALD

黃鴻硯——譯
伊恩・麥克唐納

王者之戰

新月球帝國 Ⅲ

LUNA
MOON RISING

目錄

獻給艾尼德

人物介紹

【柯塔家】

盧卡斯．柯塔：月之鷹

路卡辛侯．柯塔：盧卡斯．柯塔的獨子。

艾芮兒．柯塔：前克拉維斯法庭律師。

華格納．柯塔：盧卡斯．柯塔的兄弟，疏遠彼此。月狼

羅伯森．柯塔：拉法．柯塔與瑞秋．馬肯齊之子，接受華格納．柯塔保護。

露娜．柯塔：拉法．柯塔與露西卡．阿沙默之女。

艾莉西亞．柯塔：地球人，盧卡斯．柯塔的鐵手。

愛麗絲：露娜．柯塔的教母。

瑪莉娜．卡爾札：艾芮兒．柯塔的前任私人助理兼保鑣，已返回地球。

荷西．納德斯：音樂家，曾為盧卡斯．柯塔的愛人。

聶爾森．米德羅斯：盧卡斯．柯塔的保安隊長。

【太陽企業】

陽夫人：沙克爾頓的老佛爺，太陽企業總裁的祖母。

達瑞斯・馬肯齊—陽：婕德與羅伯特・馬肯齊之子，接受陽夫人庇護。

陽知遠：太陽企業總裁。

亞曼達・陽：盧卡斯・柯塔的前任歐科伴侶。

陽黨信：太陽企業法務部長。

婕德・陽：董事會成員，太陽老虎手球隊的老闆。

阿瑪利亞・陽：亞曼達・陽在遠端大學的代理人。

江映月：太陽企業保安隊長。

【馬肯齊金屬】

鄧肯・馬肯齊：羅伯特・馬肯齊與艾莉莎・馬肯齊的長子，馬肯齊金屬總裁。

安娜塔西亞・沃隆佐夫：鄧肯・馬肯齊的歐科伴侶。

阿波利奈爾・沃隆佐夫：鄧肯・馬肯齊的第二歐科伴侶。

丹尼・馬肯齊：鄧肯與阿波利奈爾的么子，鄧肯・馬肯齊依背叛家族的罪名剝奪其繼承權。

婕德・陽—馬肯齊：羅伯特・馬肯齊第二任歐科伴侶。

艾莉莎・馬肯齊：羅伯特・馬肯齊的歐科伴侶（已故）。

阿德里安・馬肯齊：鄧肯與阿波利奈爾的長子，月之鷹強納森・阿猶德的歐科伴侶。

科米─莉．馬肯齊：（曾短暫地）與艾琳娜．埃富．沃隆佐夫─阿沙默結為連理。

【馬肯齊氦氣】

布萊斯．馬肯齊：鄧肯．馬肯齊的兄弟，馬肯齊氦氣執行長。

芬恩．華恩：馬肯齊氦氣第一刃衛。

羅文．佐法伊格─馬肯齊、阿馮索．佩瑞茲特喬、賈米．赫南德茲─馬肯齊：馬肯齊金屬主管。

安妮麗絲．馬肯齊：華格納．柯塔黑暗人格的祕密愛侶。

【AKA】

露西卡．阿沙默：金凳大酋長。

亞別娜．阿沙默：在喀巴遜研討班攻讀政治科學的學生，艾芮兒．柯塔的法務助理。

【VTO】

瓦列里．沃隆佐夫：VTO創始人，VTO太空的總裁。

艾夫根尼．沃隆佐夫：VTO月球總裁。

謝爾蓋．沃隆佐夫：VTO地球總裁。

艾琳娜．埃富．沃隆佐夫─阿沙默：生態學家，阿沙默與沃隆佐夫王朝聯姻所生下的孩子。

【月球受託管理機構】

王永晴：月球受託管理機構的中國代表。

安塞爾默．雷耶斯：達文南特創業投資集團的代表。

莫尼克．柏廷：月球受託管理機構的歐盟代表。

【遠端大學】

達柯塔‧凱爾‧馬肯齊：生物控制學院的勇士學者。

格布雷西拉西耶醫師：路卡辛侯‧柯塔的醫生。

蘿莎莉歐‧薩爾加多‧歐漢隆‧迪‧齊奧爾科夫斯基：勇士學者修行中輟者，艾芮兒‧柯塔的扈衛。

維迪亞‧拉歐：經濟學家兼數學家，曾在懷塔克里戈達德銀行工作。

【地球】

凱西：瑪莉娜‧卡爾札的妹妹。

歐香：瑪莉娜‧卡爾札的外甥女。

薇薇爾：瑪莉娜‧卡爾札的外甥女。

史凱勒：瑪莉娜‧卡爾札的弟弟。

【其他】

馬里亞諾‧加百列‧迪馬里亞：刺客訓練所「七鐘院」的院長。

海德：羅伯森‧柯塔最好的朋友。

馬克斯與亞君：海德的監護人。

1

兩人一起將路卡辛侯推下崖邊。他在月球重力下緩慢墜落，腳那端先觸地，箱子往前翻了一圈，小窗子那頭朝下落地。

有八道人影護送一個箱子穿越豐饒海。四個人負責扛，一人握著一個把手，另外四個人守著四個主要方向：東、西、南、北。他們都穿著重裝硬甲衣，拖著腳前進，揚起沙塵直衝天際。扛箱子最重要的是動作協調，但這些人還沒抓到節奏，一下子前傾，一下子猛晃，糊掉的腳印在月壤上化為一條條軌道。他們走路的姿態就像還不習慣在月球上走路、不習慣穿太空衣的人。七具白色硬甲衣，最後一個則是緋紅色搭金色。每具白色硬甲衣都背負著一個跟當下時空格格不入的象徵物：劍、斧、扇子、鏡子、弓、新月刀。帶頭的人以闔起的傘為枴杖，尖端是銀的，握把有張人臉，一半有血肉，另一半是裸露的骨骼。傘尖在月壤上刺出清晰的孔洞。

豐饒海從來沒下過雨。

箱子上有個小窗口。棺材上不太可能有這構造，可見它不是棺材。這是一個醫療用的維生艙，保護月球表面的傷者，供其續命用的。窗戶後方有張年輕男子的臉孔，棕色肌膚，顴骨高而突出，黑髮濃密，嘴唇豐厚，雙眼是閉上的。他是路卡辛侯．柯塔，已昏迷十天。這十天內，月球就像一只石鐘，被搗到連核心都嗡嗡響了。這十天內，月之鷹失勢又崛起，在月球的石之海打了一場軟戰，然後落敗了。地球新勢力橫掃月球舊秩序。

這幾個動作笨拙的人是現主姊妹會成員，他們要帶路卡辛侯·柯塔到梅利迪安去。七個修女，外加一個殿後的人，硬甲的顏色是緋紅和金，很不搭界。她是露娜·柯塔。

「沒太空船的消息嗎？」聖者之母奧敦拉挫敗地嘖了一聲，瞥了一眼頭盔顯示器上的人名標牌，試圖找出問話的人是誰。現主姊妹會原本避用網路，學會使用硬甲衣操作介面已是一種急轉彎。聖者之母總算看出說話的人是愛麗絲教母了。

「快了。」聖者之母奧敦拉舉起雨傘，指向東方地平線，梅利迪安太空船預定降落的方向。那把傘是創世者奧薩拉的符咒，它和劍、斧、鏡子、弓、扇子、新月刀都是奧里莎使用的工具。姊妹會不只護送著沉睡的王子，還帶著神聖的象徵物。所有小聖者都知道這象徵什麼：神之若望不再是聖者之城了。

太空船已在路上了，聖者之母的太空衣說。在同一瞬間，地平線彷彿躍向了天空。是探測車，有十幾輛，飛快狂奔，不斷逼近。數百個紅點在抬頭顯示器上發光。

馬肯齊的人馬來了。

「穩住了，姊妹們。」聖者之母奧敦拉大喊。她的隊伍繼續朝那一排刺眼的頭燈行進。強光使人盲目，但她絕對不會舉手遮光。

聖母，太空船已準備降落，太空衣說。

包圍行進隊伍的車陣中，有輛探測車開了出來，停在聖母奧敦拉面前。她高高舉起聖傘，隊伍停了。車輛的座位下降，防護桿升起，一個個穿馬肯齊氨氣綠白雙色太空衣的人下車了，他們的手伸向背上的槍套，抽出長長的物體。是步槍。

「聖母，妳不許這麼做。」

聖母奧敦拉感到惱怒。對方太放肆了，語氣不尊重，甚至不是用葡萄牙文稱呼她。

「你是誰？」

「我是洛伊莎・迪雯娜格拉西亞。」站在武裝小隊中央的女人說：「馬肯齊氦氣東北半球區維安隊長。」

「這年輕人需要更高階的醫療照護。」

「馬肯齊公司的醫療中心設備完善，為您服務是我們的榮幸。」

六十秒後降落，太空衣說。那艘船此刻是天上最明亮、移動速度最快的星子。

「我要帶他去找他父親。」聖母向前邁步。

「我不允許。」洛伊莎・迪雯娜格拉西亞單手按住聖母奧敦拉的胸甲。聖母奧敦拉用聖傘敲開女人的手，接著掃向對方頭盔側面。對方實在太無禮了。聚合材質裂開，氣體外洩，接著太空衣自己修復、密合了。

武裝小隊舉起槍。

現主姊妹會的修女們現在緊緊圍住維生艙，抽出奧貢之劍、贊果之斧、拉弓、拿出利如剃刀的扇子。如果沒實際使用過這些象徵物，要如何榮耀奧里莎呢？

露娜・柯塔的笨重雙手舉到與肩等高的位置。刀鞘解鎖，磁鐵咬合：刀子飛向她的雙手，就定位。上弦狀的地球低垂在世界西緣，射來光線，隕石鍛造刀的刀緣閃閃發亮。那是柯塔家的戰刀。

我們得保護他們，聖母奧敦拉曾這麼說。在姊妹會屋那個生化燈照亮的房間內，路卡辛侯的病榻前。**直到大膽、無私、不貪婪也不懦弱的柯塔家人現身，他將為家族而戰，英勇地保衛家園。一個配得上這些刀子的人。**

卡林侯原本是家族中的鬥士，露娜的上一任戰刀持有者。他拿筷子充作刀刃，向她示範過揮刀動作，嚇壞了她。速度飛快，而且那些動作使他變成了一個陌生的存在。

卡林侯已死在這對刀下。

愛麗絲教母站到露娜和那一圈步槍之間。

「露娜，放下刀子。」

「我不放。」露娜說：「我是柯塔家的人，我們是利刃。」

「聽教母的話，倔強的孩子。」聖母奧敦拉說：「妳顯得強壯只是因為穿著硬甲衣。」

露娜發出不悅的噓聲，退後幾步，但沒收起那對美麗的刀子。

「讓我們過去。」聖母奧敦拉在公頻說，而露娜聽到那個馬肯齊家的女子說：**交出路卡辛侯，妳們就可以自由離開**。

「不。」露娜低語。下一秒，她、姊妹會的修女、維生艙、馬肯齊家的刃衛都被耀眼的強光淹沒了。那一大片燦亮分解成數百個獨立的燈；探測車、沙地摩托車、硬甲衣和地活衣的導航燈，全都在黑色月壤上飛馳。它們後方拖著一大片揚塵，使折射的地球光蒙上月牙陰影。這票人馬撲向馬肯齊的包圍陣線。刃衛和槍手在最後一刻四散，閃躲以錐形陣突圍的探測車、沙地摩托車手、一群狂奔的塵工。

天際線、旗杆，到裝備索具、支架，再到探測車、太空衣背包、肩托架，還有地表裝甲的頭盔、胸甲上，都有噴漆噴上的、快印的、真空筆塗鴉的圖案：半黑、半白的面具。吾輩的千死夫人，月球夫人。

神之若望復活了。

塵工的錐形陣展開了，現在是長槍和長矛的方陣。沙地摩托車手的長兵器緊抵著腳踏桿。露娜看到的畫面彷彿出自她很小很小的時候讀的故事，古老地球流傳的瘋狂小段子：金屬人坐在巨大的金屬動物上，手臂下夾著長矛。**披著盔甲的騎士**，露娜的副靈告訴她，而她和它的記憶是一致的。**持長矛的騎士**。

藍光閃爍於駐紮軍隊上方的高空，是VTO月球太空船的姿態控制推進器在馬肯齊戰線上空運作著，它在尋找安全的降落地點。主引擎在最後短暫的加速了一下，而醜陋的汞合金燃料槽、散熱板、結構支柱都在同時縮了進去，為降落做準備。

環住長矛把柄的護手、手套握得更緊了，長槍準備出擊。扣住沙地摩托車龍頭的手指也更加用力了。

「露娜。」愛麗絲教母說。

「我準備好了。」露娜說，她的硬甲衣已準備就緒，預備能源啟動了。一下令，它就會開始奔跑，速度遠超過她自己雙腿的極限。她知道標準型的硬甲衣做得到哪些事，她曾使用它運送路卡辛侯到博阿維斯塔的避難所。當時他陷入缺氧狀態，用任何標準來看都已經算是**死亡**了。「我有經驗。」

太空船降落時的引擎火焰揚起灰塵，吞沒小聖者與馬肯齊的人馬。愛麗絲教母大吼：**去吧，孩子**。

跑，她下令，不過硬甲衣已經動起來了。

馬肯齊的人馬也是。驚訝退去後，探測車便紛紛脫隊去包夾小聖者的沙地摩托車騎兵團，打算阻斷通往太空船的路。小聖者步兵則衝上去攔截馬肯齊勢力，保持路徑暢通。

有人倒下了。一道穿地活衣的人影抽搐了一下，倒地。一件硬甲衣裂成飛散的碎片。馬肯齊那方開槍了。某個頭盔裂開了，有顆頭飛向一片模糊血肉。月球夫人的旗幟落地了，一面接著一面。如今露娜看見血了，還有子彈般飛翔的肉塊，灌入真空的一團團體液。

持伊安莎新月刀的艾洛亞修女倒在露娜身旁，滾呀滾的。她的頭頂被削掉了。子彈在露娜四周飛竄，無影無蹤，不過她沒把它們放在心上。除了月球飛船外，沒有任何東西進得了她腦海。那船已停放在降落架上，傳輸艙放下一道斜坡。

「露娜！」聖母奧敦拉的聲音從私頻傳來：「接住箱子的右側，硬甲衣撐得住。」

「聖母……」

「愛麗絲會抬另一邊。」

「聖母……」

「別爭了，孩子！」

她的裝甲之手緊握住其中一支把手，陀螺儀穩定負重。她看到她的教母緊握住另一邊的把手。

小聖者迎戰馬肯齊家的人馬。兩個、十個、二十個人在毀滅性的火網中倒下了，但總是有更多長矛、長槍湧上前去。肉搏的暴力，如性愛般近身、親暱、熱切。長矛尖端深深刺入敵人，從前方貫穿到後背，撕裂太空衣、皮膚、骨骼，砸碎護目鏡，穿透臉孔、頭骨、大腦。

「發生什麼事了？」她用私頻問愛麗絲教母。

「他們在幫我們爭取時間，我的天使。」

長矛方陣重組，連結，鎖定陣形，衝上前去發動攻擊。槍手散開，撤退。在這瞬間，兩道長矛牆間的露娜感覺到硬甲衣抓緊堂哥所躺的大箱子，前傾後躍向太空船。她以最高速撞上坡道，然後急煞住，避開運輸艙的後艙壁。穿著地活衣的工作人員守護著運輸艙。靴底的觸覺系統使露娜感受到甲板的震動。

主引擎即將啟動，十、九、八……

露娜在艙門關閉前往外望了最後一眼，看到剩餘的現主姊妹會修女高舉奧里莎象徵物，白色硬甲衣背對背而立。一圈長槍圍著她們，還有吾輩的千死夫人旗幟醒目地飄揚。再過去是多如繁星的馬肯齊人馬。接著引擎發動，塵土覆蓋了一切。

聖母奧敦拉目送月面太空船升空。它拖著蒙蔽視野的塵土，還有鑽石般的噴射火焰。

梅利迪安將會收留他們，治癒他們。月之鷹會將他們納入羽翼之下。

手持長矛、長槍的小聖者包圍著修女，好多人倒地，好多人死了。這是一個糟到極點的葬身之地。

聖母奧敦拉找到公頻的圖示了。

「月壞喝夠多血了。」她對豐饒海上所有的塵工、小聖者，所有刃衛和傭兵喊話，也對布萊斯・馬肯齊，以及其他隱匿行蹤的人喊話。

馬肯齊的槍手排排站，態度堅定。

「不需要再讓任何人死在這了。」

兩輛探測車從圓陣的後方啟程，以駭人的態勢加速，追向月面太空船，轉眼間就化為警示燈的星群，往西飄移。探測車後方有機械裝置展開，上頭有好幾根槍管，還有彈藥帶。上帝和聖靈啊，那些玩意兒動作真快，已經到地平線上了。流光往上畫弧，追尋VTO太空船的燈光。聖母奧敦拉不知道自己看到的是什麼，但知道它代表什麼。如果布萊斯・馬肯齊得不到路卡辛侯・柯塔，那其他人也得不到。她也得知另一個事實：為柯塔舉起手臂和刀刃的人，是得不到寬恕的。

「奧薩拉，光之光，永恆生命、永久堅定、永遠受人畏怖。我以祢之名行事！」聖母奧敦拉將傘高舉過頭，撐開。其他姊妹會修女也同時高舉象徵物：奧貢之劍、葉瑪亞之扇、奧索希之弓、贊果之斧。

槍枝開火了。

露娜的手無法從醫療艙上鬆開。路卡辛侯自由了，路卡辛侯安全了。她現在應該要放手，但硬甲衣讀取到她不願承認的事實，不放她走。這件太空衣，彷彿罩著她一輩子了。這件太空衣，曾保護她、指引她、幫助她。也背叛她，使她陷入險境。

她想起一段回憶：路卡辛侯幫她的膝蓋密封口纏上膠帶，因為利如剃刀的月塵隨著她一個又一個腳步、一公里又一公里地蠶食打褶的纖維，直到關節處爆裂開。她碰觸膝蓋關節，手套觸覺系統傳來不完美黏合處的粗糙觸感。孩子，套上太空衣吧，我們該走了——當聖母這麼對她說的時候，她並沒有注意到那個補靪。

聖母，我們要去哪裡？

梅利迪安。月之鷹派了一艘太空船來接他兒子。

她穿上太空衣內襯，跨入巨大的機體中，觸覺回饋裝置擁抱她，硬甲衣密封。她感覺又回到了拉巴克彈運轉運站，路卡辛侯要她前進一步。**太空衣會搞定所有事。**

就連她走在外圍隧道，鏗鏗鏘鏘地往氣閥移動時，感覺都像是回到了博阿維斯塔的避難所。她將路卡辛侯放到綠光照耀的地上，而他就繼續躺在那裡。這巨大的太空衣竟能做出那麼輕柔的動作。他躺著，一動也不動。沒在呼吸。

我該怎麼辦？

避難所給了她種種指示，從這裡連結路卡辛侯和維生機組，從這裡插上監控螢幕的插座，從這裡外掛冷藏系統，讓他置身在保命的低溫中。

他的狀況很差，機器告訴她，需要嚴密的醫療照護。

但她什麼都做不了，只能在低溫與綠光中等待。就像現在這樣，讓VTO月球飛船的運輸艙載送著他們。

自由落體倒數計時，三、二、一……

發射引擎熄火了。露娜的靴子伸出硬刺，勾住甲板表面內建的微型環狀結構。她固定著自己，同時也飄在無重力中。她還記得搭乘彈運時，自由落體帶來的暈眩、噁心，她恨死了。而搭乘VTO月球飛船走次軌道航線前往梅利迪安也沒好到哪去。

砰砰砰，一系列震動從她的靴底往上傳。距離她左腳跟幾公分處開了一排完全等距的孔洞。接著一陣搖晃，運輸艙艙壁也被縫了一排洞，從右下角往左上方斜去。地球光從穿孔漏了進來。

第三次衝擊來了。太空船突然加速，將露娜扯離地板，她的手指也從堂哥的醫療艙把手上鬆開了。接著加速方向改變，她被拋向路卡辛侯那口箱子，然後進入了無重力狀態，泗游於空中。

我方遇襲，太空船說，**高速運動彈藥貫穿我方機身，損害其完整性。三號燃料槽破裂，燃料外洩，因此產生預料外的加速，現在我已使運行狀態穩定下來了。**

露娜抓著維生系統的管線，將自己拉向艙壁。又一系列衝擊，鑽出的孔洞從甲板延伸到天花板，畫了個弧。上一刻她還在那個位置，不過心跳兩拍前。天花板上有洞，到處都有洞。

露娜轉身，靴子再度固定在甲板上。她轉身是為了尋找愛麗絲——有了，她箱子的另一頭，嵌在那堆白色高壓塑料之中。她沒動，也沒說話。為什麼她倒在那？月球夫人啊，拜託別讓她的太空衣破洞，別讓她教母的身上開孔。

私頻傳來嘆息似的呻吟。那堆地表裝甲有了變化，化為一個穿太空衣的人。愛麗絲教母奮力起身。

接著燈光熄滅了。

「現在是什麼狀況？」露娜大喊。

主電源連結器受到重創，太空船說，**不久後將連接預備電源。在此告知，我的處理器核心嚴重受損，功能不全。**

黃色緊急照明燈亮了，微弱、病懨懨的。露娜頭盔內的抬頭顯示器上頭，紅色警報拼成了一片馬賽克：上方駕駛艙內的機員碰上麻煩了，標牌一個接一個變成白色。

白色是死亡的顏色。

「愛麗絲！」

她的教母走向她，張開機械手臂，擁抱那巨大、笨重的硬甲衣。

「我的甜心。」

「妳還好嗎？」

「維生艙。」愛麗絲教母說：「維生艙。」

「路卡辛侯！」

露娜旋轉箱子，確認上頭有無孔洞、損傷、微乎其微的擦痕。一顆差點得逞的子彈在左邊底部刮出一條凹槽。她讓面罩湊向小窗子，一切機能似乎都正常運作著。

飛行計畫改變，太空船說，**我要緊急降落在忒。機身即將翻轉，請做好準備，三……二……一……**

微加速帶給露娜推擠的感覺，接著她又回到無重力狀態了。

主引擎即將點火，進入脫離軌道程序，請準備。

重量又回來了，許多重量壓在露娜肩膀上。硬甲衣繃緊、撐住，但露娜還是感覺得到牙齒彼此刮磨，血液沉重得像是灌了鉛。

求救訊號啟動，太空船說。露娜想像它據實以報的平靜語氣中潛藏著恐懼。**我的散熱板遭受毀滅性損害，無法排除多餘的熱度。**

露娜和路卡辛侯跋涉於東南半球的途中，了解了真空的本質。它是月球夫人最愛用的武器，但她不只能用深沉、窒息的吻殺人，還有其他更巧妙的手法。真空是絕佳的隔熱體——最上等的那種。在真空中，只能透過輻射散熱來排熱。她自己的硬甲衣可啟動肩膀部位的葉片，排出太空衣系統還有她小小身軀所產生的熱。太空船製造出來的熱遠超過九歲小女孩，而這些熱大都是在引擎點火時產生的。關鍵硬體系統有可能過熱、當機，甚至融解。為了安全降落在忒，引擎必須猛烈點火，製造出無法排除的熱。熱上加熱，溫度又會再上升。

船在震動。在她印象中，太空船升空時並沒有震成這樣。引擎熄火（她短暫進入無重力狀態），接著又重新點燃，然後又熄了。引擎口吃似地，反覆點燃又發火失敗。她對這狀況無能為力，只能看著引擎震顫、走走停停。

我正在進行實驗……系統嚴重失靈，太空船說，**我快死了。**

晃動停止了，主引擎熄火。露娜在一個盒子、一個硬殼、一艘布滿彈孔的廢船內墜往月球表面。

白色的靈魂飄浮在運輸艙的真空內。**月球上沒有鬼**，這點大家都知道。那麼，那一束束靈魂是什麼？它們從每一條纜線、導管，每一條甲板纖維和真空筆塗鴉中盤旋升起。

接著，露娜注意到自己的溫度監測器了。她腳下甲板的溫度是攝氏一百一十五度。

聚合物和有機物產生汽化損耗，冒出易揮發氣體，太空衣的人工智慧對她說。**估計三分鐘內我們會到達熔點**。

她的硬甲裝是塑膠做的。強力、堅韌的塑膠，讓她得以走在月球夫人臉上，這優異的材質還盡可能使她保持涼爽。不過她最終還是會在太空衣內被高熱烤熟，早在氧氣耗盡之前。

我將目前所能供應的最大量能源分配給環境控制系統了，太空衣說，**散熱板正在展開**。

露娜感覺背上的鰭喀喀喀地打開了。一對翅膀伸展開，那是月蛾（她的副靈）般的魔法之翼。

準備迎接衝擊，太空衣突然說。

什……露娜才剛開口，下一刻就感受到重擊，此生前所未有的程度，連她的觸覺傳遞裝置都無法完整吸收那力道。她被猛力甩到地面、運輸艙艙壁上，聽到翅膀斷裂、塑膠碎開的聲音。她是葫蘆裡滾來滾去的一粒小豆子。

我受到嚴重損傷，完整密封性可能受到威脅，太空衣說。露娜試圖吸氣，但感覺什麼也吸不到。

愛麗絲教母自己從地上爬了起來。

「我的小天使，我們得出去。打開門，我去推路卡辛侯。」

運輸艙內煙霧瀰漫，導線管凹陷，電纜管道變形。甲板傾斜，而運輸艙門在坡頂。

門打不開。

露娜又拍了紅色按鈕一下，門打不開。

「手動超馳控制裝置在哪裡？」露娜問太空衣。**月球漫步的第二條規則：任何出入口都有手動超馳控制裝置**。這是她叔叔卡林侯告訴她的。卡林侯叔叔臉上總是掛著大大的微笑，極少前往博阿維斯塔，不過他每次來都會把她撈起來，拋往高空，讓她頭髮一陣飛揚。儘管她知道叔叔一定會在下方接住她，她還是會放聲尖叫。月球漫步第一條規則：月球有上千種方法可以殺死人類。

強壯、咧嘴嘻笑的卡林侯叔叔。當時她還是個孩子，還沒有接下刀子，成為柯塔氦氣的公主。

太空衣標出一個小艙口，裡頭有個把手。

「我這邊也有一個。」愛麗絲教母說：「一起拉。」

愛麗絲教母用手勢倒數。三、二……露娜拉下把手，門往下掉，重量都壓到了支桿上。露娜往下看，此時她站在一個懸崖邊，月壤在下方三公尺處。這艘船墜毀在小隕石坑的邊緣，露娜往近處隕石坑緣另一頭望去，便看到了忒的天線和鏡架。要跳到地表上很簡單。她沿著傾斜的甲板滑回去，抓住維生艙其中一隻把手，煞住自己。愛麗絲撐著箱子前端，露娜鬆開固定器。箱子開始滑動了。愛麗絲拉住箱子，露娜則衝到箱子後端又拉又推，兩人一起將沉重的醫療艙推到甲板坡道的頂端，來到隕石坑緣。

沒有更溫和的手段了。

兩人一起將路卡辛侯推下崖邊。他在月球重力下緩慢墜落，腳那端先觸地，箱子往前翻了一圈，小窗子那頭朝下落地。兩步之外的露娜和愛麗絲從平台上跳下來，落地時引發一陣塵暴。他們是VTO月球飛船普斯特加號上唯有的倖存者。

愛麗絲插了一根手指到翻覆的箱子下方，作勢要抬起它。於是兩具硬甲衣都蹲了下來，將箱子翻正。醫療艙、玻璃都完好無缺。路卡辛侯疲軟地側躺著，靜靜的，一動也不動。露娜看不出他是活著還是死了。

「帶著他遠離太空船。」愛麗絲說。兩人一起拖著路卡辛侯，遠離普斯特加號的殘骸。那艘船就像是爛掉的節慶蝴蝶。兩組降落架毀了，歪斜的降落角度導致其中一組彎折，另一組穿過船身。每塊散熱板都被射掉了，空洞的機翼骨架往外散開。破洞的燃料槽仍在噴出氣體。其中一組推進引擎徹底脫落，整艘船布滿孔洞，像是被戳刺了幾萬次。交叉火網的彈孔覆蓋整個運輸艙，露娜不敢相信他們還活著。電池爆炸了，碎屑敲打著露娜的硬甲衣。融化的塑膠從彈孔流淌而出。太空船在露娜的注視下持續解體，她看到引擎發出暗紅色的光芒。船會爆炸。兩名女子拖著路卡辛侯，以最快的速度朝另一頭的隕石坑壁前進。她們在鬆軟的月壤上打滑、滑動，目標是阿沙默首都忒的圓頂、儲存槽、天線。太陽圓頂，也就是使光線射入鏡子陣列的結構，已消失在月壤堆上。月球受託管理機構的入侵者用推土機掩埋、封死了它們，阻絕筒田的光源。

警告訊息像花一樣在露娜的面罩上盛開。她的硬甲衣一點一點故障，系統產生了嚴重失靈。她看過這畫面，進行過同樣的死亡漫步，在博阿維斯塔的玻璃地上。那時她的太空衣故障了，路卡辛侯幫她補破洞，還把肺裡的最後一口氣給了她。

忒一定知情。一艘破損的船來了，還緊急迫降。忒會派人來幫忙的，他們一直對柯塔家很友善。

兩大片沙塵出現在地平線上，幾秒鐘內就化為兩條車轍，從東方延伸而來。露娜揮手：**這裡！看這邊！我們在這裡。**

「阿沙默的人馬怎麼會從那個方向來？」愛麗絲問。

現在露娜看出那是探測車了，她見過它們；見過車頂的鏈炮。

「快跑！」露娜大吼。

太空衣向露娜指出最近的氣閥入口，不過太空衣的能源快耗盡了，拖的箱子又很重，她們絕不可能跑得跟麥肯齊氦氣的探測車一樣快。

一輛沙地摩托車切到露娜面前，接著第二、第三輛來了。這幫摩托車都掛著阿丁克拉紋章的旗幟，飄揚在無空氣的天空中。是黑星小隊。摩托車包圍她們了。露娜正前方的騎士舉起手，意思是停下。露娜和愛麗絲靜立原地，維生艙懸在她們之間。司令左右兩旁的騎士下車，拉電線到太空衣和維生艙去。

白色的儀表板變成紅色了：露娜的面罩上充滿各種姓名、標牌、身分、階層、圖表。

「我們逮到你們了。」黑星小隊的隊長說。

「放下維生艙。」有個聲音從公頻傳來。馬肯齊家的人到了，露娜聽到那澳洲口音就氣得發抖。她受夠這些人了，受夠了，受夠了！她不會妥協，不會拋下路卡辛侯。她調整抓握箱子的姿勢，轉身面向不請自來的嗓音。

兩輛馬肯齊氦氣的探測車停放在一百公尺外的坡道上，戰鬥員從座位上跳下來，排成一列。每個人手中都拿著一支步槍。架在探測車上的鏈炮轉了過來，槍管抬起，鎖定目標。

每個黑星小隊隊員手中都拿著一把刀。

「夠了！」

露娜跺腳。

「我是露娜．亞梅猶．艾利娜．迪．柯塔，我是一個公主！」她大喊：「拉法爾．柯塔是我父親，露西卡．亞阿．迪迪．阿沙默是我母親，也是ＡＫＡ金凳大酋長。動我一下，就是與阿沙默國為敵。」

「露娜。」愛麗絲教母用私頻對她輕聲說，但現在露娜氣壞了，這輩子從來不曾如此生氣。上千個不公義激起的上百次憤怒，精煉成了純粹而正當的盛怒。

「走開！」露娜大吼。

公頻一片沉默，不過羊夫散開，回到探測車上了。黑星小隊維持著防衛陣線，接著鏈炮旋開，不再對準目標。探測車掉頭，揚起一圈圈灰塵，轉眼間已通過他們原本位置和地平線的中點。

「露娜。」愛麗絲教母又呼喚了一次，而黑星小隊的隊長在公頻上說：「你們現在安全了。」

但露娜還是堅定地站在原地，一動也不動，手緊握著堂哥躺的箱子。「走開走開走開！」她說：「走開！」

門關上後，芬恩．華恩的視線便死命固定在燈火通明的天花板上。特快電梯沿著皇家堡壘西側上升，所需時間為二十秒。不過對他來說，不僅速度是個問題，從南后地面到布萊斯私人套房的這兩公里落差也很頭痛。馬肯齊氦氣的維安隊長不該有懼高症，這樣太不專業了。於是他將手背到身後，凝視電燈，這樣看起來就像是在冥想，在聚精會神。

布萊斯大可靠網路搞定一切，這個現代企業家不需要傳喚第一刃衛到面前來下指示。寡頭政治的本質是，做你不需要做的事情。

現代企業家也不需要一個穿白色洋裝、坐在純白桌子後方的私人接待員。芬恩．華恩總是以自己的造型為傲：指甲剪得整齊，鼻毛修過，頭髮抹髮油並梳成現在最流行的一九四〇年代髮型。但克林馨總是給人粗俗、散漫的感覺，領帶綁得有點太鬆了，指甲下方有一條汙垢，眼影太藍了。而且她知道他怕高，他看得出來。

芬恩將紅色的安全許可證放到桌上最高的地方。克林馨歪了歪頭，用最小的動作表達許可。

為了改善對克林馨的厭惡，芬恩．華恩想像自己和她做愛的場面。他喜歡想像她無懈可擊的沉著、對細節的注意力都延伸到身體的每一個部位，不管性愛過程多麼緊湊、粗魯、持久，那兩個特質都不會消失。

喀，通往布萊斯．馬肯齊聖殿的門開啟了。

「華恩先生。」

布萊斯躺在玻璃牆旁的手術床上，全裸，儼然是一坨崩塌的肉，在白色坐墊上翻騰、交疊。木紋般的白色橘皮組織布滿他的皮膚。機器照料著他，姿態如祈禱中的狂信徒。肩膀附近有兩具，他的肚子旁有兩具，臀部有兩具。它們的長臂有針和抽吸裝置，能舔走他的身體脂肪。

芬恩前進，近到他不敢再靠近為止。窗外風景令他毛骨悚然：不是垂直的峭壁（他不敢看那樣的畫面），而是南后塔樓的全景。每根尖塔都細如筷子，讓他想起自己在多高的地方，也想到他上方還有多高。尖塔一路延伸到南后熔岩管的頂部，沒入機器之中。駭人，但沒有躺在手術床上的人駭人。

「你沒逮到他。」布萊斯說。

「探測車隊的簽約內容不包括跟阿沙默家交戰。」芬恩說。

機器縮起長臂，將針刺入布萊斯的肉中，他的吸氣聲尖銳極了。

「把路卡辛侯．柯塔帶到我面前，是你的工作。」

「我們簽約簽得太輕率了。男孩一動，我們就得跟著動。」芬恩說。他看得到管子在布萊斯的皮膚下移動，穿過脂肪。

「不好意思，華恩先生，你說什麼？」

芬恩抵抗著恐懼的抓握。

「現在路卡辛侯．柯塔抵達忒，再次接受阿沙默家的庇護了。我們有兩部搭載鏈炮的探測車，黑星小隊的裝備是什麼呢？請提醒我一下。」

「沙地摩托車和刀子。」

「沙地摩托車和刀子，對上鏈炮。」

「我們雇的傭兵的法務部門建議他們不要採取挑釁行動。」

布萊斯像標本一樣被釘在床上，動彈不得。他轉動眼珠，望向芬恩．華恩。

「鏈炮擊墜了VTO月球飛船。」

「法務部門已經收到聖奧爾嘉奇來的賠償請求書了。」

不鏽鋼平台抖了一下，傳來埋怨的哼聲。

「駁回。也不要付全額酬勞給槍隊，去他媽的傭兵。」

「他們無權跟AKA開戰。」

黃色脂肪沿著管線流到床底下的半透明袋子內。

「神之若望有倖存者嗎？」

「沒有。」

「這倒像話。我們的損傷呢？」

針抽出來了，血絲從傷口滲出，更精密的機械手臂於是伸了過來，搽藥、消毒、止血。針找到新目標，又插了進去。布萊斯再度微幅地倒抽一口氣。芬恩覺得那聲音很性感，卵蛋的皮膚感覺到刺痛。

「我們沒預期跟對方交戰。」

「讓我看數字。」

數據一閃，從一具副靈傳到另一具。

「大都是我們自己的羊夫。」布萊斯表示：「很好。傭兵很貴呢，標準賠償費用加上一成。你說得對，他們沒預期跟人開打，於是我們走到了現在這個地步：手上沒人質，神之若望比之前更痛恨我了。艾夫根尼．沃隆佐夫要我買一艘新月球飛船給他。華恩先生，有那麼點搞砸的味道，不是嗎？」

「馬肯齊先生，你有什麼指示？」

「華恩先生，我給你爆炸性的指示。帶一組工程小隊，在盧卡斯．柯塔的寶貝城市埋炸藥，可以炸掉所有東西的炸藥。低調行事。你辦得到，對吧？叫技術部的人加密一個程序，寄給我的副靈。如果我有什麼三長兩短，我就要神之若望變成隕石坑。他毀了我家，我就毀他家。」

管子退出他的身體，發出油膩的吸吮聲，接著繼續尋找可啜飲的新鮮脂肪。

2

全月球的人都聽說過黑暗迷宮的傳言，那是正統鬥士受訓的地方，黑暗中掛著七個鐘。只要穿過迷宮且不鳴響任何一個鐘，你就學會七鐘院的所有知識了。

又來了，那呼喚聲尖銳而高亢，劃破獵戶座方樓晨間繚繞的嗡嗡喧鬧。短如戳刺的針，帶著顫音。

穿著晨禮服的艾莉西亞停下動作，手指凍結在束腰外套的釦子上。些許動作、最輕微的纖維窸窣聲都會磨滅那首歌。這時聲音止息了。艾莉西亞跨出穿絲襪的腳，來到陽台，文風不動地站在那裡豎耳傾聽，希望從上百種電子引擎的和弦、管線中的脈動水聲、人造風的呼嘯、人聲的合音（梅利德的音樂中最響亮的部分）中聽出那優雅的音符。她集中精神，使自己的聽力成為一支尖銳的箭。連她自己的心跳、呼吸的摩擦聲都顯得太響亮了。

有了——方樓下方遠處傳來針刺般的斷奏音，來自奇妙的非人動物。綠、金、一小片紅閃過她的視野，她的目光追了過去。是一隻鳥。

「那是什麼？」艾莉西亞已接受眼中那代表四大元素的圖案。月之鷹的鐵手永遠不用擔心氧氣帳單帶來的窒息恐懼、不用跟家人朋友借空氣，也不會知道靠一百五十萬居民身上蒸發的水氣來集水是什麼滋味。不過那數字永遠不會消失，艾莉西亞也永遠不會忘記：在這世界，所有東西都要錢，使用都得記帳。她還不習慣自己的副靈。艾莉西亞已依照慣例為它命名——馬尼奧，外觀模組則是卡通中的小孩，穿著寬鬆的T恤、短褲、過大的鞋子，讓它顯得不具威脅性。但她要大聲呼喚副靈前還是會猶豫。在家裡時，人工智慧會知道主人的位置。

在家。

紅腰鸚鵡，馬尼奧靜靜地對她的植入式耳機說。那抹顏色衝向她，令她倒抽一口氣，接著牠停到鄰居陽台的欄杆上。一隻鳥。

「喔，看看你。」艾莉西亞．柯塔用氣音說，蹲下來對鳥發出啾啾聲和噓聲，伸出手指。這對小生物、小寶貝來說是普遍有效的小魔法。「你可真漂亮不是嗎？」鸚鵡歪了歪頭，先是用右眼看她，接著換左眼。牠的鳥冠是綠松色的，雙翼是翡翠綠，然後到腹部又變幻成黃色，腰際有一抹滾燙的磚紅色。

除了熱食店水缸的魚和甲殼動物、牽繩的寵物鸚鵡之外，牠就是艾莉西亞離開地球後唯一目睹的非人動物了。

牠在這裡做什麼？艾莉西亞繃緊下顎肌肉，用微乎其微的聲音對植入式麥克風說話。月球出生的小孩在學會走路前就會這招了，但她到現在還沒摸熟。

從行為模式來看，我猜牠是想試著向妳索討食物，馬尼奧說。

我不是那個意思，艾莉西亞說……她把自己的副靈打扮成傻氣海灘女郎會欣賞的男孩，但它的人格其實接近講授教義問答的牧師。**我的意思是，牠們為什麼會出現在這裡？**

野生動物聚落在南后已有二十年的歷史，馬尼奧說，**梅利迪安大約有五百隻鳥，事實證明牠們不會滅絕。生物侵擾是市中心的長期問題。**

牠們吃什麼？

穀物、水果、堅果、種子，馬尼奧說，**廚餘。牠們完全仰賴人類而生。**

「別飛走嘍，小鸚鵡。」艾莉西亞說，並緩緩退回客廳。她在海洋塔的老公寓很擠，但在這裡住的根本是監獄單人房。**我的高樓景觀呢？**當初她曾抱怨。她的助理們皺眉，困惑不解。這是上等的住處，和月之鷹的私人助理十分匹配。她的工作人員向她解釋放射線穿過月壤後能到達多深的地方。地位越高的人，住在越低處。**廚房呢？**公僕們不解地翻開洗手台，拉出垃圾桶，將冰箱滑出牆壁。**我要在哪裡存放東西？要在哪裡煮飯？**他們再度挑起眉毛。**妳想煮飯？**妳要吃外食，挑間熱食店，認識那裡的常客，認識自己的廚師，為自己打造一個小社群。公寓廚房是做雞尾酒和煮薄荷茶用的，妳百分之百確定自己無法去茶館的話才會自己泡茶。

堅果。她在冰箱裡放了一些腰果，腰果和腰果汁是家的味道，也是現在冰箱裡唯一冰的東西。鳥喜歡堅果，沒錯吧？

盧卡斯的訊息，馬尼奧說。

「靠。」

那甚至不是語音電話，是一段訊息，一個指示。**計畫改變，到新月亭見我。做全體會議時的打扮。**

她丟了一把堅果到陽台上，然後轉身，眼角餘光瞄到搏動的綠色翅膀。

那男人鑽進電梯，站到艾莉西亞身後，近得彷彿化成了她的影子。他的臭味令她難以忍受。艾莉西亞的嗅覺是五感之中最先被月球襲擊的，也最早適應風土。她跨出月環膠囊進入梅利迪安中心時，惡臭差點讓她昏倒。令人窒息的穢物、反覆循環的空氣帶著腐味、臭氧與電力劈啪響、新列印好的塑膠散發出甜膩的香氣。肉體、汗水、細菌、黴菌。烹調的氣味、腐爛的蔬菜、發臭的水。還有籠罩一切、比任何氣味都早鑽入鼻孔的月塵味，辛辣，像是燒完的爆竹。後來某天早上，她在自己的小房間內醒來，再也感覺不到惡臭深淵的存在了。它成了她的一部分。熔接到她的皮膚、喉嚨、氣管和肺的內側了。

電梯內的所有人都注意到這男人了。

他高大，憔悴，蒼白，沒刮鬍子。他穿著標準的月球制服，也就是兜帽上衣和緊身褲，但衣服很髒——骯髒在日日穿新衣、丟衣服、重新列印衣服的社會裡，是無法想像的事。他等於赤身裸體——沒有副靈懸在他左肩上。男人用雙眼接下艾莉西亞瞥過來的視線，和她對望，艾莉西亞．柯塔從來不會先別開視線。

隨著電梯上升，乘客越變越少。當它抵達月球受託管理機構會議辦公室（這地點象徵性地懸在地面與地底深處月球菁英之間）時，只剩艾莉西亞和那個發臭的男人了。

電梯減速，停住。

「給我一些空氣。」門開時，他上氣不接下氣地說。他跨到門口，不讓門關上。

「不好意思。」艾莉西亞從他身旁鑽過，結果他抓住她的手腕。她抽開，力道足以向對方表明一件事：她可在一念之間折斷他的手。不過她還是停下來面對這個冒犯者。**這就是貧窮的模樣**，艾莉西亞想通了。她長大的過程中始終相信月球上只有大富翁，她曾坐在海洋塔的女兒牆上望著那顆遙遠的、屬於億萬富翁的小圓球。

「拜託，一，口，氣。」他是擠出所有力氣說每一個字的，她聽得出來。每個音節都要他付出代價。這男人拚了命想呼吸，她的胸口幾乎沒有起伏，脖子的肌腱緊縮得有如電纜，每條肌肉都致力在呼吸。他吸不到氣。

「抱歉，我剛來，不知道要怎麼給。」艾莉西亞結結巴巴地說，從逐漸窒息的男人身旁退開。

「去你的受託。」他衝著她的背低語，他沒辦法用吼的。「連，我，們，呼，的，氣，都，不，如。」

艾莉西亞轉身。

「你說這話是什麼意思？」

門關上了。

「你說這話是什麼意思？」艾莉西亞大叫。電梯以特快級的速度朝城市高處的貧民區移動。

艾莉西亞，馬尼奧說，**妳已遲到兩分鐘又二十三秒。盧卡斯在等妳。**

陽夫人盤起雙手，等著與月球受託管理機構會面。她將來肯定要折磨這支光榮的代表團：逼他們從梅利迪安一路跑到南后，再到恆光宮，最後丟人現眼地穿過太陽大廳的磨石地面，來到一扇小門前，而陽夫人與她的隨從就在門後等著。就給他們苦頭吃吧。沒有人可以把沙克爾頓的老佛爺當成小嬰兒，叫她去哪就去哪。

這些地球人，走起路來像嚇壞的母雞那樣，吹毛求疵又小心翼翼，而且全都縮成一團，彷彿會被地板一口吞下去似的。地球人。他們的衣服討厭死了，領帶窄，鞋子劣質，專屬於共產黨官員和企業意識形態的制服。他們的副靈都一個樣，灰色的鋼鐵新月，彷彿它們只是數位助理，而不是外顯的人工智慧靈魂。她的隨從（高大、英俊、穿著剪裁合身的禮服）們睥睨著地球人。

「陽慈禧。」

她繼續等待。

她大可等到太陽冷卻。

「陽夫人。」

「王代表。」

「我們很擔心詹姆士．F．考克本代表的安危。受託管理機構指派他為聯絡太陽企業的窗口，他還帶著赤道太陽能板陣列相關文件夾在身上。」王代表說。她是北京派來的，冷靜又精於算計的女人。黨的高幹。

「我們想知道考克本代表是否出了意外。」陽夫人的副靈將說話者標示為安塞爾默．雷耶斯，來自達文南特創業投資集團。月球受託管理機構把最高階主管派過來了。

「很遺憾，考克本代表在太陽環的北格里馬爾迪區視察時碰上了致命意外。」陽夫人說：「操作地表活動衣是很需要技術和經驗的，即使是硬甲衣也不例外。」

「為什麼我們沒有立刻接獲通報？」王代表說。

「入侵月球造成的網路癱瘓仍在修復中。」太陽企業隨從團的狄米特．陽搬出他們演練過的說詞。

「你是指平亂行動吧。」王代表糾正他，狄米特．陽低下頭去。

「太陽企業會徹底調查意外原因。」陽國璽說：「我們會提供一份報告給你，你們提出任何賠償請求，我們都會給你們滿意的結果。」

「這是太陽董事會的心意，請收下。」陽夫人說，並舉起一根手指，陽秀蘭便端了一個盒子過來。那是以雷射精雕細琢而成的，材質為月球鈦金屬。巧奪天工。王永晴從中取出一個書法卷軸。

「碳，五萬八千五百二十三點二五克，氧氣，一萬六千六百六十四點三七克。」王代表說：「請解釋這是什麼。」

「詹姆士．F．考克本的化學成分，依質量計算。」陽夫人說：「鉛、水銀、鎘、黃金奈米粒子意外地多。字寫得很秀氣不是嗎？陽秀蘭的巧手令人嫉妒。」

一個高大的年輕男子低下頭去。

「這些元素已經進了一般有機物槽。」陽夫人說：「負責回收的查巴林在生命盡頭做的清算最準確，這件事令我感到寬慰。」

陽秀蘭握毛筆的巧手令人嫉妒，不過手部運動最細膩的人是拿刀的江映月，太陽的企業衝突排除官。這是個經過粉飾的頭銜，工作內容其實更直截了當，相當於馬肯齊家所謂的第一刃衛。三皇預見人民共和國會派探員過來，而陽家稍微追查了一下，電腦就顯示詹姆士．F．考克本為探員的機率高達百分之七十五。這數字足以讓恆光宮明處與暗處的董事會下達絕殺令。江映月接下任務，拿起武器匆匆上路。她親自護送考克本代表坐上私人機動車，趁車子在沙克爾頓坑壁隧道的期間，從西裝外套內的刀鞘中抽出骨刀，刺入詹姆士．F．考克本柔軟的下顎肉，貫穿大腦。查巴林在彈運站的壁板旁待命，負責清除屍體、刀子、所有汙漬和DNA的痕跡。汙漬是血液造成的，血液是碳，而碳屬於月球。

「這是……」歐盟的利害關係人，月球受託管理機構第三執行官莫尼克．柏廷結巴地說。

「我們的做事方式。」陽夫人說，並勾起一根手指，向隨從暗示會面已結束。「請好好享受恆光宮的款待。」陽夫人身邊的年輕男女簇擁她離開，真是優秀的男孩女孩啊。

「都知道了嗎？」陽夫人在一行人踏上有軌電車時說，這車廂將會開往她的私人套房。

「都聽王小姐的。」她的企業衝突排除官說。

「人民共和國還沒忘記。」陽夫人說：「他們等了六十年，變得更貪婪又散漫。他們洩漏了他們對月球受託管理機構的控制程度，而我們可以用這點回頭對付他們。」

車廂穿過一條條隧道，減速停靠在陽夫人的私人車站。

夫人，達瑞斯・馬肯齊到了，陽夫人的副靈宣布。

「是達瑞斯・陽。」陽夫人糾正它。「映月，請打電話給我的孫女亞曼達，我要在公寓見她。」

車廂門邊，有隻手往上一抬，要江映月退下。陽夫人暫停動作，觀察她的曾外孫。五天前，她才放他在七鐘院那裡接受武術指導，幾天後他已變得更精瘦、鋒芒更利、更緊繃了。很守紀律，而且也不再抽電子菸了。

這裡是武器製造所，馬里亞諾・加百列・迪馬里亞曾說。

陽夫人派了許多人去那裡學習刀法，不過她打造的這件武器更精妙、更強大。眾目睽睽下誕生的武器，像是掛在牆上的劍，幾年後仍有致命的刀鋒。她死後才會出鞘的武器。

「達瑞斯。」

「太后。」他用的敬稱不夠精準，儘管他在皇家堡壘時不拘小節，非常不得體，不過馬里亞諾・加百列・迪馬里亞確實讓他學會禮儀之道了。馬肯齊是什麼時候變得那麼疲軟、墮落的？在過去那段偉大的歲月裡，月世界可是陽家和馬肯齊家聯手打造的。馬肯齊家是錘鍊過的鋼鐵，而她也一樣硬，鑽石對金屬。月球夫人當時非常嚴厲，每口氣、每滴淚都得從她手中掙來。現在沒那麼難熬了：羅伯特・馬肯齊死了；艾夫根尼・沃隆佐夫老昏了頭，被孫輩耍得團團轉，像是被趕往市集的豬。就連最後的五龍——亞德里安娜・柯塔也先死了。她的傲骨跟鐵一樣硬，令人失望的是她的孩子。富不過三代。第一代打造江山，第二代敗家，第三代輸掉一切。不過她留了個能幹的兒子，盧卡斯・柯塔。前往地球是老五龍會欽佩的行徑。不可能的任務，但總之做了再說。

在她的預謀下，柯塔和馬肯齊互相殘殺，不過還差臨門一腳。

「我想馬里亞諾一定讓你吃了很多苦頭吧？」陽夫人問。她走向窗邊，看一道道刺眼光線深深鑿入沙克爾頓隕石坑的坑壁。強化玻璃厚達六公分，不過南極的陽光毫不懈怠，一天又一天、一個月又一個月地咬斷原子鍵結。它們將在某月某日瓦解。陽夫人想像那畫面，感到欣慰。預見終結令人心曠神怡，精神力更加強大。帶著灰塵的燦爛光線如刀刃般劃開房間。陽夫人的公寓很空，只擺放簡單的家具，掛在牆上的纖維織品就是她的奢侈品。在這極端高緯度，陽光光束幾乎不曾改變高度，她的綢緞和掛毯被曬出許多褪色長條。陽夫人認為這完全不打緊。她喜歡的是織品的觸感；有創意的織法會製造出千變萬化的觸感，輕輕一撥，柔軟的質地可能就會變成帶刺的貓舌。

「如果妳是想問我負荷重不重，那確實很重。」達瑞斯・馬肯齊―陽說。「他教我運用感官。移動先於戰鬥，感知又先於移動。」

「那座迷宮。」陽夫人說。全月球的人都聽說過黑暗迷宮的傳言，那是正統鬥士受訓的地方，黑暗中掛著七個鐘。只要穿過迷宮且不鳴響任何一個鐘，你就學會七鐘院的所有知識了。「讓我看看你學了些什麼。」

陽夫人從一個玻璃盆中舉起一根枴杖。思慮不周的賓客和兒孫總愛送她枴杖當禮物。她使出全力揮向達瑞斯的頭。他不在原地，而是在一步之外，架式安定，準備萬全。陽夫人以枴杖向達瑞斯發動凌厲的攻勢，活像是寡婦在打小偷。達瑞斯跨步、轉身、彎腰閃過各種揮擊，動作玄妙，枴杖總是差之毫釐。

優雅又高貴，陽夫人邊想邊朝達瑞斯湊近，手中枴杖又揮又刺，攻擊有如雨點。**他不會只信任自己的視力，還傾聽枴杖的動向、我的呼吸、腳步聲，懂得去感覺空氣的位移。**

「很好。」陽夫人說：「現在你假裝來殺我。」她舉高枴杖，達瑞斯看都不看便接下，感受它，手掌張開。他襲向陽夫人，枴杖尾端滑過她的喉嚨、耳後方的柔軟部位、腋下。準確，控制得當，發念與中的之間的距離縮到最短。

枴杖擦過她的前臂、鼠蹊部、脖子。最終招，雅致的三刀。

第一刀打下武器。

第二刀終結戰鬥。

第三刀奪人性命。

陽夫人使了個眼色，達瑞斯便交出枴杖。

「你的進度超前了。」

「我在坩鍋向丹尼．馬肯齊學過刀法基礎。」

「丹尼．馬肯齊是高明的刃衛，陰險又可敬。不知道他在流亡時過得如何。」

副靈宣布亞曼達．陽抵達大廳了。達瑞斯表示要先走一步。

「留下來。」陽夫人說：「除了拳腳之外，還有其他戰鬥方式。」

亞曼達．陽的肩膀線條、腹部位置、雙手的緊繃感透露了她的憤怒。**妳就像小孩子讀的故事那樣淺**，陽夫人心想，**難怪盧卡斯．柯塔會打倒妳**。

「妳的兒子在忒。」陽夫人最後終於開口。

「他仍在接受阿沙默家的庇護。」

「而妳人還在這裡。」陽夫人說，眼角餘光（依舊銳利，看得很廣）瞄到達瑞斯不自在地調整了一下站姿。「就在我們說話的當下，盧卡斯·柯塔不斷朝忒前進，他打算帶妳兒子回梅利迪安。我們需要籌碼抗衡月之鷹。整個近端月面都手忙腳亂地想要染指柯塔家的人，珍貴之人。」

「我馬上上路。」

「太遲了。黨信已經以妳的名義聲請路卡辛侯·柯塔的監護權。」

達瑞斯前傾身體，肌肉、肌腱收縮，吸了一口氣。他新生的戰鬥本能醒過來了。

「妳要到克拉維斯法庭跟他對簿公堂，親自出庭。這代表妳得跟盧卡斯·柯塔密切聯繫，無可避免。」

「妳這邪惡的臭膽囊。」亞曼達·陽說。

「有哪個母親不願為小孩做出犧牲？」

「我是董事，我有權利先和妳商量。」

「為人母親不用談權利，那是一種責任。」陽夫人說：「已經有輛私人機動車在等妳了。」

陽夫人盤起雙手。亞曼達·陽冷靜下來，轉身邁開大步，走出公寓。

「她對我說謊。」陽夫人對達瑞斯說：「她說她在柯塔氦氣陷落時殺了盧卡斯·柯塔。達瑞斯，你要明白：別人總會把『公事公辦、不針對個人』掛在嘴邊，那是天大的謊言。人的所有舉動都是衝著個人來的。」

3

露娜聽說過遠端月面，那裡永遠不會有地球升起，天空除了星星以外還是只有星星，不過它跟近端月面月海、山脈、隕石坑的距離，就像是一顆月餅的底部和頂端那樣遠……世界感覺是平的，像是一塊碟子，人要去另一面就像是穿過月球的魔術之旅，可能要橫越幾百萬公尺，也可能是幾毫米。它是同一件東西的另一面，但感覺起來比藍色地球還要遙遠。

「我的天使，妳在做什麼？」

愛麗絲教母非常謹慎地挑選了房間，披上露娜最愛的列印織品：花朵和動物圖案的。她放了五件露娜最愛的紅色洋裝在裡頭，過去她就是穿著它在博阿維斯塔的花園裡恣意奔竄、撒野。她排放家具時刻意製造出裂縫、破口、可爬的空間，還原她在博阿維斯塔成長時所探索的環境。一切都是為了取悅露娜而設計的，但她盤腿坐在地板中央，背對著門，身穿她在搭機離開博阿維斯塔時換上的粉紅色太空衣內襯。

「教母，我在化妝。」

她頭上浮著一個球體，大小有如握起的拳頭，半黑半銀。露娜原本只用一個副靈，就是跟她同名的寶石藍月蛾。

她面前地上擺著一罐臉部彩繪顏料。

「露娜？」

她轉身。愛麗絲教母忍不住發出驚叫，也控制不住飛快掩嘴的手。露娜有半張臉是瞪著人看的白色骷髏。

「在妳媽發現前擦掉它。」

「媽在這裡？」

露娜從地上跳了起來。

「十分鐘前到的。」

「她怎麼還沒來見我？」

「她得先見一些人，之後才來見妳。」

「一些人，例如路卡辛侯。」露娜說。

「妳的盧卡斯叔叔也來了，他要帶路卡辛侯到梅利迪安去。」

「我要去找媽。」露娜斬釘截鐵地說。她那半張死者之臉令愛麗絲教母惶惶不安。

「我會帶妳去。」愛麗絲教母說。絕對不要說謊，絕對不要高高在上地對小孩說話。「妳把臉擦乾淨，換上可愛的紅色洋裝，我就帶妳去。」

「我不要。」露娜往前跨了一步。愛麗絲教母則不由自主地後退一步，儘管她經驗老到又有職責在身。露娜過去在她心目中是個任性、反抗性強、易怒、動不動就鬧脾氣折磨人的孩子。她從未見過這孩子展現如此冰冷的決心，半張骷髏臉上的黑色瞳仁射出鈦光。這陌生的特質是太陽環的黑色玻璃召喚出來的，且被融解的普斯特加號加熱、鍛造過。

「我的小天使。」

「帶我去見媽！」

「只要妳整理儀容，換上漂亮的衣服，我就帶妳去。」

「那我就自己去。」露娜堅定地說，而且轉眼間就踏上走廊了，愛麗絲根本來不及轉動她老邁的身軀阻擋她。

神啊，那女孩的動作真快。愛麗絲在電梯間趕上她，平台沿著農場的葉片波濤下降，生長燈的粉紅燈光照耀著大片植物形成的暗影。AKA科技小隊仍在幫攻城期間遭駭的月球推土機除錯，慢慢將筒田頂端的土堤往後推。忒還得再下幾個月的工夫，受損的生態系統才會恢復健康，全速孕育作物。在生長燈的照耀下，露娜的太空衣內襯幾乎是螢光色的。女孩已經叫了一輛三輪摩托，它像花瓣般闔起，包圍兩人，然後在醫療中心外再度綻放。

露西卡・阿沙默那班動物擋在她前方，像是從寓言集裡跑出來的：蜂群、羽毛亮麗的小鳥、跟露娜的手一樣大的靈巧蜘蛛。露娜開心地拍起手來，她沒看過母親的護衛。當中有露娜不認得的生物，圓滾滾的，但很靈敏，尾巴有條紋，腳爪敏捷。牠坐起身，用戴眼罩似的眼睛望著露娜。露娜蹲下來回看牠。

「喔，你是什麼啊？」

「浣熊。那妳又是什麼呢？」露西卡・阿沙默問：「妳現在變成月球夫人了？」

動物們乖巧地待在加護病房門外。

露娜最先看到手臂，昏暗光線下的手臂，修長、多關節的醫療機器人手臂將手指探入路卡辛侯的手和喉嚨中，感應臂繞著他的頭部展開，看起來像在流血似的。她叔叔的深膚色手臂和醫療機器的光形成對比，他的手掌輕輕按在路卡辛侯的胸口，隨之微幅起伏。

「叫她出去。」盧卡斯頭也不抬地說。

「盧卡斯……」露西卡說。

他轉身面向露娜。

「他把最後一口氣給了妳。」盧卡斯說：「給了妳。」

露娜感覺到他凶狠的面具下藏著淚水。他不能在這裡哭，不能當著路卡辛侯的面，為他哭泣。

「你不許那樣對我女兒說話！」露西亞．阿沙默暴怒。這時露娜感覺到愛麗絲教母的一隻手搭在她肩上，往旁邊一轉，引導她回到走廊上。門關上了，阻斷咆哮，她從前躲在博阿維斯塔維修通道會偷聽到的那種怒罵。爸媽以為只有機器在場時的爭吵情況，她曾見識過。

「不要緊的，我的甜心。」愛麗絲教母擁抱露娜，輕撫她的頭髮。

「才怪。」露娜用氣音對著教母的肚皮說。她下顎、喉嚨的每根肌肉都繃緊了，羞辱使她的臉發燙，耳中充滿了高頻的耳鳴——我沒哭。浣熊晃過來觀察露娜，露娜將那半張骷髏臉轉過去面對牠，齜牙咧嘴。牠沮喪地跳開。

「我不會擦掉它。」露娜對戴眼罩的浣熊說：「一切恢復正常前別想談。它現在是我的臉了。」

她蹲下，手伸向警戒著她的浣熊。牠把頭轉向一旁，而她彈手指，點了幾下頭，發出嘖嘖聲，愛麗絲說這是呼喚雪貂的聲音。牠側身靠近，在她伸手勉強可及的區域逗留。

「來嘛。」她說，並前進了半步。浣熊先是退縮，接著聞了聞她的手指。「很抱歉嚇到你了。」眼罩和面具對望著。

粉紅色光線淹沒整個房間。視線往上一挑，他看見機器在清除封蓋上的月塵。

露西卡．阿沙默從一家不起眼的酒吧帶了兩杯馬丁尼過來。這套房距離創傷中心只有幾步之遙，但和病房的安寧、機器發出的嘶嘶聲與它們不眠不休的慈愛照護，簡直是分屬兩個世界。露西卡．阿沙默已換掉金凳的華服，不過它的力量仍纏繞著她，有如香氣一般。盧卡斯輕輕接下對方端來的杯子。

「敬你一杯，當作我的致歉。」露西卡說。

「我不該那樣對露娜說話。」盧卡斯說。

「她扛著他走了三公里路到博阿維斯塔。」

「對不起。」

「你要對她說。」

「我會的。」盧卡斯品嘗馬丁尼。優質的馬丁尼就該像月球表面，冰冷，無甜味，不妥協，充滿危險性。嚴厲而美。

「治好他。」盧卡斯．柯塔說。

「我們辦不到。」

「幫他一把。」

「盧卡斯，他的身體損傷是毀滅性的，我們已經修復了他的自主神經系統和一般動作技能，但他之後得學著走路、說話、自行進食。原本的他已經消失了，他又成了一個孩子——一個幼童。他得重新吸收所有知識才能成為路卡辛侯．柯塔，而我們不知道要如何讓他辦到。」

盧卡斯的手發抖著，他將沒嘗幾口的酒放到桌上。

「你們是ＡＫＡ，你們破解了ＤＮＡ，駕馭了它。你們從月球的心臟汲取出生命。」

「他的需求超過我們的能力所及，也超過任何人的能力所及。月球的這一面無能為力。」

「大學有可能幫他？」

亞德里安娜．柯塔給她孩子們的教誨：三權分立可促成最強大的力量。月球開發法人和五龍是月球秩序的兩根柱子，而第三根是最古老、最微妙的，幾乎已被眾人遺忘。遠端大學。當羅伯特．馬肯齊的機器人篩起風暴海的月壤、熔煉稀土的同時，加州理工學院到上海大學組成的聯合小隊也派出了月球機器，讓它們揮舞著嵌有雙極子的塑膠旗幟，橫越代達羅斯隕石坑。當太陽企業的主管們逃離中國，和機器人一起從南極盆地開採冰塊和古老彗星蘊含的碳時，加州理工學院和麻省理工學院已在月球開挖隧道和住居地，為永久研究和定居做準備，避開地球上的國家與意識形態的干涉。VTO磁浮列車串起南北兩極、抵達遠端月面的同時，新大學與沃隆佐夫家簽訂合約，同意對方建造、啟用，以利外太空任務，儘管他們也上法院控告VTO，說他們鐵路的運行對代達羅斯隕石坑的精密聲響監測造成嚴重影響。克拉維斯法庭創立了，大學的法律系也開設了。

阿克拉來的兩名工人創立AKA，建立了一個光、生命、水的帝國；在月亮另一頭，大學則在龐加萊隕石坑深處挖了一個安全的病原體實驗室，以一層層氣閥、密封機關加以隔絕。亞德里安娜看著軌道轉運飛船螢幕上的巴西漸漸縮小時，遠端月面的月環輸送了一個個運輸艙到東方海地底的資料庫，地球基因才安穩地儲放此地，遠離荒蕪的地球生物圈。

它從來沒有正式的名稱。遠端大學只是一個暱稱，一個最佳別稱，精準的名字。它興建的隧道、有軌電車、高速列車、纜車覆蓋了遠端月面百分之五十的面積，就某個角度而言，它是地月兩界最大的都市，就另一個角度來看，它是所有月球都市之母。它以研討班、研究團體、微學院影響著月球另一面，不過它的中心，它的本營，著眼於宇宙，對地球視而不見。它是世界上最先進的科學、科技研究機構，嚴加保護著自己的財富與獨立性。它就是第三勢力，隱藏的刀刃。月之鷹和五龍早早就明白了一個道理：不可試探大學。

「3D列印蛋白質片有新的進展。」露西卡說：「還有人造神經元、可寫入程式的奈米材料。」

「他們有辦法修復損傷？」

「他們辦得到，但得讀取他的記憶。」

「但如果損傷就像妳說的……」

「他們會用他的外部記憶進行重構。外部記憶包括他的副靈、網路上的足跡，還有人。他的朋友，家人。」

盧卡斯．柯塔望出窗戶開孔，看著葉博阿筒田那片鮮活的粉紅色。他感覺得到潮溼熱氣濃密地壓在皮膚上。地球就像這樣，稠密、潮溼，每吸一口氣都得對抗一次熱氣和重力。他品味著豐饒，葉片和生命的猛烈抽長。神之若望和博阿維斯塔都在豐饒海下方，但那裡應該更適合忒才對。豐饒海，寧靜海，澄海。瓊漿玉液，蒸氣，雨水。謊言之海，關乎月球學的，情感澎湃的。冰冷海，危海，風暴洋：真理之海。

盧卡斯．柯塔很清楚事情的危險性。從遠端月面回來的兒子，還會是他認得的兒子嗎？路卡辛侯還會認得他嗎？

「我要帶他去梅利迪安。」盧卡斯說。

「不行。」

「我是為了他們做的。妳明白嗎？我做的一切都是為了他們，我要所有家人都團聚在一起。」

「我明白，盧卡斯。」

「妳明白嗎？帶我去見他，我得再見他一次。」

「當然好。」

露娜．柯塔吃下第三匙泥狀食物後，認定抹茶豆蔻草莓格蘭尼塔[1]並沒有她想得那麼棒。

「抹茶豆蔻草莓。」圭亞咖啡的老闆說，試著不去看露娜那半張月球夫人的臉。

「抹茶豆蔻草莓。」

抹茶豆蔻草莓根本搭不起來，不過她不想讓老闆知道，因此勤奮地一口接一口，挖到見底。吃到剩兩公分時，她發現圭亞咖啡只剩老闆和愛麗絲教母。

再吃兩匙後，連老闆都不見了。

昆蟲湧入圭亞咖啡，煙一般繞著低矮的天花板，接著在飲水機上方聚縮成一顆嗡嗡作響的球。鸚鵡飛進門來，停在櫃台邊緣，然後那隻腳爪敏捷的浣熊進來了，還有她媽，她肩上停著蜘蛛，西非神祇阿南西的化身。

「好吃嗎？」露西卡．阿沙默看著格蘭尼塔的杯子，還有杯底融化的冰渣，湯匙絕對撈不起來。

「妳想試試嗎？」露娜用湯匙沾了一下尖錐狀的粉紅液體，露西卡嘗了一口。

「有草莓，豆蔻……那是抹茶嗎？」

「妳喜歡嗎？」

「要聽實話嗎？」

「實話。」

「分開來應該會好吃……」

「但合在一起就不好吃。」

露西卡．阿沙默使了個眼色，愛麗絲教母便起身離開。

「我可以碰妳的蜘蛛嗎？」露娜問：「她跟阿南西一樣愛搗蛋嗎？」

「她不是搗蛋鬼，但她有特別能力。露娜，路卡辛侯的傷勢比我們想得還嚴重許多。」

「他會活下來，對吧？」

「他會活下來，但會失去一切。他沒辦法走路，沒辦法自己吃飯或說話。小天使，他看到妳也不會知道妳是誰。我們在這裡幫不了他，他得離開忒。」

「他要去哪裡？」

「遠端月面。」

露娜聽說過遠端月面，那裡永遠不會有地球升起，天空除了星星以外還是只有星星，不過它跟近端月面月海、山脈、隕石坑的距離，就像是一顆月餅的底部和頂端那樣遠。她知道月世界是圓的，VTO有兩條鐵路環繞它，不過感覺起來並不是那麼一回事。世界感覺是平的，像是一塊碟子，人要去另一面就像是穿過月球的魔術之旅，可能要橫越幾百萬公尺，也可能是幾毫米。它是同一件東西的另一面，但感覺起來比藍色地球還要遙遠。

「遠端月面的人會讓他好轉嗎？」

「他們會嘗試，但保證不了什麼。」

露娜將格蘭尼塔的杯子推開，手掌平按在桌上。

「我要跟他一起去。」

1 義大利的冰品，類似冰沙。

「露娜。」

「他把我從拉巴克彈運站帶到博阿維斯塔。我們被機器人和馬肯齊家追殺，後來在玻璃地上迷路。我的太空衣漏氣，他就把空氣給我，一路陪伴我。我不會拋下他。」

「我的小天使。」

「那是我爸叫的。」露娜說：「那是柯塔家用的字。我不想去忒。」

「親愛的，我不懂。」

露娜前傾身體。

「博阿維斯塔的派對結束後，妳帶我去了忒。我是說那個奔月派對，有人試圖刺殺爸那次。我並不想去，博阿維斯塔是我的家。」

「寶貝，當時待在博阿維斯塔並不安全。」

「那是我的家。」

「寶貝，博阿維斯塔不存在了，妳很清楚。妳都看到了。」

「博阿維斯塔是我的家，拉法．柯塔是我爸。卡林侯叔叔的刀在我手上。妳是阿沙默家的人，但我是柯塔家的人。」

所有的動物都看著她，就連蜂群都彷彿排成了一隻眼睛，露娜用眼角餘光瞄到的。

「露娜……」

露娜盯著母親，眼神冰冷又堅定如鐵。

「我是柯塔家的人嗎？」

「是，妳是。」

「我是柯塔氦氣真正的繼承人。」露娜宣告。

「露娜，別說這個。」

「但我是啊，所以我才在臉上化這妝。這是我身為柯塔家一分子的臉。所以我才得跟路卡辛俣走，我得照顧他，我得去遠端月面。」

露西卡．阿沙默嘆了一口氣，別開視線，動物也不再瞪著露娜了。

「那就跟他去吧，但我有個條件。」

「什麼條件？」

「愛麗絲得跟妳去。」露西卡說。

「一言為定。」露娜說，這原本就在她的預期之中。大酋長不會完全退讓，而是會設法跟她談判。蜂群飛向門口，鳥飛向空中，浣熊抓抓癢，緩步離開。搗蛋鬼蜘蛛仍緊攀在露西卡．阿沙默的肩膀上。露西卡笑了。

「妳是柯塔家的人，但妳也永遠是阿沙默家的人。」露西卡說：「金凳會守著妳。」

他們準備用鐵路輸送維生，一行人聚集在忒站的私人月台上。艾莉西亞數了數，現場有二十個人：月之鷹和保全，大酋長和她的隨從，也就是黑星小隊和動物們，露娜．柯塔小心翼翼地拿著一個皮製的盒子，旁邊是她的教母，還有躺在維生艙裡的男孩。大學的有軌機動車駛出隧道開始靠站，穿過一組組轉轍器，停在強化玻璃隔板與氣閥的另一頭。一個氣閥闔合，另一個開啟了。

一個高大的女人走到月台上，年紀大約三十出頭，淺焦糖色肌膚，鬈髮往後梳，被一頂時髦的紳士帽鎮得服服貼貼。艾莉西亞的副靈給了她更詳細的情報：散發精明氣質的西裝是祖克曼與克勞斯牌的，口袋邊緣有條紋花邊，鈕釦很大，肩膀加寬，束腰剪裁。她的包包是喬瑟夫一九四九年產品，圓筒狀；牛津鞋的鞋跟高三公分，緞帶鞋帶。她抹大紅色唇膏，縱貫絲襪的縫線是貨真價實的。她副靈的外觀模組是一藍、一白，彼此交錯的圓：地球從月亮後方升起，只有遠端月面看得到的景象。所有細節都跳了出來，除了她的身分。

「我是達柯塔．凱爾．馬肯齊，遠端大學勇士學者，生物控制學院神經技術學系。」

盧卡斯．柯塔的保全和AKA黑星小隊當中有人吸了口氣，調整了站姿。艾莉西亞的其中一個問題獲得了解答。對方姓馬肯齊。

「馬肯齊博士。」盧卡斯．柯塔說。艾莉西亞．柯塔瞄了他一眼，因為她聽到他的語氣帶著銳利的敵意。那位勇士學者也聽出來了。

「有什麼問題嗎？柯塔先生。」

「我會比較希望是……」

「其他人來？」女人說。天知道勇士學者是什麼，但擁有這頭銜的人具備相當的魅力與權威，使月台上的所有人都顯得笨拙。包括鐵手、月之鷹，甚至金亹——彷彿成了扮演超級英雄的小孩子幫自己取的名字。

「是。」盧卡斯說。

「你也知道，大學的每個勇士學者都以許多誓言嚴正地約束自己。」女人說：「獨立、公正、奉獻、紀律。」

「我知道，馬肯齊博士。」

「你懷疑我不會信守誓言嗎？柯塔先生。」

每一個保全和黑星小隊員都繃緊了神經，一隻隻手移向藏起的皮套。露西卡．阿沙默的動物們騷動了起來。

馬尼奧，給我勇士學者的所有相關情報，艾莉西亞無聲地對著副靈低語。

勇士學者是遠端大學的學院騎士，馬尼奧在艾莉西亞耳中低語，**每個人都隸屬於一個學院，作為其代理人，有權在必要情況下採取任何行動來維護學院的獨立與完整。馬肯齊博士基本上有辦法殺死在場所有人類與動物。**

那件西裝有鬼？艾莉西亞用唇語說。

那件西裝會立刻被甩開，馬尼奧說，**還有，她可以從妳下顎肌肉的微幅動作讀出妳在說什麼。**

「請妳諒解，他是我兒子。」盧卡斯．柯塔說。

「他將大大受益於我方研究，接受最精密的醫術治療。」達柯塔．凱爾．馬肯齊說。「盧卡斯，別懷疑這點。」

馬尼奧在艾莉西亞的鏡片上填滿遠端月面勇士學者的相關文章：有殺生權限的忍者學者，聰穎的超級英雄，不過更令她感興趣的是她從盧卡斯．柯塔身上解讀出的情緒，深藏不露的情緒，月球城市般埋在他心底，保護得好好的。不過艾莉西亞從幾個跡象中解讀出不信任、無助、希望、歷史悠久的憤怒。他逃不出馬肯齊博士的手掌心。

「讓他變回一個完整的人，把他帶回我身邊。」

「我會的，盧卡斯。」

緊張感消失了，大家呼出憋住的氣，不再作勢要拔刀。狗坐下，舔人。鳥抖鬆羽毛，梳理自己。

「謝謝妳。」

露西卡．阿沙默的黑星小隊將維生艙搬入機動車。

「我也要去。」露娜．柯塔說，並從勇士學者身邊擠過去。露西卡．阿沙默失去沉著，衝上前去一把撈起女兒。

「喔，妳、妳、妳喔。」她把臉埋到露娜的頭髮上。「妳要乖，要注意安全，都聽到了吧？」

露西卡蹲下，把自己的高度壓到跟露娜身高差不多。「每天都要跟我說話，好嗎？」接著她對愛麗絲教母說：「我要妳每天提交報告。」

教母低下頭去，護送露娜上車。

「還有人要上車嗎？」勇士學者問。

氣閥封上，機動車開始出站，轉眼間就進了隧道。

艾莉西亞發現自己現在才恢復正常呼吸。

「妳在臉上弄的那個……」勇士學者說。機動車開始加速，到巡行的程度。一抹光線閃過，是從神之若望來到的定期班車。沒有壓力衝擊，沒有噪音轟隆響，車身沒有搖晃。機動車行駛在完全的真空中，磁浮軌道之上。愛麗絲教母已經在前方隔間睡著了，和路卡辛侯．柯塔在一起。「我喜歡。」

露娜嗤之以鼻。鼾聲如雷的愛麗絲教母抖了一下身體醒來，接著又墜入睡眠之中。

「盒子裡有什麼？」達柯塔問。裝著柯塔之刀的盒子擺在達柯塔和露娜之間的柔軟椅墊上。

「妳不需要找我聊天。」露娜說：「我自己玩就行了。」

「我只是感興趣才問。」達柯塔說：「妳想想，在月球社會，沒有人認為物件是有價值的，妳卻選擇帶著這個東西上路。」

「妳真的想知道盒子裡有什麼嗎？」

「真的。」

露娜打開盒子，看對方有什麼反應。連眼皮都沒眨一下。

「露娜．柯塔，這是妳第二次讓我驚豔。」

「這是柯塔家的戰刀。」露娜說。

「不同凡響的武器。」達柯塔．馬肯齊說：「隕鐵鍛造的。」

「對。」露娜不太爽，因為她準備好的說詞被搶走了。「來自朗倫隕石坑深處的隕鐵，原本由現主姊妹會保管，直到大膽、無私、不貪婪也不懦弱的柯塔家成員現身，這個人將為家族而戰，英勇地守護家園。那個人就是我。」

「說的是。」達柯塔．馬肯齊說：「我可以借一把來揮揮嗎？」

「不行。」露娜的話語傳遞出激動和威嚴，這次達柯塔畏縮了。「我不會讓馬肯齊家的人再碰它一次。」

「妳說了『再碰它一次』，所以我得問那是什麼意思。」

「上一個碰它的馬肯齊，拿它殺了我的『齊歐』，也就是我的叔叔。」

「我會說葡萄牙文。」

露娜改用腔調很重的小聖者葡萄牙文說話。

「妳的堂兄弟丹尼．馬肯齊偷走刀子，殺了我的卡林侯叔叔。之後你們偷走了神之若望。」

達柯塔．馬肯齊用腔調完美的神之若望葡萄牙文回應。

「我跟丹尼．馬肯齊沒關係。」

露娜發出噓聲。

「我是遠端大學的勇士學者。」

露娜往椅背一靠，又一輛列車從窗邊閃過。

「勇士學者是什麼？」

「遠端大學在很久以前就察覺了一件事，那就是政治派系的鬥爭會把它夾在中間。」

「我不想聽床邊故事了，我年紀沒那麼小。」

「妳這麼覺得？」

「對，而且政治派系如何角力我都知道。」

「五龍、舊有的月球開發法人、新來的月球受託管理機構、地球上的國家都想控制我們，而且最覬覦的是我們的研究成果。我們發展出的技術與科技價值數十億元。遠端大學的主要資金來源有三個：學費、科技授權費、私人贊助與財團支持。」

「財團是什麼樣的組織我也懂。」露娜說：「妳還沒回答我的問題。」

達柯塔欣喜地咧嘴笑。

「若有人想摧毀、控制、收買遠端大學，或偷走它的機密，大學就會派出勇士學者去對付他們。早期我們會雇傭兵辦事或從地球帶保全人員上來，不過我們發現他們能力低落，忠誠度也很可疑。」

「你們總是比較想跟可信任的人做事。」露娜說。

「這是我們的信念。勇士學者共有九十九名，因為我們喜歡九十九這個數字。每個人都代表一個學院和校區，所有人都在月球出生，任期十年，期間不能訂立伴侶合約或生小孩。我們和家族、個人史斷絕關係，嚴正立誓效忠大學。申請這職位的人多，獲選的很少。遴選機制非常嚴格，每個人都至少要拿到博士學位，許多人的成就甚至更高。如果我們無法參與大學的知識面，又該如何守護它？我想當傭兵、警察也沒問題。」

「警察？」露娜問。

「地球上的名詞。」達柯塔說：「我們接受嚴格的體能訓練。每個人都要學會使用一樣武器，和一種不使用武器的功夫。接受體能、武器訓練的時間就跟我們花在學術研究上的時間一樣長。你們的扈衛和刃衛都愛吹噓自己在七鐘院受過訓練。那裡傳授的功夫很好，但勇士學者學得更多。我們學會去觀察最瑣碎的細節，進行更細膩的心理操弄，懂得高明的調查、情蒐、臥底之道。我們學會了月球上所有主要的語言，而且是銘刻在心，不是靠網路協助，也學習心理學和表演學方面的技巧。我們還要學會寫程式、駭進程式、系統工程。月球表面、上空的任何交通工具，我都會操縱，包括這輛列車。我們會調製客製化的致幻毒品、毒藥、迷幻藥。我們學習誘惑以及被誘惑之道，懂得利用性愛當作武器，任何性傾向的人與無性戀者，我們都應付得來。在沒有氧氣的情況下，我可以存活七分鐘。露娜．柯塔，從各方面來看，我們都是從地獄來的戰士。」

東方有低矮平頂山的斜坡。傍晚時分，它向高架橋以及爬上灰色高地的機動車投以長長的影子。

「我可以看妳的刀子嗎？」露娜問。

「當然好。」達柯塔愜意地打開西裝外套，裡頭有兩把刀，插在隨手就能抽出的刀鞘內。

「妳會想試試嗎？」達柯塔問。露娜搖搖頭。

「那樣不行，這是妳的刀。」

達柯塔蓋上外套。機動車駛出忒隧道，開上赤道一，陽光從窗孔灌入車內。

「妳殺過人嗎？」

「沒有。我們大多數人並沒有真正戰鬥過，大都是在對付工業間諜。而且挖出對手的關係網，透過月球、地球的法院打官司是更有效的方法。我們口袋很深。我們有權在必要情況下使用致命武力，不過大多數時候我們只會嚇嚇人。」

「那有用嗎？」

「我嚇倒了妳媽和妳叔叔。」

「不過沒嚇倒露娜．柯塔。」

「對，我看到了。還有那些地球人，以及我叔叔身邊的鐵手。」

露娜思考了一下。

「我和路卡辛侯一起走過玻璃地，那很可怕。」

「那我就沒做過了。」

「我想我叔叔怕的是，他竟然得讓路卡辛侯跟一個姓馬肯齊的一起走。」

「所有戰士在發誓向大學效忠時，都和原生家族斬斷了關係。」

「盧卡斯叔叔說家人就是一切。如果你沒有家人，你什麼都不是。」

「我有家人。」達柯塔說：「我有一個美好的大家族，成員愛我、在乎我，我也願意做任何事情來保護他們。它只是不同於血緣關係的家族。我們經過選擇才成為一分子。」

露娜回想起熱食店，還有她媽、動物們、失敗的格蘭尼塔。**我是柯塔氦氣的繼承人**，她曾在那裡說。勇士學者說得對，她已經選擇了自己的家人。

機動車沿著路堤駛下高地，來到豐饒海的黑色地面，這裡是柯塔家的心臟地帶。赤道一沿著太陽能板的中央前進，太陽能板的黑甚至比海床的玄武岩還要深邃，而列車是上頭的白線。露娜瞄到遠方有高高舉起的氦-3收集器起重臂，它們正在接受維修，另外還有彈運站的號角狀軌道，豐饒海月環站的高塔。他們經過正在重建博阿維斯塔的的維修車軍團，對方轉眼消失在視野之外。接著是碟狀天線、太陽能板、機棚與氣閥、神之若望的地表裝備，然後它們也消失了。如今露娜抵達了她全然陌生的區域，她生命中的地標都落在身後了。列車往東駛出豐饒海，繞過月球肩膀，前往它的另一面。

4

瑪莉娜以為會看到擴建、翻修，甚至翻新的房子，以為會看到她從月球匯錢回家的證據。結果跟她上次的印象相比，家園裡的青苔變厚，水溝淤積得更嚴重，窗戶變得更鬆，屋頂更加凹陷了。

「停。」她對車子下令：「喔，停車，拜託停車。」

車子停在小路旁，靠木欄杆那側。

「現在又怎麼了？」她的聯絡人梅琳達問。出城的路上，梅琳達一直是個陰鬱的旅伴。她無視奔騰雲朵，一片片雨幕，突然被陽光照亮的水窪，樹木和公路，只把注意力放在鏡片上，以及網路上的人際宇宙。她的工作是要將這個月球女人送回家，安頓好一切，然後回去。

「妳看。」

麋鹿從樹蔭下走了出來，兩母一幼獸，眼睛眨呀眨的，步伐猶豫地進入光亮處。牠們穿過草坪走向小徑，幼獸緊黏著母親。其餘獸群只是森林枝葉中的一抹暗影，鮮少有動作。這支探險隊跨過掉落的欄杆，停在泥土路上，頭抬高，鼻孔張大。

她命令司機搖下車窗。她的手擺在窗緣，感受未經過濾的陽光熱辣辣的照射。她聞得到那些氣味，聞得到乾掉許久的糞便，以及剛被曬乾的泥巴路，聞得到剛下過的雨、松香、葉片、河流、光線、谷地的空氣。

「小心陽光。」梅琳達說：「對，我知道，氣候就是這樣，但人真的很容易就會曬傷。」

「嘿。」她輕聲說。麋鹿們的頭甩向她。「嘿，你們這些鹿啊。」母鹿擋到小鹿和車子中間。母子檔後方的另一隻母鹿背向鄉間小徑，下到排水溝再走回森林。帶著小鹿的那隻鹿等了一會兒，確認車子和乘客不構成威脅後才慢跑回森林。

「牠們每年都會在這個時節下山，在上頭感覺到秋天要來了。有時候牠們會從屋子旁邊經過，非常溫馴，放蘋果在門口欄杆上再擺張椅子，妳就可以看牠們在面前吃蘋果。」

她搖起窗戶，車子開走了。小徑有一連串往右的急轉彎，彷彿形成舊田地與農場的交界地圖。農場早就消失了，森林年復一年地收復失地。泥土路變成了車轍，接著又變成一條綠色道路。

車子轉彎開上一段翻覆的木橋——車子的懸吊系統震得太過大聲，打斷梅琳達的網路社交，將她拋回這段密林間的旅程，前方是孩子們稱為鬼城的地方。枝幹上掛著十幾種腐朽的宗教性物件：破掉的捕夢網剩下一個空環，山地佛教徒的禱告旗裂成破布，魚形的風向袋爛掉了。她聽到竹風鈴發出馬蹄聲似的悶響。枝幹上插著幾根針。長期性的乾旱從未止息。車子最後一次右轉，房子出現在她面前了，它盤據在附屬建築物和小屋之間，坐落在寬闊的基柱上，面對的方向與谷地走向相同，前方遠處是一個個隘口。

狗來了。有一隻她不認得的跑過來迎接車子，一股腦地吠，無比興奮。年邁的迦南拖著僵硬的腿蹣跚前進，仰頭狂吠。還有那棟屋子，屋子啊。它害羞地縮在陽台、門廊，還有皺眉的屋頂之後。煙囪的山牆截下雨水。那是家中最高的標的，就在她臥室窗戶的上方。青苔，裂開的灰色屋頂。風向標的形狀變得像隻殺人鯨。

她原本有點期待會看到旗幟，還有從一〇一街一路延伸過來的黃絲帶，還有家人手牽手迎接她。

狗群護送車子經過一個鞦韆，坐在上頭就能欣賞地月兩界第一美景，谷地高處與山巔盡收眼底。她曾經和凱西一起盪這鞦韆，看麋鹿小心翼翼走往河邊，還有雪地上的晚照。現在沒有雪了，好幾年不下雪了。車子停在門廊前，一陣爆炸嚇了她一跳。煙霧瀰漫，劈哩啪啦，咻，砰。放鞭炮是歡迎英雄的方式。

她似乎看到一個人影繞過陽台——是放鞭炮的人，接著一扇扇門甩開，他們都現身了：凱西，她的女兒歐香和薇薇爾。史凱勒正從雅加達過來，沒看到媽的影子。他們衝下樓梯包圍車子，伸手，揮手，出聲搭話，旁邊是亢奮過頭的狗兒們。

車門開啟了。梅琳達從儲放處滑出輪椅，打開它。好幾十雙手搶著要握住把手，推輪椅上坡。那坡道是她幫媽蓋的。

「它自己能動！」她大喊，不過他們歡呼得更大聲，推著她衝上坡道，來到露台。她聞到曬熱的木料，廣藿香老株和大蒜。所有人都在吼叫，所有人都在揮手，所有人都在問她有沒有需要什麼，大家都在對她講話或試圖拿東西給她看。

就連梅琳達都在微笑。

「喂，喂！」她舉起雙手：「發言杖不在你們手上，是在我手上！我從月球回來了！」

瑪莉娜從沒想到這份幸福可能會害死她。在這嚴苛的重力環境中跌一跤、心臟腫大、血管輕微撕裂、地球疾病把她的肺變成一團黏液——都可能成為她人生的句點；喝杯咖啡帶來的純粹狂喜倒是殺不死人。

「兩年了。」她低聲說：「兩年。」

她啜飲的第一口像是大天使拿劍刺穿她的舌頭，她的味覺、唾液腺，她的時空感與內在和諧。第二口像是撒旦的黑曜石短劍，刀鋒多刺。又酸又苦，咖啡因直接襲向心臟。只差一步就進入神經過敏的領域，模糊的妄想。

「天啊，我真想念你。」

「妳在上頭都喝什麼？」瑪莉娜和歐香坐在北露台，從那側看得到綿延的山脈。一個滴答響的超音波裝置趕走了咬人的蟲子。

「茶，」瑪莉娜說：「薄荷茶。」

「老天啊。」

瑪莉娜以為會看到擴建、翻修，甚至翻新的房子，以為會看到她從月球匯錢回家的證據。結果跟她上次的印象相比，家園裡的青苔變厚，水溝淤積得更嚴重，窗戶變得更鬆，屋頂更加凹陷了。網路還是一樣爛。當歐香和薇薇爾推著她的輪椅四處參觀時，一股憎惡齧咬著她的內心，令她不快。房子已經走到那個生命階段了——它已成為自身的紀念物。接著歐香打開媽的房間，瑪莉娜這才知道錢都去哪了。

維生床，監測、治療用儀器，瘦巴巴的機器人在腳步磨亮的木頭地板上嗡嗡奔走。全都是月球等級的裝置。

「我可不可以……」歐香聽懂她的暗示了，但十歲的薇薇爾並不懂大人的拐彎抹角。「薇薇爾，妳可以讓我們獨處一下嗎？」

瑪莉娜操縱輪椅，移動到床鋪和牆壁間的狹窄空間。床的另一側擺著她媽的輪椅。灰塵將扶手和椅墊染成了銀色。幫浦搏動著，管線收縮。

「媽。」

瑪莉娜以為媽睡了。她右半身朝下側躺著，背對著這方向。然而，床頭抬升了。她媽翻身仰躺，一隻眼睛骨碌碌地轉向她。

「小不點。」

瑪莉娜希望自己已充分成長，不再像綽號所指的那麼弱小了。

「媽。」

「妳坐在我輪椅上。妳為什麼要坐我輪椅？」

「這是我的，妳的在那。」

「喔，對。妳為什麼坐我輪椅？」

「我回來了，媽。我要待下來。」

「妳原本在上大學……」

「我那時就離家了。我去了月球，媽。」

她笑了，破碎的笑聲，聽起來像是肺已經融解了。她舉起一隻手，打發掉那荒唐的說詞。她在床上顯得好嬌小，像是皮包骨的幼童。管線是最可怕的。瑪莉娜只敢瞥一眼管線穿入體內的位置，視線無法停留更久。醫療器材的機臂上掛著彩旗，刺繡的中國平安符，一把枯萎、髒兮兮的鼠尾草，上頭布滿灰塵。廣藿香、乳香，還有半打精油散發出的氣味。

瑪莉娜握住她的手，它又輕又乾，像是紙紮的蜂巢。她媽微笑了。

「不過我回來了，媽。我回來是為了讓身體再度變好。從月球回來真是累死人了，我被逼到極限。接下來我不能推東西，不能拉傷任何地方。他們還說接下來一個月內，我不能靠自己的腳站立。

但我說管它去死，我要回來給媽一個擁抱。」

瑪莉娜在搭車從醫療設施過來的途中，已在內心排演過了。她撐起身體，調整重心，盡可能讓旋轉動作變得簡單一些。她將腳移下踏墊，使自己的身體重量落到上頭。集中力氣，靠身體中心移動。然後起身。地球伸手將她往下拉了，拉得她雙手一陣揮舞，雙腿一軟。她往側面一滾，仰躺到床上，她媽的旁邊。

「表現得不好。」

瑪莉娜上氣不接下氣，自己的重量把肺中的空氣擠出去了。她翻身側躺，有地方撕裂了，某個部位歪掉了。

「嘿，媽。」

「嘿，小不點。」

她微笑，牙齒散發出異味，彷彿從內側開始腐爛。

「看來我卡在這裡了。」

凱西來巡視時發動了警報，家人們聯手將瑪莉娜抬回她的輪椅上。

「要喝咖啡嗎？」凱西提議。

「喔，天啊，不要。」瑪莉娜說：「不能再喝了，我會失眠一個星期。」

「紅酒呢？」

「我們都喝雞尾酒。」瑪莉娜說。

凱西拿了酒瓶來，打開瓶蓋。她還記得軟木塞發出的愉悅聲響，嘰，啵。酒杯相叩，叮，紅酒在地球重力下快速傾倒出來。

「歐肯納根。」瑪莉娜念出酒標上的地名：「我不知道產地是在那麼北的地方呢。」

她細嘗著第一口，萃取出喜悅，彷彿抽出高級真絲那般。

「又一樣月球上沒有的東西。」

「你們那裡有什麼？」凱西問。陰影籠罩谷地，最後一點餘暉照亮山巔。

「妳女兒也問了。我們喝雞尾酒，她也喝不到更好的酒了對吧？」瑪莉娜說。

「喝不到，不過她也不會喝到更爛的酒。只要我們能維持整個計畫的運作。他們不斷把藥價提高，根據市場需求定價。」

「我應該要待在月球上的。」

「不，我不是那個意思……」

一隻腳在沾滿沙粒的木板上拖行。歐香在門邊逗留。

「瑪莉娜，我可以問妳月球的事情嗎？」

「妳什麼都可以問，我不見得都會回答。」

歐香拉了一張摺疊椅，坐到瑪莉娜旁邊。

「很痛嗎？我是說回來的時候。」

「痛死了，他媽——」瑪莉娜打住了。歐香十四歲了，對髒話有接受度，但她媽在場。「從頭痛到尾，全身上下都在痛。想像有六個自己在妳肩膀上疊羅漢，不管妳去什麼地方都一直壓在那裡。而且他們永遠不會下來，感覺就像那樣。不過情況會改善的，我的老骨頭是在地球上生長的，還很強壯。肌肉會重新學會地球上的運動方式。我正在接受他媽……我是說物理療法，我可能會需要旁人協助。」

「我可以幫忙。瑪莉娜，妳知道妳說話的口音真的很怪嗎？」

「會嗎？」

「妳說的句子跟我們很接近，但鼻音很重，有很多奇怪的語調。」

瑪莉娜猶豫了一會兒。

「上頭有一種通用語言叫地語，是簡化版的英文，不過得用特別的方式發音，不管你原本口音是什麼，機器都能聽懂你的話。月球上有很多種語言和口音。我說英文、地語和一點葡萄牙文。」

「用葡萄牙文說點什麼吧。」

「Você cresceu desde a última vez que vi você，」瑪莉娜說，意思是「上次見面後，妳又長大了一些」。

「那是什麼意思？」

「妳自己查。」

歐香噘嘴，但她的好奇心實在太強了，很難甩掉她。

「上頭的人真的會飛嗎？」

「只要妳想，就辦得到。翅膀會消耗一大堆碳點數，不過想飛的人似乎對其他事情都不感興趣。」

「如果我會飛，我想我也不會管其他事了。不管天氣如何，我都要飛到山的上空。」

「這就是麻煩的地方。」瑪莉娜說：「妳有地方可以飛，但妳不能飛。上頭的人可以飛，但他們沒地方可以飛，只能從城市的一頭飛到另一頭，還有上下移動。梅利迪安很大，但它仍然是一個籠子。太陽線看起來像天空，但妳要是飛進去，翅膀會折斷。」

餘暉已爬上山頂，坐在門廊的瑪莉娜突然覺得好冷。

「月亮要升起了。」凱西說：「如果我有望遠鏡，妳就可以向大家指出妳去過的所有地方了。」

「算了吧。我得進門了。我開始覺得冷了，今天對我來說很漫長。」

她無法望向月亮，無法盯著上頭的燈火，她會想起燈火背後的生活，她所拋棄的生活。月亮是一隻眼睛，它找到她了，視線帶著指責與苦楚，她不管躲到多深的谷地裡都沒用。**妳逃跑了，瑪莉娜・卡爾札。**

「我會幫忙照顧妳。」歐香說，並推瑪莉娜前往她的房間，途中的木頭地板被壓得嘎吱響。她回到以前的房間了：一整組光滑的醫療輔助機器不自然地杵在裡頭，四周是褪色的海報、積滿灰塵的絨毛玩具、一整排書和漫畫。她又回到十五歲了。不管你長到幾歲，回到老家永遠會是十五歲。花旗松圖案的拼布被，假狼皮罩單。歐香端了水過來，讓她配那些叮咚響的藥丸和抗菌藥。

「數到三就是了。」瑪莉娜說，其他人扶她上床。她清醒地躺在機器之間，靈魂疲憊不堪，累到骨子裡了，連入睡的力氣都不剩。她感覺得到頭頂的月亮，感覺得到它的溫度，它的重力拉扯著她，像是血液中的潮汐。她總算回到家了。她恨死了。

5

「我們結婚時，你從沒展現過這種想像力。」

「婚約裡沒提到想像力。」

「婚約沒列的東西可多了，感謝眾神。」

那孩子又來了，這已是第三天。羅伯森的眼角餘光攔截到他，一認出他便分神了。結果他跳踢踏舞似地一陣踉蹌，重跌在地。

這次不是從南后屋頂下墜三公里。西奧菲勒斯隕石坑的地形高低差都不超過一百公尺，不過各處都擠滿了機器和纜線。羅伯森重跌在一段欄杆上。

羅伯森迅速一瞥，看那孩子是不是還在看。答案是肯定的，而且他還露出「我在看只是因為這裡沒別的好看」式的神情，坐在欄杆上，雙腳開開，吸著管狀容器裡的冰沙。

古怪的孩子。羅伯森今天穿著卡其色短褲，下緣上翻，還有沙地靴。沒穿上衣，因為在機器間工作非常熱，現在流行的款式也綁手綁腳。這孩子穿著月球的標準服裝：緊身褲、連帽上衣，都是白色的。他掀起帽子，垂下的黑髮蓋住一隻眼睛。副靈的外觀模組看起來像是一對全黑的光亮翅膀。

連續三天都來，心不在焉地張望。那麼，下一步一定不能走錯。要表現出全不費工夫的模樣。羅伯森透過呼吸緩和肋骨的抽痛，擠出氣力，加以聚積，然後投入行動。這次他的踢踏舞沒亂掉，他沿著一道通風豎井的管壁往上彈，踩住維修平台的欄杆，後空翻越過豎井，盪過輸送管，準確地巴在牆面上的手腳攀附點，然後用力一推，彈入糾結的管線之中。忽上忽下，旋繞鑽洞。動作完美。

他落到離地十二公尺的水管上，西奧菲勒斯的跑酷之王。他低頭，視線穿過糾結的管路、管線，和頭髮沒遮住的那隻眼睛碰個正著。羅伯森點了一下頭，那孩子別過頭去。

羅伯森從十二公尺高空一跳，做了一個浮誇、做作的超級英雄式著陸。

「嘿。」是男孩的聲音。

羅伯森定在原地，用手指梳了梳頭髮。

「怎麼啦？」

「我只是想知道，你在做什麼。」

「我準備去俄式三溫暖，需要稍微洗個身體。」

「喔。」那孩子說：「我只是，呃，想喝點茶，不知道你有沒有推薦的地方。」

「你來西奧菲勒斯沒多久？」

「幾天而已。」

「三溫暖那裡有間茶店。」羅伯森說：「想來的話可以跟我來，我需要清潔身體。」

那孩子從欄杆滑到地上，羅伯森更仔細地打量他。他的皮膚蒼白極了，彷彿肉眼可以看穿似的。黑色大眼睛，髮質很好，可以搞怪的那種。

「我叫海德。」那孩子說，接著朝自己的副靈點了一下頭：「這是佐法伊格。」

「我是羅伯森。」羅伯森說，然後眨眼叫出自己的副靈。「這是鬼牌。所以你要跟我來嘍？」

艾莉西亞聽到石門後方有人聲。月球受託管理機構正在進行全體會議，盧卡斯緊抓著枴杖的握把。艾莉西亞扶著他一隻手。

「我自己走進去。」他說。

艾莉西亞輕握在他手肘上的手鬆開了。

「但我需要一個入場儀式。」盧卡斯・柯塔臉上閃過一抹微笑。他把微笑當作珍貴之物，不輕易給人，但他微笑時就像是變了一個人。他會像太陽那樣，將喜悅輻射出去。

「當然了，柯塔先生。」

艾莉西亞甩開新月亭的雙開門，大步跨入圓形劇場般的座位區。她的步伐充滿自信，引人注目，是精心排演的結果。月光菜鳥要是走錯一步，就有可能飛到半空中，羞恥地降落在一點五公尺外。在梅利迪安的街頭，你會看到飛上天的地球人，恥辱使他們的表情僵硬。但這個地球人並沒有出醜：動作正確、符合月球人的方法，是艾莉西亞自傲之處。座位層層疊疊，她掃視了上頭的每一張臉，照規矩全記了下來，而且非常享受這過程。

「各位，」她宣布：「月之鷹降落了。」

他威風地穿過雙開門，昂首闊步，背打得很直，為了在地球上存活所鍛鍊出的肌肉令他顯得像石頭雕刻出的男子。不過艾莉西亞知道，他的每個關節和肌腱都深藏著疼痛。地球對他造成的傷害太深了。火箭升空至軌道時，他的心臟曾停止跳動。他死了八分鐘。地球很難熬。**月球更是水深火熱**，艾莉西亞・柯塔心想。

「謝謝妳，鐵手。」

那原本是她在家族裡的綽號，現在成了她的新工作頭銜。茂・迪・費洛，鐵手。月之鷹私人助理。

為什麼是我？艾莉西亞曾問。

因為妳是局外人，盧卡斯在月之鷹辦公室說，外頭是梅利迪安中心的炫目景觀。地毯上仍有上一任月之鷹的血漬殘跡。**只有妳是無法收買的。**

艾莉西亞在最高處那排挑了個座位坐下，才能好好觀察這些榮譽代表。座位是根據派系分配的。地球來的代表坐在最低排左側，歐洲人，沙烏地阿拉伯人，小規模美國使節團，規模過大的中國使節團。美國人那一區有一人缺席，艾莉西亞回想了一下名單。是中央委員會的詹姆士・F・考克本。最低那排的右側是企業家；創投基金，投資銀行，資產倒賣者。月球入侵行動的金主。

第二排坐著律師，身穿幾分鐘前才列印好的行頭，銳氣十足。這些聰明的法務人員對面坐著白兔閣的人，他們的裝扮五花八門，混亂又沒品味。他們是月之鷹的私人顧問團，月球菁英組成的小團體，網羅了克拉維斯法庭到遠端大學的成員。不過有個人是名廚。白兔閣沒有實權，只負責給建議，慫恿、警告。名廚對這些事會有什麼見解？

她的注意力移到最後三排。五龍中最神祕的成員，沃隆佐夫一族坐在這裡。他們走出暗處，在新秩序的光照下取暖。不管是在巴拉達蒂茄卡或寧靜海，誰的槍管粗誰就是老大。這些無懈可擊又好鬥的年輕男女個個刺青，肌肉發達，西裝內都藏著一把刀。

艾夫根尼在哪？看到了，在最下層，面對月之鷹的座位。VTO月球總裁的英挺西裝和突出額骨使他鶴立雞群到了極點：一個留鬍子的高大壯漢，披著華美的老式綢緞。在艾莉西亞看來，他彷彿一直被當作一個人質。他旁邊坐著其他五龍出身的代表——AKA、太陽企業、馬肯齊金屬、馬肯齊氦氣，各派出一個代表。這就是新秩序。

盧卡斯．柯塔看著一排又一排的臉。

「馬肯齊氦氣在神之若望犯下暴行，我要求立刻採取懲戒行動。」

「你有什麼提議，柯塔先生？」是達文南特創投基金的安塞爾默．雷耶斯，大號人物。

「訂立合約，保障神之若望所有居民的安全。」盧卡斯說。

「包括你兒子。」安塞爾默．雷耶斯說。

「當然了，而且要用威脅達到效果。如果居民出了什麼狀況，就攻擊馬肯齊氦氣的精煉廠和資產。只有這招可以嚇阻布萊斯．馬肯齊。」

「我反對。」勞爾—耶瑟．馬肯齊說。他是馬肯齊氦氣在月球受託管理機構的代表之一，布萊斯．馬肯齊的其中一個養子。艾莉西亞在月球待得夠久了，她明白那代表什麼。「月球受託管理機構不該鼓勵成員報私仇。我同時要告訴在場各位，柯塔先生的復仇欲強烈又耿直，他延後這場會議，帶著整票人馬去忒把兒子送到遠端月面，然後才召集大家。」

「至少我這個父親在意我的孩子。」盧卡斯說。勞爾—耶瑟．馬肯齊聳聳肩，打發掉對方的酸言酸語。

「嗯，希望這位父親在休會期間重新考慮後，決定撤回他原本的提案嘍。那提案是：立刻用質量投射器對馬肯齊氦氣的知海儲存所發動攻擊，他的寶貝神之若望離那裡遠遠的，安全無虞。」

悄悄話沿著一排排座位擴散開來，在場人士交頭接耳。

「馬肯齊氦氣代表還要搬出幾次布萊斯．馬肯齊的妄想？還要侮辱本會幾次？」盧卡斯說，不過艾莉西亞已在掃視一排排座位，尋找變節者的蹤跡了。盧卡斯在前往忒的機動車上氣到臉色發白，想用質量投射器攻擊西半球所有運作中的森巴線。艾莉西亞說服他採取象徵性行動，以牙還牙即可。挑自動設施下手，不會有傷亡。要站在道德高地上。她要他模擬攻擊計畫，支開他的注意力，直到他抵達忒，抵達路卡辛侯身邊。艾莉西亞看到艾夫根尼．沃隆佐夫抬頭望向最高處座位，太空槍就握在那些人手中。

「神之若望死了一百二十個人。」盧卡斯接著說：「那是生命，人，人類，我不會讓布萊斯．馬肯齊把他的怪念頭加諸到他們身上。他治理神之若望的方法違反了我們文明的所有道德原則。」

「少來了，柯塔先生。」勞爾—耶瑟油腔滑調又帶著惡意：「你沒什麼立場站上道德制高點。」

艾莉西亞屏住呼吸了。大家說月球上沒有鬼，但現在就有一個，在這個集會場所悄悄走動著。

「如果你想指控我，就拿出膽子當面對我說。」盧卡斯說。

「降鐵，柯塔先生。」

艾莉西亞閉上眼睛。

聖彼得與保羅號觀測罩裡的瓦列里．沃隆佐夫再度浮現她眼前，他鳥喙般的手指伸向她。她永遠不會忘記他說的話：**妳認為地月兩界需要一點閃電嗎？**

「克拉維斯法庭已宣告我無罪，坩鍋的毀滅跟我沒有任何關係。」

「但未經證明，柯塔先生。」莫尼克．柏廷說。艾莉西亞的注意力轉移到王永晴身上。

「從月球法律的角度來看，那毫無意義。」盧卡斯說：「委員會要否定我的提案嗎？」

這時，王女士開口了。

「月球受託管理機構的任務是確保獨特的非地球資源得以持續生產，任何可能危及人力資產存量的行動，我們都不能准許。」

「王女士，如果妳喜歡用那個字眼稱呼誠實、辛勤的塵工，那我要告訴妳：目前遭受威脅的，正是妳口中的資產。」

不過盧卡斯·柯塔已經輸了這一仗，某些年紀較輕的成員已準備要散會。代表們紛紛從座位上起身，律師屈身與他們談論，五龍成員開始聊天或垮著一張臉，端看他們對彼此的憎恨有多深。所有人都朝樓梯、門口、大廳移動了。

「艾夫根尼·格里戈洛維奇。」沃隆佐夫家的年邁元老停下腳步，他的隨行人員從高處座位區看著他。艾莉西亞目睹沃隆佐夫和柯塔短暫的交談，不過一眨眼的工夫，艾夫根尼便拖著沉重的步伐走上樓梯，和等待他的人會合了。

艾莉西亞等到最後一個代表也離開會議室，才去找盧卡斯。他站得實在太沉穩、直挺、堅定了，艾莉西亞知道怒火肯定在他胸中熊熊燃燒，但他的儀態並未洩漏出來。她體內也燒著同一把火。

「真快。」他對鐵手說。「他們先突襲我，接著就會突襲彼此。他們會刀劍相向的，艾莉西亞。」

艾芮兒·柯塔咬緊牙根，試圖把卡在大腿下方的吊帶調直。

去他媽的一九四〇年。

西裝迷人，洋裝華美，帽子大氣。襪子很荒唐，設計時從來不曾考慮到急著更衣出門參加會議的下半身癱瘓女子。

絲襪得捲起來，往上拉，扣緊固定。絲襪是衣物界的地獄。

去他的。

「碧賈浮，幫我找亞別娜·阿沙默。」

她三分鐘內就到了。

「我原本要跟研討班同學去喝茶。」

「妳從他們身上什麼也學不到。」艾芮兒說：「我需要幫忙。」

她掀起裙子，亞別娜翻白眼。

「這不在我們訂的條款之內。」

「對，對，我需要妳固定這些吊帶。」

「普通的襪子有什麼不好？」

「普通的襪子沒一個地方好。好好做，不然就不要做。」

亞別娜坐到床上，艾芮兒看得出她想微笑，但忍住了。

「妳如果想要月球受託管理機構的助理，隨時都討得到。抬起妳的屁股。」

艾芮兒仰躺到床上，用手肘撐起身體。

「我不能接受盧卡斯的慷慨好意，被看到就完蛋了。」

亞別娜固定好飾鈕。

「原來大家真的會穿這種東西。有任何工作上門嗎？」

「還沒，閉嘴啦。妳就有政治科學相關工作上門嗎？」

「喀巴遜突然成為近端和遠端月面最火紅的研討班，這並不是好事。艾芮兒……」

「不，我不會讓妳進我哥那裡實習。畢竟他都有私人助理了，巴西來的女孩。據說她自稱茂・迪・費洛。我媽才是最後一個鐵手，最後一個，也是唯一一個。」

「再抬一次。」亞別娜說：「搞定了。」

「謝謝妳。」艾芮兒將身體旋向床緣，一動念就把輪椅叫了過來。「妳對我好心過頭了。」

「話說，妳為什麼要盛裝打扮？」亞別娜明白分寸，不至於扶她上輪椅，或在她順好西裝外套、上好妝後推她出門。

「要去見一個人，他可能會成為我的客戶。」艾芮兒說，並看著鏡片映出的自身影像塗口紅，她選了在一九四〇年代也合宜的顏色。

「我可以去嗎？」亞別娜問。

「絕對不行。」艾芮兒說：「我看起來如何？」

「我如果是客戶，一定會雇用妳。」亞別娜輕吻艾芮兒臉頰。艾芮兒推著輪椅出房間，穿過客廳，來到門邊，一台三輪摩托已經在那裡等著了。

「妳的步行能力會復原。」

他們慎重地清空了酒吧。穿著時髦的男女輕拍客人的肩膀，請他們出去，太陽企業的一筆錢進了酒吧的口袋。而且還有一些小甜頭。

亞曼達．陽和艾芮兒．柯塔一起坐在白菊俱樂部金色環狀露台上，同一張桌子的兩側。此時的梅利迪安有各種風箏翻飛，喀噠作響：長尾龍、火蜥蜴、迦樓羅、月貓、十尾狐，它們在幾平方公里的空域中忽高忽低地飛行，從天蠍座α星方樓前方飄過。艾芮兒認定它們在進行某種緩慢、旁人難以察覺的競賽，乘著上升氣流飛向排氣管、空調熱交換器。要好幾個小時，甚至好幾天才能分出勝負。繽紛的色彩，波浪般起伏的尾巴長達數百公尺，分子薄膜纖維在她感受不到的微風中搏動、擺盪；這些事物在她的認知中都屬於喜樂。

還有一個人獲准留在白菊俱樂部內，那就是他們著名的酒保。她送上兩杯馬丁尼，完美無瑕，杯身結露，禁欲感十足。艾芮兒・柯塔搖搖頭。

「妳確定？」亞曼達・陽問。

「我不需要酒讓我分心。」但艾芮兒已經分心、茫然了，她無法集中精神。滴酒不沾，卻彷彿還是醉了。大多數人相信月球沒有歷史，不過歷史沒聽說那回事。歷史已經來到梅利迪安的大道。街道、公寓、電梯、樓層梯、高聳方樓望去的無限遠景都沒有改變，但梅利迪安已徹底改變了。地球指揮月球受託管理機構，她哥占據了鷹巢，沃隆佐夫家有把槍指著近端月面或遠端月面的所有人類。還有，瑪莉娜走了。

瑪莉娜不在了，艾芮兒只想叫店主立刻轉身，回來把那杯馬丁尼端走。只剩尊嚴支撐著她，使她不至於崩潰。

酒保在桌上放了一杯馬丁尼。亞曼達・陽以戴手套的手舉起杯子，啜飲一口。

「報酬組合非常優渥，妳下半輩子可以盡情呼吸。」

「而且我的步行能力會復原。」

「妳甚至可以跳舞。」

「妳嫁給我哥，卻不知道我恨跳舞。」艾芮兒說。

「尼卡赫婚約是妳打的。」亞曼達・陽說。

「離婚也是我搞定的，我的傑作之一。現在陽夫人派妳來跟我簽約，要我贏得路卡辛侯的監護權。」

亞曼達・陽又啜飲了一口刺舌的不甜馬丁尼，不過艾芮兒注意到她嘴唇抿緊，下顎線條繃緊了。她的法庭之眼永遠健在。得分了，見血了。熟悉的激動感扎著艾芮兒的肩膀。

「找妳簽約完全是我自己的主意。」亞曼達說。

「我還是堅持不簽約。」艾芮兒說。

「就算條件是妳將可以離開那張輪椅自由走動，妳還是要堅持嗎？」

「我還是要堅持。」

「我們知道妳拒絕和他一起工作。」

「『拒絕和他工作』跟『主動設法把他兒子送到他敵人那裡』差得遠了。」

「太陽企業不是月之鷹的敵人。」

「那是誰把他丟在豐饒海外，讓他在故障探測車裡窒息而死？」

「他當時的身分是盧卡斯．柯塔。」亞曼達．陽又啜飲了一口馬丁尼：「艾芮兒，舊秩序已經瓦解了，妳哥毀了它。」

「我喜歡舊秩序，我知道活在其中有什麼義務。」

「地球人看不到那些義務。對他們來說，我們只是一群古典自由派暴力分子，因利益結合的烏合之眾，可能下一秒就會動手割開對方的喉嚨。他們不明白這裡的表象之下有什麼無形的社會契約。在他們眼中，我們只是一個工業前哨基地，只有利益導向的關係，沒別的了。」

「亞曼達，這是妳的行動宣言嗎？」

「我們確實有行動宣言。」

「引我上鉤吧。」艾芮兒說。

亞曼達．陽啜飲馬丁尼，這次喝得更大口。

「五龍的時代結束了，我們需要新思想、新政治、新經濟。我們有政治議程。我們已用三皇跑了好幾個模擬結果，妳聽了可能會吃一驚。」

「嚇嚇我吧。」

「共產主義。」

艾芮兒抬起一邊眉毛。

「雇傭勞動在月球上可說是個無人聞問的議題。」亞曼達．陽說：「我們可以輕而易舉地創造全自動化經濟環境，工作將可是選擇與個人嗜好的體現，我們不用再為了呼吸的需求工作。」

「他們在地球上試過了。」

「地球缺乏能源，而且階級分明的情況已無法補救。柯塔氦氣也推了一把，使不平等加劇。誰控制核融合能源，誰就能控制行星。月球有豐富的能源。」

「太陽企業主宰太陽能經濟。」

「還有自動化工程與機器人學。對，有罪。不過三皇預見的是一個政治上真正無階級落差的社會，能源充足，科技發達，在這裡人類的需求均獲得滿足，社會像千朵花那樣綻開。月球，作為社會實驗的容器。不過你們不碰政治，柯塔家族的方針，不是嗎？」

「我們真正的方針是，不碰民主。如果你們預見的是某種共產烏托邦，容許大量的、自由的表現，那你們為什麼還在嘗試甩開北京？」

「他們實行共產的目標是控制，我們的目標是自由。兩者不相容。」

「我的答覆仍然是『不要』。」艾芮兒說：「妳還是等於在要求我把自己的姪子送到恆光宮當人質。」

「等於是那樣沒錯。我會讓盧卡斯知道我們聊過。」

「當然好。派妳獨自處理這件事是天才級的安排，妳對陽夫人做了什麼？」

亞曼達．陽喝完她的馬丁尼。最後幾滴加了苦艾酒後變得更為濃烈的琴酒，形成一個緩慢移動的三角形，之後在杯緣下方匯聚成淚滴，滾落杯壁。她彎腰湊到艾芮兒耳邊。

「我的甜心，是因為我沒採取某個行動，不是因為我對她做了什麼。」亞曼達．陽順了順她的祖克曼與克勞斯牌西裝外套，以手臂夾住手拿包，眼光一瞥就付了錢給酒保。「我發現對柯塔家的人說真話是很有趣的，因為你們什麼都不信。對你們來說一切都是偶然，一切處置都是權宜之計。妳不相信我們的願景，那妳又有什麼願景呢？」她再度彎腰，親了艾芮兒臉頰。「我的前任小姑。」

亞曼達．陽把套著連指手套的雙手插到胳肢窩取暖，身穿襯墊保暖衣卻還是在發抖。她告訴自己，這寒冷只是一種心寒。她看著那些身穿亮麗花紋保暖衣、可愛得像絨毛玩具熊的孩子們，快速地低手傳著手球。一下子錯身而過，一下子阻擋彼此，跳躍、射門。球門畫在兩個組合屋的側面上，湊合著用。年輕人用高亢的葡萄牙文吼叫、歡呼著。

「我想我比較喜歡這種感覺的博阿維斯塔。」她呼出的空氣凝結成白霧。「以前小孩太少了，太安靜了。」

「我從來沒喜歡過這地方。」盧卡斯．柯塔說。保溫靴沉重地踩在斜坡上，從維修氣閥移動到這個管狀大空間的底部。工程師已匆匆搭起照明塔，聚光燈下的一個個光潭沿著舊柯塔宮殿長邊延伸，向遠方低處傾斜。每一個光亮處都匯聚著一叢住居地，中間是發電機和冒煙的水循環器。下方光源打亮奧里莎，使他們顯得表情僵硬又苛刻，蒙受大範圍的陰影。建築機器人如蜘蛛般穿過昏暗的空間，快速進行著氣密工程。冰霜裹住木乃伊化的草，附著在瞬間凍結的葉片邊緣。冰塊封住溪流，使瀑布噤聲，凝結在倒塌涼亭的柱子和圓頂上。月球的基本溫度是零下二十度，因此要將岩石溫度提升到人類肌膚溫度是非常耗時的作業。孩子們玩耍著，聲音迴盪在結冰的石像面孔間。

「但你還在這。」亞曼達說。

「在我聽來，那是冒犯之語。」聶爾森．米德羅斯的保全和髮型時髦的陽家武士小心跟在他們後方。

「你從來不懂得妥善應對冒犯。」

「謝謝妳的稱讚。我不打算住在這。」盧卡斯和亞曼達從嬉鬧的孩子身邊離開，走遠。奧薩拉和葉瑪亞俯瞰著一批月球推土機，看它們勤奮不屑地刮除住居地底部的枯死植物，倒進回收車內。「我考慮放野生動植物進來。」盧卡斯說。巨大的機器小心翼翼地繞過身體柔軟、披著保護衣的人類。「我媽認為生物很噁心，視牠們為汙染物。但我喜歡讓生命旺盛繁衍。藤蔓爬上奧里莎的臉，眼窩長出匍匐植物。小鳥，爬蟲，還有只聽得到聲音、不見蹤影的生物。生命獵食生命。」

「我們結婚時，你從沒展現過這種想像力。」

「婚約裡沒提到想像力。」

「婚約沒列的東西可多了，感謝眾神。」

若將博阿維斯塔分為三等份，最深處那塊就是遭到徹底剷除的區域，斜長岩露了出來，如赤裸的骨頭，清除乾淨的頭骨。一罐罐栽培介質與生物質擺在那裡，準備傾注於此。住居組合屋包圍著的方院，那裡有男男女女持刀棍操練著。有人發令，下指示，做引導：碰碰這人的手腕，那人的肩膀，接著有隻手示範標準動作，胸有成竹的抵禦手法。

「你在布萊斯．馬肯齊家門口雇了一支私人軍隊，我想他一定開心到快瘋了。」

「馬肯齊氦氣的不當管理導致某些氦氣工人丟了工作，而我雇用了他們。」盧卡斯說。

「柯塔一族總是很懂得照顧自己人。」亞曼達・陽說。

「艾芮兒說妳試圖找她簽約。」

「她對我說過的話，都會原封不動地送給你吧。」亞曼達說。

「我之後會跟她談談。」

「她不會跟你簽約。」

「家人就是家人。」盧卡斯・柯塔說。一條黃色警戒線在臨時密封口前拉起，警告大家另一頭就是真空。亞曼達・陽瞥了一眼舷窗，看到後面有碎石、古老的灰塵、新電梯和一堆堆建材。「他們就是在這裡炸掉緊急氣閥的，整個博阿維斯塔就是從這裡減壓的。我們在半公里外的地表上發現拉法。」

「夠了，盧卡斯。」

「反胃了？試圖殺我的女人有這種反應？」

「這句話我也對你妹說過：你當時還不是月之鷹。」

盧卡斯眉頭深鎖。

他變得不太會隱藏感情了，亞曼達・陽觀察到，**地球扭傷他、破壞了他**。

「只要我還有一口氣、心臟還會跳，我就會拚了命讓路卡辛侯遠離恆光宮。」

「你誤會了我，盧卡斯。路卡辛侯待在遠端大學，對他最有幫助。我們不會要求他移動到沙克爾頓。大學會重建他的記憶。當然了，你在乎他，而且是非常在乎他，但他跟你在一起永遠會有危險。跟我在一起，他可以安穩過日子，有人照料，有人保護，有人愛。你們柯塔一家只有一件事需要學習，就是如何用正確的方式愛人。但你從來不去學。」

軍師低聲對盧卡斯說話，而亞曼達的副靈「震」也發出了警報。她看盧卡斯的表情，得知對方收到了同樣的訊息。

「我們該撤出這裡了。」盧卡斯說，這時保全和武士們排出了防衛陣形。「博阿維斯塔遭到攻擊了。」

「發生什麼事了？」公頻一陣騷動，有人說話、大吼、發出害怕的呼號。太空衣的燈光在純然的黑暗中晃動、閃爍，姓名標牌在芬恩．華恩的鏡片上閃爍，太空衣抬頭顯示器上則有幽魂般的人影衝下隧道。「報告狀況！」

「接觸敵軍！」拆除小隊的查理．涂馬亥說。

「有多少人？」芬恩．華恩問。

「該死的巴西人從牆外來了！」查理．涂馬亥大吼。他的身分標牌轉白，消失了。

「肏！」芬恩．華恩大叫。炸掉聖塔芭芭拉氣閥：例行公事。炸掉聖塞巴斯蒂昂電梯：簡單得跟撒尿沒兩樣。神之若望的所有維修氣閥，次要氣閥和緊急氣閥，彈運站，列車車站，空調和水塔——全都被裝了防拆除式的爆破炸藥。執行任務的小隊成員都是他親手挑的，裡頭沒有任何小聖者，只從馬肯齊氦氣的地表工作員中選出可信任的人。最後要炸的是老舊的有軌機動車隧道，三、兩下就能搞定，斬斷最後的逃脫路徑。如今逃脫路徑成了入侵路徑。柯塔一族來了。

「傑米！薩迪奇！有誰聽到嗎？」

「老大，你有什麼指示？」東風暴洋的尼可拉．甘說。

指示，要下**指示**。

「撤退，離開所在位置。」芬恩．華恩在硬甲衣中愣了一會兒。黑暗中，各種必要事項繞著他打轉。該怎麼辦？「帶著所有東西離開。」

「老大……」

「全都帶走。如果他們發現任何一個炸藥，他們就會研究出拆除方法。」

隧道遠處上下跳動的頭燈燈光轉了過來，照在他身上。

「快快快！」

全力衝刺，硬甲衣內的他下令。

突然爆發的速度將他肺中的空氣、腦中的意識擠了出去，他眼中只有前方的橢圓形光線：隧道終點，神之若望。**衝刺時間還剩五秒**，他的副靈說，**四、三、二、一**。他滑進前一個車站，上氣不接下氣。

「尼可。」

「老大。」

「我要你待著，作為一個標記。」

「你有什麼打算？」

他切換到公頻：「全體人員武裝，拋下所有炸藥。Sauve qui peut。」那句法文的意思是「能自保就自保吧」。

芬恩．華恩眼前全是手下羊夫的白色標牌，貫穿整個隧道。他們不是軍人，不是戰鬥人員，是工程師，地表工人。他沒辦法把所有人都救出去。他小隊當中的第一批人到了。他從公頻切換到私頻，對尼可拉．甘說：「尼可，離開隧道，我要炸掉它。」

「老大，薩迪奇和布蘭特還在裡頭。」

「出來，用跑的！」

「去你的！」

時間不夠了，時間總是不夠。

發動，他下令。

機動軌道的另一頭放出閃光，車站晃動著。地底構造傳遞震波。芬恩．華恩的小隊開始排隊進氣閥時，尼可拉．甘到了。

副靈：傳送訊息給布萊斯．馬肯齊。神之若望被拿下了。

氣閥完成加減壓循環，又有四個滿身黑色灰塵的羊夫跨入了室內。

我方有人員傷亡。

6

這個小空間沒有窗戶。不管往哪個方向看，四周都是高聳的鏡子。置身高塔之間，她現在明白「森林」這個地球詞彙的意義了，不過她心中最具壓倒性的感受仍不是幽閉恐懼，而是曠野恐懼。

艾芮兒．柯塔以時速二十公里滑行於康達科娃大道上。她用最謹慎的態度規畫整趟行程。到梅利迪安車站要七分鐘，電池充飽了，但在大道上全速奔馳將會耗掉六成電力。她得運用剩下的兩成電力，在二十秒內上月台。VTO的列車到站時間只會有幾毫秒的誤差，她進站後的兩分鐘內盧卡斯便會開始起疑。不過為了安撫梅利迪安市民，他已撤離了大道上的機器人。那些玩意兒真討厭，尖尖的，動作像在抽搐，總是作勢要肢解、穿刺人體，使人流血不止。曾被劃傷的孩子試圖將它們倒著放，或推下路邊柵，或用束帶限制它們的行動。老女人對著它們吐口水。在群眾心中，這些記憶都還很鮮明，彷彿是昨天發生的事：敵軍占領，機器記錄、登記梅利迪安七十萬個居民的資料，圍城，毀滅，殺戮月海上的死者。只有少數人認可它們，以及取代它們機能的傭兵。後者微笑，喝茶，佩戴著泰瑟槍，擔任月球人從沒聽過也從不需要的職位：警察。

要低調。艾芮兒關掉碧賈浮，邊移動邊盡可能找掩護，不過她是月球上最有名的輪椅使用者。路人紛紛轉身看她，交頭接耳。她相信人類漠然是根深柢固的。她駛入一群長跑者之間，經過兩名憲兵身旁。康達科娃大道中央有樹葉篩下的斑駁陽光，憲兵就在那裡閒晃。她一個轉念，輪椅控制系統便提高速度，讓她跟上跑者。施加彩繪，披戴著少量衣服布料、流蘇、手環腳環的一具具肉體，輕易地填滿輪椅四周的空隙。她幾乎想不起奧里莎們的神聖配色了。無盡循環的身體動作帶著一種蔑視，奔跑是他們的抵抗手段。

瑪莉娜曾經是個長跑者。

瑪莉娜接下來也會常常浮現在她腦海中，長途旅行是充滿感傷和冥想的。

梅利迪安中心聳立在她眼前，三座方樓從巨大的中央空間輻散開來。她忍不住朝哥哥所在的鷹巢瞄了一眼。上頭有果園，橘子和香檸檬仍有裝飾性的銀葉，路卡辛侯．柯塔那場婚禮災難的痕跡。

梅利迪安車站。輪椅固定到移動式階梯時會產生小晃動，她已做好心理準備。階梯帶她下到廣場。梅利迪安車站隨時處於尖峰時刻，她操作輪椅穿過一群又一群乘客，有人剛到，有人要離開，有人誇張地向彼此打招呼，有人揮淚道別。這裡有監視攝影機。不過看到是一回事，注意到又是另一回事了。所有人都受監控，但監控者沒在看。

艾芮兒跟著一大票乘客下樓來到月台，在輪椅脫離電扶梯踏板、駛上月台的同時，啟動碧賈浮購買車票。她的輪椅知道上車處在哪裡，直接送她到正確的氣閥。光線使加壓玻璃化為一個個鏡面，反射鬼魂與虛像。兩分鐘，忠實的北極特快車將準時進站。等她翻過世界之巔，將近端月面遠遠拋在腦後之後，她會通知盧卡斯。在克拉維斯法庭上，她不會代表他出庭辯護，為此她欠他一個解釋。

她從未去過遠端月面，但聽說過近端月面居民間的流言與傳說。據說那是一個老舊、會漏氣的隧道形成的網絡世界，空間緊密，帶給人幽閉恐懼，是一片混沌，數以萬計的學生呼出的氣體與體味令人窒息。宛如血流，或神經系統。她從前和瑪莉娜住的上城區公寓就很窄、很擠，像是蛋裡擠著兩顆蛋黃似的。她有好幾次在半夜醒來，想像房間像鑄模般扣住自己。那還只有兩個人，數萬倍的心跳在遠端月面的隧道、走廊、軌道、管線、電纜系統中傳導著。

巨大的列車進站了，共有上下兩層，典型的月球機具，笨重又生硬。氣閥對準，誤差僅有幾毫米，接著接縫密封了。輪椅電力：略低於兩成。尚在可接受範圍內，畢竟她為了跟上長跑者，多耗費了一些電力。

是什麼令她瞄了月台上方一眼？不協調的色彩——僵硬的灰色混在月球時下流行的棕色與鐵鏽色之間？人群散開了：幾個人排成三角陣一路挺進，下手扶梯後沿著月台前進？乘客紛紛閃避。他們先是用走的，接著小跑步，然後奔跑。

是月球受託管理機構的傭兵。

人群從車上湧出，她穿不過去，無法上車。

「不好意思。」她大喊，用意志命令輪椅前進。她撞上一個小女孩，害她轉了幾圈碰撞玻璃。女孩的家長將她擁入懷中，憤怒地念念有詞。「抱歉抱歉。」

他們看到她了，他們是要來逮她的。

「沒事了，」有個女人說：「我找到妳了。」有兩隻手抓住她輪椅的扶手。女人衝著她的臉微笑。這人穿著費爾島毛衣，燈心絨褲，膝上襪和厚底皮鞋。

又有一雙手抓住她輪椅的握把，試圖將她拉離列車。艾芮兒猛烈抵抗，拍打那些手，但手還是越疊越多。

「這想法很糟。」女人的語調有很多上揚，是朝氣十足的澳洲腔。她動起來了——一腿，一拳，一掌，三個傭兵就這麼倒地了。乘客逃竄，尖叫。敵人亮刀了，而那女人如液體般從刀刃旁流過，下一刻刀刃全滑到了月台另一頭。其中一個傭兵倒臥在地，喘不過氣。另一個人盯著她沒握武器的手，還有人從磨亮的燒結地面爬起來，用手掩面，血從指縫滲出。「車子要出站了。」女人說，並以不怎麼輕柔的動作推輪椅穿過氣閥，進入列車通廊，這時氣閥也剛好封上。

列車開動了。艾芮兒回頭看著月台上那幾個人，碰了一下帽沿作為舉手禮，接著越極特快車便駛入了隧道。

她停好輪椅，婦女農隊風打扮的帥氣女性坐在她對面，脫掉手套，伸出手。

「妳是艾芮兒．柯塔，希望我去他的沒認錯人。我是達柯塔．凱爾．馬肯齊，生物控制學院的勇士學者，有什麼需要儘管吩咐。」

艾芮兒撿起手套捏了一下，發現那皮有阻力，轉眼間就變得跟鋼鐵一樣硬。

「妳來的時機不對。」艾芮兒說。

「每列車上都有我們的人。」

艾芮兒微笑。

「在正確的車廂裡？」

「容得下輪椅的空間不多。」

「我差點以為妳有三皇的預示呢。」

「聽說妳是個難搞的混蛋。」達柯塔．馬肯齊說：「你們柯塔一族都是娘們嗎？」

「我們家族裡也有狼，妳會欣賞他的。」

列車駛出隧道，開上極地主線時，光如刀刃般插入窗戶內。車廂駛過轉轍器，左右搖擺了幾次，接著磁浮引擎啟動，動力大增，越極特快車加速到時速一百二十公里。孩子們在走道上跑來跑去，參加完近端月面研討會、正要回遠端月面研究機構的學生又笑又叫，喋喋不休。工人在睡覺，地活衣頭盔和裝衣袋捧在懷中，像嬰兒似的。

「我喝杯該死的酒也是應該的。」達柯塔．馬肯齊說，並點了一杯羅巴切夫斯基。

「一杯什麼？」艾芮兒問。

「新玩意兒，我們那邊的。白蘭姆酒，奶油，薑，肉桂。大學生都狂灌這種酒。」

「看起來像一杯精液。」艾芮兒在服務生放下羅巴切夫斯基以及她自己的酒時說。

「那又是什麼？」

「龍蒿，萊姆，香茅，氣泡酒。」

「我的媽呀。嗯，如果我的是精液，妳的看起來就像性病。我以為柯塔很會喝酒。」

「我不會。」

「別表現出皈依者狂熱，省省吧。那是什麼？柯塔家的雞尾酒？」

「藍月，拉法宣稱是他發明的，但應該是某個下班的塵工在神之若望的酒吧弄出來的。我一直都不喜歡，太甜了。加庫拉索酒到無辜的馬丁尼裡，實在太瘋狂、太糟了。」

達柯塔舉起她的羅巴切夫斯基，然後又放下。她的眼睛瞪大了。「我們走。」她低聲說。

艾芮兒沒多想也沒猶豫，立刻從桌前退開。

「列車減速了。」達柯塔說。

艾芮兒瞪大了眼睛。老慣例：月球上的任何地方，都可能有人攔下列車後上車。達柯塔的手伸向艾芮兒的輪椅，結果被她拍掉。

「別推我。」

達柯塔．馬肯齊朝列車尾端移動，艾芮兒跟了過去。

「VTO是盧卡斯的囊中物。」艾芮兒說。

「誰說是盧卡斯的？我們再二十分鐘就到哈德利了。這裡是馬肯齊的地盤，姓柯塔的是上等的人質。」

她們抵達倒數第五節車廂時，乘客發現列車正在減速。

「他們要是從後方上車怎麼辦？」艾芮兒說。

「那我就跟他們打。」達柯塔說：「再打一次，這次是在車上。不過他們不會的，因為馬肯齊、沃隆佐夫、月球受託管理機構、月球妖精和太空仙子都會從前面上車。」

車廂有十節，最後一組加壓門開啟了，兩名女子進入氣閥。她們後方是最後一片艙壁，再過去就是一千兩百公里長的磁浮鐵軌和後工業荒原了。越極特快車在凋沼上的灰色孤寂中完全停住，靜止在鐵軌上。

艾芮兒盡可能湊向外氣閥門上的小舷窗。外頭沒有任何乘客的蹤影，只有鐵軌、陡坡、路肩，推土機推起的一壟壟月壤形成迷宮。故障的機械，棄置的住居地，淘汰的通訊陣列。撞扁的、破爛的、壞掉的、爛掉的東西。搜括、篩選稀土金屬的工程持續了七十年，坑洞深入月球，帶來重創。過度開採所留下的傷口可能永遠不會復原了。

艾芮兒感覺到列車靠磁鐵浮了起來，車身晃動。越極特快車又上路了。

「有五個人上車。」達柯塔說：「穿地活衣，戴頭盔。」

「妳怎麼知道？」

「我駭進列車系統了。」達柯塔眉頭深鎖：「靠，他們直直朝我們的座位走過去了。」

「他們多久後會到這裡？」

「三分鐘後到我們的座位，在五分鐘後就會到列車尾端。如果我們夠幸運的話，或者說如果他們跟一般羊夫一樣笨的話。」

「妳幹得掉他們？」艾芮兒問。

「事情不會那樣發展，超令人不爽。」

艾芮兒發現自己的手指一直在輪擊自己的輪椅。她再度望出舷窗，發現列車已進入哈德利四周的鏡場了。鏡子聚攏成杯狀，開口向上，接住陽光後再傳遞給大金字塔那裡的太陽能冶煉廠，整個過程宛如獻祭。艾芮兒感覺到車子一點一點減速。

「現在開始，他們隨時可能會看出我在搞什麼鬼。」達柯塔說。

「妳在搞什麼鬼？」艾芮兒問。

「天啊，他們在移動。那玩意兒在什麼鬼地方？」達柯塔從艾芮兒身旁擠過去，望出窗外。列車停到鐵軌上了。有個聲響傳來了，金屬撞擊金屬，氣閥相接發出堅實的「鏗鏘」。外頭有某樣東西，跟列車連結了。接縫密封，系統進行確認。

「他們來了。」艾芮兒說。三男兩女排成緊密的隊形，快速穿過走廊。乘客發出吼叫和抗議——有個男人被一隻手按在胸口，重重壓回座位上。地活衣，頭盔掛在屁股邊。他們的肩膀、大腿上有馬肯齊金屬的標誌。通廊突然亮起綠燈，氣閥內的氣壓與室內相等了，門敞開。艾芮兒望進一個小小的加壓艙，設備老舊，器材有故障，儀表板上布滿刮痕，座墊上有汙漬。

「我絕對不要……」

「放下那張輪椅。」

「我需要……」

「別管那張該死的輪椅了！」達柯塔抓住艾芮兒的翻領，將她甩進氣閥內。她轉身，在通廊門打開的同時，將輪椅砸向刺客，然後撲向艙口。氣閥飛快關上，發出嘶聲。綠燈轉紅燈。艾芮兒在圓形的軟墊長椅上坐正，但一個晃動又讓她偏向一側了。一系列震動傳來，小股動力湧出，加壓艙脫離列車了。

「我向弗拉基米爾月溪的冶金研究站那裡徵用了一台舊月面探險車。」達柯塔說：「花了大把時間才到這裡，我不喜歡這麼千鈞一髮的感覺。」

「妳搞不好弄壞了什麼。」艾芮兒說：「還有我的輪椅……」

「去妳的輪椅！」達柯塔大吼：「我們會重建妳的腳。我們是他媽的遠端大學，我們可以造腳、造手、造全新的結腸，好嗎？」

加壓艙一片沉默，裡頭空間極小，兩個女人像豆蔻仔似的卡在裡頭。艾芮兒叫出碧賈浮。她人在哈德利的鏡面迷宮中，遠離網路訊號，不過她讓副靈和探測車子的人工智慧連線，叫出外面世界的影像；這個小空間沒有窗戶。不管往哪個方向看，四周都是高聳的鏡子。置身高塔之間，她現在明白「**森林**」這個地球詞彙的意義了，不過她心中最具壓倒性的感受仍不是幽閉恐懼，而是曠野恐懼。她是子宮內的胎兒，四周是凶殘的真空、強光、輻射、器械。探測車在鏡子迷宮中穿梭、逃竄，遠離主要鐵軌和任何羊夫小隊，朝北北西前進。哈德利像是一顆耀眼星子，低垂在地平線上。

「直接通過鄧肯眼前。」艾芮兒說：「之後他不會寄月餅給妳了。」

「你們家的人有什麼毛病？每個人都在質疑我的忠誠？」達柯塔說。

「馬肯齊一族殺了我兄弟。」艾芮兒簡短地說：「馬肯齊奪走了我的腳。」她往後方坐墊擠。「妳要帶我去哪？」

「羅茲德斯文斯基，大約還要二十小時。我們有很多時間可以精進對話的藝術，妳不想聊天的話也沒差。妳懂播棋[2]嗎？」

「給我尿褲。」艾芮兒・柯塔說。達柯塔・凱爾・馬肯齊從回收裝置上取下那衣物，在艾芮兒脫裙子、穿上它時別過頭去。空氣混濁，已循環使用太多次，老舊過濾系統嗡嗡響，散發出氨水味。

探測車上沒尊嚴。達柯塔・馬肯齊第一次將尿壺遞給艾芮兒時，這麼對她說。

「妳要是變成我這樣，很快就會發現自己在什麼地方都沒尊嚴。」艾芮兒說。

那是十九小時前的事。

第一個小時她們在下北非播棋，不過艾芮兒無法投入，很快就失去了興趣，還設法想要作弊。

「不作弊哪裡好玩？」

第二個小時，她們吃東西。盡可能拉長吃一個的時間，也盡可能去讚美食物的美味。第三個小時排泄。第四個小時，她們聊了一會兒，陷入睡眠，結果被探測車的晃動打斷。它正在設法通過滿是石頭的雨海海床。吃喝拉撒睡。聊天。吃喝拉撒睡。聊天。探測車翻越北極，慎選了一條路徑駛下羅茲德斯文斯基的北側坑壁。

吃喝拉撒睡。聊天。最好的部分是聊天。

「為什麼走法律這條路？」達柯塔問。

「每個柯塔家的孩子都得參與一個儀式。」艾芮兒說：「儀式在地球完全被陰影籠罩之夜舉行，沒

2　見書末詞彙表。

有例外。孩子們必須跨到地表外。靠自己行動，但不是孤單一人。你會聽到一個聲音說：**跨出燈光之外，孩子。放開安全纜，別管空氣存量。別害怕，我與你同在。**你要走出去，直到那聲音喊停。接著那聲音會說，**抬頭，告訴我你看到什麼**。你會說，我看到天空、星星和黑暗的地球。那聲音說，**再看一次，告訴我你看到什麼**。而正確答案，也就是柯塔一族的答案是：我看到燈火。我看到黑暗的地球上有數十億盞燈火。而那聲音說，**那些燈是我們點亮的**。

「我在十歲那年上了地表，穿著我的小小硬甲衣，上頭貼著小貓和龍的貼紙。那聲音對我說：**走出去**。我走了出去，踢起沙塵，聽著自己的呼吸。**告訴我妳看到什麼**，那聲音說。而我說，**我什麼都沒看到**。那聲音說，再看一次，**告訴我妳看到什麼**。我就說了。我說，**我看到死氣沉沉的石頭和灰色的月壤，我看到燃燒的燈火、真空、空無。我看到沉默和乏味，我什麼也沒看到**。

「錯誤的答案，不屬於柯塔一族的答案。盧卡斯還是認為我是昏了頭、為了錢才背叛家族，成為社會的寵兒。不對，我看到的畫面，跟他看到的完全相同。他看到燈火，我看到死氣沉沉的石頭。他看到一個世界，他可以在那玩耍、建設、製造、破壞事物。我沒看到談話、妙語、戲劇性。沒看到人。就跟妳的小遊戲一樣，有什麼好玩的？」

「妳說機智、戲劇性、他人，」達柯塔說：「但妳從來沒長時間經營過一段關係。」

「妳似乎知道我很多事呢，勇士學者。」艾芮兒說。

「我必須要了解我的客戶。」

「客戶？我是嗎？聽起來有牽涉到所有權的味道。大學為何對我感興趣？」

「大學是個學術殿堂，長年維持此傳統。」

「你們把援手伸向露娜，也伸向提出要求的我。你們現在也在治療路卡辛侯，真多柯塔一族聚在那個半球啊。這裡是月球，親愛的，沒有人會平白無故採取行動。你們發現有機會制衡我哥是嗎？」

「大學總是維持獨立，不和從前的月球開發法人和月球受託管理機構扯上關係。我們不涉足政治。」

「柯塔家的人也說他們不沾政治，後來就沾了。」

達柯塔在坐墊上往後靠。

「再半小時就到羅茲德斯文斯基了。」她說。艾芮兒保持著她最內斂的出庭律師式微笑，戳中對方了。

「接下來請履行合約義務。」艾芮兒說：「妳又有什麼故事呢，勇士學者？」

達柯塔收起雙腳，在圓形的椅墊上盤腿而坐。

「我以前在大學讀生物科技，博士和後博士研究人類基因工程。我表現得很好，同伴當中最厲害的一個，而且多年來都是如此。謙虛實在是愛哭鬼的美德。畢業後我回近端月面工作，負責坩鍋和忒之間的聯絡事宜。馬肯齊一族不斷在探求一種基因工程的策略，使家族基因更為穩定。」

「優生學。」艾芮兒說：「藍眼寶寶。」

「不只是那樣。」達柯塔說：「我當時和ＡＫＡ一起工作，準備創立人類生體歧異性的保存庫，以免我們在未來的某一刻面臨基因學上的崩盤。這是很有可能發生的，甚至可說機率偏高。月球上的人口很少，就算把地球移民算進來也一樣。優生學方面的要素驅使月球人演化成一種亞人種，妳想稱之為新人類也行。不過說到底呢，對，它會有金髮藍眼的寶寶。當我決定生小孩時，我發現自己有MEN1基因的缺陷，甲狀腺、副甲狀腺、腦垂體、腎上腺、腸胃罹癌的風險很高。」

「天啊。」艾芮兒說：「基因學家對自己進行基因工程。」

「在大學的協助下，我確實去做了。而我得付出代價：在大學當十年勇士學者。等我服役完畢，梅莉莎自己也已經進研討班了。妳想要故事有個轉折嗎？」

「所有的好故事都有轉折。」艾芮兒說。

「當我發現自己的MEN1基因有缺陷時，首先向家族求助。坩鍋泡在大量輻射線中，因此已發展出修復基因損傷的技術。結果達柯塔．凱爾身體裡流的馬肯齊家血液不夠純正，不能接受治療。眼睛顏色太棕了，皮膚太黃了。所以說，當妳或妳哥或任何該死的柯塔家成員對我的忠誠度嗤之以鼻時，我簡直想把『忠心』捅進你們的屁眼裡，一路往上挺到你們嘴裡，你們打呵欠時我就看得到。」

「很抱歉。」艾芮兒說。又擊中要害，又見血了。她遲早會發現這個勇士學者的所有弱點。「我們還要多久才會進入羅茲德斯文斯基的網路範圍內？」

「大約七分鐘。」

「我接下來會需要大學的特權，還有加密私人伺服器。」

「我不是妳的私人助理。」達柯塔．凱爾．馬肯齊說。

艾芮兒接著說下去，彷彿勇士學者從來沒回嘴似的：「我還需要法律圖書館。你們有法律系嗎？我得盡快和亞別娜．曼努．阿沙默開會，而且是面對面談。要在安全的地點。幫她訂車票，給她體面的落腳處。像我這樣的人質可以住破爛的地方，但我法律團隊成員的生活品質得符合我訂的標準才行。」

「這些需求都得……」達柯塔．凱爾開口，不過艾芮兒．柯塔的腦袋中已有各種想法和點子啟動了，它們閃閃發亮，就像探測車的惡臭空氣中飄浮的灰塵。她很久以前就嘗到賞識新星的喜悅了，在它們只具備純然潛力的階段，在她伸手捉住它們、拋向耀眼的新星叢之前關注它們，是多麼開心的事啊。她想到一個計畫了。

「我準備把妳當成一個小孩子，用最簡單、清楚、避開專用名詞的方式向妳解釋這一切，讓妳知道我接下來打算做什麼。妳一旦了解就會向我提供全面的協助。

「路卡辛侯．柯塔是盧卡斯的兒子，我的姪子——我打算保住他的命，也確保他安全無虞。他今年十九歲；十二歲時他和盧卡斯訂立過扶養與代理合約，如今已恢復自由身。我都知道，因為我叫出了合約。不過缺氧對他的神經元造成嚴重損傷，導致他無法採取行動維護自身利益。因此，我們得讓某個人扛下他的照護責任，訂立照護合約。他媽是亞曼達．陽——她和盧卡斯在兩年前終結尼卡赫婚約。如果恆光宮取得照護路卡辛侯的資格，盧卡斯等於就成了他們的人質。如果盧卡斯取得照護資格，那他只有一個方法可確保兒子的安全，那就是親自保護他。方法只有兩種，一是把路卡辛侯帶到梅利迪安去，違反照護合約；二是把月球受託管理機構移到遠端月面去，那會威脅到你們傳奇的『獨立』地位。

「我管不了他。我跟盧卡斯的關係原本就已經夠緊張了，因為我拒絕在克拉維斯法庭上為他辯護。他那顆小腦袋塞滿妄想，我不希望『殺害親妹』這個詞飄到他附近。如此一來，只剩一個可能人選了，而她已經證明自己能照料路卡辛侯。而且沒人動得了她。不過我得快點向克拉維斯法庭提出文件，不能晚於盧卡斯和亞曼達．陽。

「所以我需要有人幫忙，妳能幫我嗎？」

「什麼屁話。」達柯塔．凱爾．馬肯齊說：「要救那孩子？我怎麼可能說不？」

「還有一件事。」

「總是還有一件事，對吧？」

「妳答應要給我一雙新腳不是嗎？我們離開羅茲德斯文斯基前能做到什麼程度？」

露娜．柯塔穿著最愛的洋裝，雙手按在纜車的玻璃牆上往外看。她那件老舊的粉紅色太空衣內襯已經丟了，反列印後重製。窗戶感應到露娜的意圖，調暗室內燈光，不過在那之前，她看到了自己的倒影：半張臉懸浮在空中，下方是半埋於陰影中的科里奧利群山和次隕石坑。她的額頭抵上玻璃。

「露娜。」愛麗絲教母發出斥責。她不信任玻璃，不信任這輛車，不信任鬆開的纜繩——在它的輸送下，纜車從科里奧利隕石坑西側坑壁開鑿出的醫療設施往下移動。她不信任大學裡任何老舊、喀噠響的機器，而這正是露娜湊向玻璃的主要原因。她喜歡坑壁、山壁上開鑿出的老圓頂和住居地，還有瘋狂的機動車軌道、高速列車軌道、空中纜車、登山鐵路，這些令她聯想到博阿維斯塔的隧道、洞穴、祕密通道。

「艾芮兒姑姑的列車會從哪裡來？」赤道一是一條閃亮光帶，橫越隕石坑的灰色地面。科里奧利隕石坑壁的外頭有一隊又一隊推土機都處於熄火狀態，因為大學和太陽企業正在克拉維斯法庭爭辯是否該讓太陽線穿過隕石坑，籠罩全遠端月面。

「會從東邊來。」愛麗絲教母說：「從另一邊來。」

露娜知道，你得跑得非常、非常快才能趕上VTO列車，就算它減速駛入科里奧利站時也一樣。副靈露娜可以告訴她時間和方位，但她可能會眨眼、打噴嚏，然後就錯過了。

一閃而過的光，快到讓她無法呼吸。

「在那裡！我看到了！我看到了！」

「妳看，小天使。」愛麗絲教母說。科里奧利上方的天空布滿移動的光，像是節慶燈籠那樣，優雅地匯聚，不慌不忙。來自科里奧利各住居地的纜車沿著纜繩下降到車站。有輛車進站了，人群趕上前去。這時人工智慧宣布車輛即將抵達，露娜的纜車靠站了。

門一開，露娜就跑了出去。愛麗絲教母大吼，但她已經穿過一條走廊、上一段樓梯了。一段，兩段，三段，四段樓梯。露娜連續不斷、喜形於色地蹦跳著，落地後便往前彈，降落到下一段階梯上。她新列印的最愛款式洋裝，在她前後左右翻騰著。那是一件無袖低圓領、高腰傘裙洋裝，列印成塵灰色，又輕又柔，感覺就像貼著肌膚的灰燼。

十二車，副靈露娜提醒她。加壓玻璃外的列車巨大又強悍，月台上擠滿喧鬧的人類——下車，上車，問好，告別。

露娜，愛麗絲教母透過網路呼喚她，不過氣閥在這時開啟了，穿著大靴子的達柯塔勇士學者跨出門外。有了，**在那裡**，艾芮兒在勇士學者身後兩步，正在走路。艾芮兒走向她，而她衝向這位姑姑。

「喔，我的天使。」艾芮兒一把將露娜撈起，過去她久違地回到博阿維斯塔時都會這麼做。**Oh meuamorzinho. Voce e bonita**，艾芮兒說，意思是「喔，我的甜心，妳真美」。露娜緊黏在艾芮兒身旁，艾芮兒又伸出一隻手到她身體下方，舉高她。「妳變重了。」柯塔家的人總是直言不諱。不過她沒把露娜放到地上。

「妳有新腳了。」露娜這麼說的同時，艾芮兒在月台上邁開腳步，來到等在一旁的愛麗絲面前。

「腳是舊的。」艾芮兒說：「不過他們在羅茲德斯文斯基給了我新東西，它們像橋梁一樣，搭在原本失靈的脊椎部位上。比那些嚇人又老舊的腳還棒，對吧？而妳換了一張新臉！」

「放我下來，放我下來。」露娜態度堅決。

「怎麼啦，小天使？」艾芮兒說。

露娜轉頭看了一眼身後。

「我不想要愛麗絲教母看到我這麼做。」露娜用氣音說：「妳彎腰，假裝要親我的樣子。」

露娜疑心重重地瞥了一眼達柯塔，她的位置在艾芮兒後方兩步遠。**妳要是敢說什麼，我就殺了妳，我才不管妳是不是什麼勇士學者。**

「近一點。」露娜低聲說。親吻，臉頰相觸。露娜的手伸進新洋裝加裝的祕密口袋。這口袋正是她喜歡這件洋裝的原因，粉紅色內襯衣什麼也藏不了，柔軟灰色纖維的縐褶藏得了任何東西。她讓刀子滑出來，然後塞到艾芮兒手中。艾芮兒抵抗，露娜堅持要給她。

「收下它。它應該要給大膽、無私、不貪婪也不懦弱的柯塔家人，他將為家族而戰，英勇地保衛家園。如果妳要為路卡辛侯而戰，妳就會需要一把刀子。」

「露娜，要戰鬥的人不是我。」艾芮兒說：「是妳。」

這流程又重複了三天，足以稱之為儀式了。結束跑酷後，羅伯森・柯塔便去洗俄式三溫暖，抹掉油漬，蒸散痠痛，然後到魔法貓見海德，一起喝歐洽達[3]。西奧菲勒斯有十五間熱食店，羅伯森謹慎地帶海德到每一家去試喝飲料（熱飲和冷飲）、吃那裡的餐點（鹹食和甜食）、和那裡的客人互動（有老有少），感受一下大致上的氣氛。他們評分、拍照、做了一個統計表格。這是一個重大的決定。既然得在西奧菲勒斯待上一段時間，他們就不能押錯。

魔法貓在北方外氣閥附近的三樓，食物和飲料的分數並不怎麼高，但氣氛很好——舊隕石坑北坑壁上開鑿出來的古老坑洞，有許多小隔間和角落，以及封得不怎麼密的隱祕空間，你可以躲在裡頭打發時間，觀察他人時也不必在意別人的視線，而且這裡的客人是最棒的。他們是唯一的小孩。

「吃夠了，對吧？」熱食吧後方的江宇說。羅伯森感到窩心。西奧菲勒斯有三千兩百個居民，當中有一百一十二人未滿十六歲，而那之中又有十三個是羅伯森的夥伴。每個人都討厭他。他走進七年級玫瑰石英研討班，每個人都轉過頭來看他，而他在那時就感受到他們的厭惡了。有人打圓場，殷切地請求大家歡迎、接納新生，讓他融入團體之中，而他恨死了。別浪費你的空氣了，他很想這麼說。只要他轉過身去，這些近親繁殖的西酒海死小鬼就會試圖宰了他。

他們在七樓堵他。那個大塊頭混蛋，他的嘍囉，真的很想湊熱鬧的孩子，還有幾個錄影上傳到網路的女孩子。新來的孩子，外地人，局外人。叫什麼？柯塔。我們來這是要告訴你，你什麼屁也不是。他們很高大、很壯，但動作不快，不怎麼聰明。羅伯森閃過攻擊，等到大塊頭艾米爾恢復平衡時，他已經往上爬兩層樓了。他們叫囂、奚落他，而他在沿著他們上方十公尺處的空氣管線奔跑著。回到公寓時，鬼牌的訊息通知已塞滿各種惡毒發言。

要全部設靜音嗎？

「全設靜音。」

那次事件過後，規則就變得很清楚了。羅伯森只要繼續在這個小社會中扮演好局外人的角色，就不會碰上麻煩。

不同研討班，同樣的規矩。海德是希帕提婭的另一個研討班，粒玄岩的學生，他和監護人馬克斯和亞君一起從希帕提婭來到此地。海德沒沒無聞，不曾從城市頂端墜落，因此沒有名聲可以掃地。他的動作肯定沒有羅伯森那麼靈活。六天過後，他還在用粉底遮掩逐漸加深的瘀青。粒玄岩研討班出了

3　西班牙經典飲料，以水、糖與油莎草調和而成。

名的嚴格，他已習慣被輕視的生活，但並沒有真的習慣當邊緣人。西奧菲勒斯的一百一十二個孩子當中，總會有一個同伴的。找出他的方法明瞭又簡單：他循著那些仇恨言論走，發現了羅伯森．柯塔這個人。

他們坐在魔法貓的座位區，高度稍稍過高的扶手椅上，喝著他們的歐洽達。兩人的差異大到不能再大。

棕皮膚的羅伯森結實、有自信，喜愛運動和各種活動，很清楚自己的身體能辦到哪些事。

膚色蒼白的海德瘦巴巴的，很害羞，喜歡故事和音樂，不是很了解自己的身體，以及它正經歷的變化。

兩人隨時都黏在一塊。

江宇帶著一個身穿工人服、滿身灰塵的女人到他們的座位去。

「讓她看看那招。」他指著羅伯森說。

「哪招？」

「撲克牌那招。」

有個髮型誇張的小鬼會撲克牌戲法的消息很快就在魔法貓傳開了。羅伯森從褲子口袋裡取出半副牌，單手洗牌。那通常已經夠令人驚奇了，但江宇點點頭：再來。羅伯森稍微調整了一下戲法，用半副牌也使得出來。另外半副牌，他在另一座城市給了另一個朋友。那座城市已經不存在了，在風暴洋的塵土中熔成了一小塊金屬。那是他的另一段人生，已不存在的人生。刀刃劃碎了它，傷口深得見骨。

他要利用重力使出一個簡單的招數，它又快又狠，總是騙得過觀眾的眼睛。讓觀眾看牌，翻過來，標註一張牌（迫牌對象），然後洗幾次牌。將指定牌移到牌組底部，整好牌，將指定牌移到第一張牌的下方，再攤開牌。重力會確保指定牌待在底部。

兩秒或三秒就搞定了。機關外加機關，剩下的部分就是叫觀眾買單——演戲，喋喋不休，偽裝。機關中的機關中的機關是，牌永遠不會在觀眾料想的位置。

「好啦，現在碰一張牌吧，任何牌都行。」

羅伯森的牌組髒兮兮的，四角長出黃斑，被粗魯的動作折傷：花牌、方塊、紅心的比例偏高。分牌時的好運。牌面較小的梅花在達瑞斯．馬肯齊身上，雖然他不知道他人在何方，在做什麼。

「現在我要挑出那張牌給妳看。」羅伯森用誇張的語氣說，同時切牌，弄齊左右兩半牌，然後將指定牌滑到客人會選中的那張牌下面。他拿起半副牌要女塵工看。「盯著這張牌看五秒鐘，五秒鐘是影像烙印在妳視網膜上的時間。而我會從妳的視網膜上讀取牌的花色和數字。好嗎？」

那女人或許是受過真空錘鍊、曬過大量放射線的老鳥，但她點頭時還是很猶豫、緊張。這就是戲法的一部分：設騙局。羅伯森再度闔起兩半牌組，盯著她的眼睛。一，二，三，四，五。

「我看到方塊皇后。」他說。

結果當然是方塊皇后嘍。

「邪門到不行，不是嗎？」江宇說：「邪門到了極點吧？」

「你怎麼辦到的？」塵工問。

「魔術第一規則。」海德說：「永遠不要問魔術師戲法是怎麼變的。」

塵工點了兩杯歐洽達和餅乾給這對友人，他們便開始吃吃喝喝，甩動著他們修長又瘦巴巴的腿。

7

「你這輩子碰過好多事啊。」海德說：「我的人生有點無聊。」

「無聊才好。」羅伯森說：「大家都說想要充滿冒險的人生，像肥皂劇那樣，但沒有人可以那樣生活。沒有人能安全地活在肥皂劇和冒險之中，冒險是會死人的。」

艾莉西亞從沒見過查巴林，不過她的公寓外頭現在就有一整個小隊，當中有個年輕女子穿著鬆垮的卡其色短褲、沉甸甸的靴子、無袖背心，伸手擋下艾莉西亞。

「妳不能進去。」

「那是我的公寓。」

查巴林女頂著亂蓬蓬的髮辮，上頭還纏著許多緞帶和珠子。眼前的頭髮往後撥，以髮夾固定。手環腳環和串珠層層疊疊。她的副靈是嵌有珠寶的骷髏頭。

「現在進去不安全，我的朋友。裡頭有蟲害。」

「有什麼？」艾莉西亞說，接著那女人的同事拖著一台動力推車，從她陽台上靠馬路那道門走了出來。他是年輕男子，在月球人中算是高的了。他的副靈是布滿長刺的骷髏頭。

「搞定了。」

「你們在我公寓裡搞屁……」艾莉西亞剛開口就看到那小車子上躺著什麼了。是鳥，上百隻鳥，僵直、硬挺得像是子彈。綠色與金色羽毛亮麗，還有一抹紅。

「你們宰了鸚鵡！」艾莉西亞大吼。那四個查巴林誠心地感到不知所措。

「是上頭的方針，小姐。」推推車的小鬼說。

「侵占未受監控的資源。」辮髮查巴林說。

「上頭有壓力，要我們箝制這種行為。」第三個查巴林說，他是膚色非常黝黑的月球第三代，手上和眼睛下方有劙痕。他的副靈是燃燒的骷髏頭。

也許那是查巴林的流行。

「如果您不介意的話，請您後退幾步。」最後一個查巴林說。他是個紅髮男子，滿臉雀斑，快四十歲了，短得像殘渣的頭髮因輻射損害而發白，雀斑上布滿黑痣，早期黑色素瘤。他打開一個鈦金屬箱子，空氣中便起了一陣霧，霧越來越濃，在他頭部附近打轉，接著灌入箱子內。「我們都有免疫力編碼，但妳可能會產生輕微的古怪病變，死不了人，但痛得要命。」他蓋上蓋子，擋住那潭滋滋冒泡的黑色液體。不是煙霧，是機器人。他們用數以萬計的昆蟲尺寸機器人獵殺鸚鵡。

「祝您有美好的一天，小姐。」辮子頭說。愉快的查巴林們在街上大搖大擺地走遠。

「小鳥！」艾莉西亞對著她的小房間大喊：「小鳥！」她在冰箱找到一個爛掉的水果，擺到陽台上。她坐著，手裡捧著一杯茶，盯著過熟的芭樂。沒有顏色從她眼前閃過，橋墩間沒有翅膀飛掠，空中沒有嘰嘰喳喳。

「去他媽的。」艾莉西亞．柯塔說。

艾莉西亞從查巴林身上學了一招：他們的穿搭風格。列印機將衣服送到儲放斗上了。為了扮演鐵手，她穿上講究又貼身的一九四〇年代服飾，現在這樣好多了。短褲，靴子，無袖上衣，都不會太緊，就像是她在老家當管線女王時的打扮。

這同時也是很好的偽裝。

月球受託管理機構已公告禁止居民移動至七十樓以上，馬尼奧在她等待乘客走出電梯時告訴她。她進入電梯時，其他人都瞄了她一眼。查巴林風。今天你盯著它看，下個星期就換你穿了。

誰知道這打扮到底會給人什麼感覺？

事關居民個人安全。

四十二樓，乘客走出電梯，進來的人比出去的少。門關上了。

上城區的治安最近嚴重惡化，水資源與頻寬竊盜頻傳，還有人對公共列印機發動駭客攻擊。

當初那個即將窒息的男人就是在這座電梯裡求她給口氣。她不知道他後來怎麼了，但她做夢時會夢見他：門關上了，而他伸出一隻手，上氣不接下氣地說出她無法辨識的字句。

抱歉，我剛來，不知道要怎麼給，她說。

連我們呼的氣都不如，他喘吁吁地說。

她當時不知道他說那話是什麼意思，現在她非得查明不可。

六十五樓。

艾莉西亞，我強烈反對妳的行動，馬尼奧說，**我可以雇用私家保全。**

過六十八樓後，她成了電梯內唯一的乘客。

七十五樓。她的靴子在鐵格柵地面上鏗鏘響，那聲音吸引了她的注意，使她往下一看。她從小就在屋頂、陽台、起重架上長大，但她發現此時鞋跟離地面有多遠時，呼吸還是紊亂了。下方鐵格柵在整整半公里外，兩側夾著電纜管。她伸出一隻手想穩住自己的身體，但這裡沒東西可抓。

不要往下看，永遠不要往下看。

她走到一段樓梯邊了，樓梯沿著咕嚕響的大水管纏繞成螺旋狀。她將手放到管線上，流動的液體便唱出她熟悉的歌。她走了三段樓梯，來到一個小瞭望台前。

她往外看。

眼前畫面不只令人屏息，她倒抽一口氣，感受到原始的驚奇。

她看到了從未見過的梅利迪安。中心區是一顆巨大的鼓，反覆纏繞著橋梁、窄道、纜線。許多電梯沿著鼓的弧面上下移動，月環則壓倒一切。她看著閃亮的乘客艙從地表往氣閥移動，第一氣閥外是兩百公尺厚的防護石，以及通往梅利迪安發射塔的第二氣閥。她人在地底深處。

三條大道分別是三座梅利迪安方樓的中心線，從她腳下朝遠方輻散而去，在她眼中不僅是大路，還是一座座大峽谷，比地球上的任何一座都還要深邃。遠景中盈滿光線——瀰漫灰塵的迷濛光線。康達科娃大道往她前方延伸，她還看得到更遠處的四條大道從獵戶座方樓中心往外輻散。沿大道種植的樹木比她見過的任何雨林林木都還要巨大，但現在看起來就像是花粉粒。她右方的天蠍座α星方樓逐漸變暗，晨曦則在左方遠處的水瓶座方樓逐漸變亮。這是艾莉西亞第一次欣賞梅利迪安的設計：三個五芒星，中央相連。梅利迪安峽谷是太陽系奇景之一。

在極度靠近世界頂端的距離下，太陽線的幻影露出了破綻。艾莉西亞從地面、家中陽台，甚至從月球受託管理機構辦公室的高度往上看時，都覺得有天空籠罩這個世界，它有時晴朗、有時多雲，聽說有時還會降雨，一掃空氣中的灰塵。她很想看看那景象，輸水工程的一大功績。在這裡她看得到控制板的接縫，看得到投影出天空的燈巢上的紋理。這個世界有屋頂。

艾莉西亞抬頭，以手遮光，看見了那些棚屋。泡棉組成的方塊倚靠著一條空氣輸送管，被罩與偷來的包裝材組合成帳篷垂掛在一大串電纜線上，還有人費盡千辛萬苦將塑膠棘爪搭成的亭子卡進公共設施的縫隙中。露宿地，坡屋，陋屋。艾莉西亞看得越多，上城區就向她揭露更多細節。城市高處的所有裂口與縫隙都塞滿了臨時搭建的住處。她聯想到昆蟲巢穴，或沿著人類世界外圍輪廓穿梭的蜂鳥。

她聯想到舊里約的幾個貧民窟——上帝之城，芒果樹，阿萊茂住宅區，大羅西尼亞[4]，它們解決了人類的原始需求：遮風避雨。

現在整個里約都成為貧民窟了。

艾莉西亞目睹梅利迪安全貌，同時明白了一個道理：梅利迪安不僅是它所圈住的空間。街道和居住單位深入岩層，城市的公共設施鑿得更深，在黑暗中埋著管線、爬行通道、隧道、輸送管、線路槽、輔助系統。遠端能源站、地表太陽能與通訊陣列、電線、根狀構造延伸數百公里。她看出梅利迪安的本質了，它不是一座城市，而是一個機器。使人活命的機器，而裡頭的人類在機件的空隙間奔走。

她再往上爬，爬了兩層樓。每條管線、支柱、大梁上都掛著像銀色蛛網的玩意兒，她碰觸其中一個，手便溼了。那塑膠網結滿晶亮的露水。

凝結水收集器，管線女王讚嘆著這聰明的設計。她原本不知道梅利迪安有雲層。

「侵占未受監控的資源。」艾莉西亞大聲說。

是的，程度嚴重，馬尼奧說。艾莉西亞裝上鏡片、連上網路的兩分鐘內就看出副靈不懂諷刺的概念了。

「我準備關掉你，馬尼奧。」艾莉西亞打斷它。她看到一張臉了，女人的臉。對方短暫地瞪了她一眼，表示她不受歡迎，然後就消失在機器間的陰影處了。這女人也許在她跨出電梯後就一直盯著她，陰影中也可能有十來個類似的人觀察著。大梁、樓梯、裂縫處還可能有更多。

這不是她的城市。

有動靜，那一頭。有影子從樓梯口閃過。

艾莉西亞轉身朝電梯走去。有人在樓梯平台上，艾莉西亞又轉頭，發現往樓上的轉角也有人。男男女女，年齡分布很廣，還有一些小孩。他們都精心打扮：現在流行的一九四〇年代風，逐漸退潮的一九八〇年代風，這裡有人穿二〇二〇年代的女裝上衣，那裡有人穿二〇五〇年代的緊身褲、連帽衣——都是他們基於某種原因被迫搬上上城區時的穿著。沒人佩戴副靈。

「侵占未受監控的資源。」有個孩子說。

他們又靠近了一步。

艾莉西亞從未如此害怕，就連吉拉特兄弟襲擊卡歐，藉此向管線女王宣戰時，她都沒這麼膽怯。她找不到任何退路。

「我是水管工程師！」她大喊：「我可以為你們示範如何用凝結水收集器多收兩成的水。我可以為你們示範配水和淨水系統的建造方式！」

「嗯，我不知道妳是何方神聖，但我會想看看那些系統。」上方有人說話了，澳洲口音。一顆頭出現在兩段樓梯之上的扶手旁。「妳要是辦得到，我們會永遠感激妳。」是一個年輕白人男子，黑眼珠，顴骨突出，黑色鬈髮如瀑布傾瀉而下。他翻過欄杆，下墜五公尺，從容地在艾莉西亞面前落地。

---

4 皆為貧民窟之名。

他套著打褶的褲子，褲管上翻，完全露出腳踝，白襯衫的袖子也捲到手肘處，沒穿襪子。他腰帶繫得很高，艾莉西亞看出下方刀子的輪廓。「妳給的答案很好，救了自己一命。」他坐在階梯上打量艾莉西亞。她發現他的左手小指尖端不見了。「就跟妳的衣著選擇一樣好。是這樣的，我這些同伴呢，他們傾向看人的外在判斷一個人，但我會看更深一層。表面上，妳打扮得像個查巴林。我的夥伴不喜歡查巴林，我也不喜歡查巴林。但妳並沒有配佩查巴林的副靈，沒有佩戴任何副靈，這令我很感興趣。看妳從大致上的體格，我知道妳是月光菜鳥。查巴林不會雇用月光菜鳥。妳上來這裡多久了，菜鳥？兩、三個月？」

「兩個月。」

「兩個月，代表你是月球受託管理機構的人。我的夥伴就算不恨查巴林，也恨死受託管理機構。但妳上來這裡並沒有帶保全，代表妳真的蠢翻天了，或者妳是個有趣的人。」男人的雙手從膝蓋往下垂。「我給妳爭取活路的機會。」

他掐住她的脖子了，她無法反駁。他全說中了，只有耍笨或誠實才能保住性命。

「我替月球受託管理機構工作。」艾莉西亞說。上方與外圍的人群開始交頭接耳，那個澳洲人舉起一根手指，沉默便降臨了。「我搭電梯要去辦公室時看到一個停止呼吸的男人，他向我求救，請我給他一些空氣，要我轉一些點數到他的帳戶。我不知道該怎麼做，我什麼都做不了，轉身就走。」人群中又傳出不滿的吼叫。「今天我看到查巴林殺光了我那條街上的所有鸚鵡，其中一個人說：『侵占未受監控的資源』。我想搞清楚這些狀況，因此我搭電梯追隨無法呼吸的男人來到了這裡。」

「那妳原本打算做什麼？管理機構的嘍囉。」澳洲人問。

「親眼看看這一切，試圖理解它、修正它，如果這裡的狀況跟我想的一樣。」

「妳認為這裡的狀況是怎樣？」

「我認為月球受託管理機構正在系統化地扣押無法營生者的帳戶。」

「扣押？」澳洲人問。

「清算經濟上有困難的人。」

憤怒的人聲鼎沸。

「清算？」

「宰掉。」

「經濟上有困難的人。」

「你們這些人。」

「妳的理論很有趣，」澳洲人說：「而且也正確。」

「這太……」艾莉西亞說。

「不只梅利迪安，到處都面臨同樣的狀況。南后，聖奧爾嘉，整個近端月面。付不出錢？別想呼吸。查巴林以前的慣例是丟著我們不管，現在他們會砸掉我們的小屋，拆掉我們的集水器，弄壞我們的水槽，他媽的奪走我們肺中的空氣。」澳洲人舉起一隻手，示意上城區居民坐下。艾莉西亞還是站著，她是表演者，請願者。「受託機構的嘍囉，妳說妳能改善我們的儲水量，是嗎？」

「就像我說的，我可以。」

「下一個問題，妳會動手嗎？」

「我有選擇嗎？」

「妳叫什麼名字？嘍囉。」

「莉。」艾莉西亞慎防說謊，更慎防說太多真話。

「莉，聽起來像掰出來的名字。」澳洲人說：「像綽號。大家都叫我刀子傑克。」

謹慎完了，現在該採取一些無來由的行動了。

「真他媽荒謬的名字。」艾莉西亞說。上城區居民倒抽一口氣，澳洲人那黑曜石般的眼珠子緊盯艾莉西亞的眼睛。接著他笑了，捧腹大笑，笑了老半天。上城區居民受到感染，也開始笑了。艾莉西亞發現澳洲人有顆金牙。

「對，真他媽荒謬，不過它確實大大地滿足了我的虛榮心。這不是我自己選的名字，雖然我不知道這麼說有沒有差別。莉，妳是巴西哪裡人？」

「里約人。」艾莉西亞說。

「我和里約人有一段過節。不過上頭這裡有里約人、巴西人、迦納人、奈及利亞人、馬來人、德國人、尼泊爾人、阿拉伯人，來自地球上所有國家的人。好啦，妳原本是水利工程師，現在成了月球受託管理機構的職員，大升官呢。」

「不管我在月球上是什麼，我骨子裡都是巴拉達蒂茹卡的管線女王。」艾莉西亞說，她的後半句話擄獲了眾人的心。她的瑟羅娜奶奶很擅長用故事拉近觀眾距離，能安撫小孩，平息爭論，打發掉點油燈等復電的時光。故事是強力麻醉劑，艾莉西亞現在不在乎自己是唯一一個站著的人了。她原本是受指責者，現在是表演者。

她帶著觀眾前往另一個世界，前往開闊天空下的城市，帶他們去海邊高塔見她的家人。她介紹每一個成員給大家，上溯三代，說出每個人的聖名和綽號。她還是很謹慎，沒報出柯塔這個姓氏。她告訴大家路易斯爺爺帶她上海洋塔屋頂，要她看新月的事。**瞇起眼睛，孩子，**他說，**瞄它，看深一點，**

妳看到什麼？

燈光！

她訴說自己是如何在臥室窗戶角落發現漏水，然後追著牆面的水滴跑，用大杯子、罐子、臉盆去接。最後她認定這非長遠之計，於是用吸管製作了一條小小的管線，將水引到廁所裡的出水孔中。她還告訴大家，在水源高於嘴巴的情況下，要如何使水往上流一小段路，以及她發現這招的經過。她會坐在那裡看水滴越長越大，滴入漏斗，然後循著水流穿過長條紋吸管的迷管。

我們為什麼不喝好一點的水？她問她媽。

像我們這樣的人弄不到好水。

她的路易斯爺爺在過世的前一年再度帶她上屋頂，然後說：**如果妳能給我一個理由，我現在就給妳我的遺產。**

我要當水利工程師，艾莉西亞說。

路易斯爺爺不僅把她那份遺產給了她，還從她手足的份撥錢過來。瑪莉莎的，甚至連小卡歐的都動到了。**妳要成功。**

她夜裡在聯邦科技教育中心學水利與排汙工程，白天在奈瑪．馮瑟卡那裡當學徒，她原本是巴拉一家全女性水電行的師傅。畢業那天，她從馬拉潘迪飛地施工現場大門深鎖旳後方偷了兩百公尺的水管出來，不只幫她家公寓改裝管線，連海洋塔的上半截都順便換了。

「每個人都有自己的份。」她說：「每個人都只想到自己。我打造了一組每個人都能享受的系統，還改良了它。」

聰明又果敢的行動——唯有乾淨的水是好水，她於是在ＦＩＡＭ不知情的情況下偷走它們的水，對手巴不得削掉她的臉，她卻當著他們的面在巴拉一帶推銷自己品牌。她說自己偶然聽到別人稱她為管線女王，很令她驕傲時，聽眾也感染了她的情緒。她坐到傑克下方那段樓梯上。

「很棒的小帝國。」傑克說：「不過從那上來可有一大段路呢。」

「另一幫人想要給我一點顏色瞧瞧。他們打了卡歐一頓，重傷了他，而且造成的損傷可能是永久性的。」

「妳怎麼反應？」一個滿身灰塵又瘦巴巴的女子嘶啞地說。

「以牙還牙。」艾莉西亞說：「三倍奉還。」

人群交頭接耳，艾莉西亞將它解讀為讚許。

「卡歐需要旁人持續照護，並進行復健。巴拉賺不到那麼多錢，因此我採取了柯塔家的做法，我上來了。」

又一陣騷動，這次氣氛險惡，都快演變成叫囂了。

「那家人在月亮上有好一段歷史呢。」傑克說。

「我知道。」艾莉西亞說：「不過每個里約人……每個巴西人也都知道他們幹了什麼好事。」觀眾點點頭。艾莉西亞步步為營，先打較小的牌，搬出柯塔這名字，希望能使聽眾相信她手上已沒有更大的牌——她的本名。以管線女王取代柯塔王牌。但她還不安全，她還有張牌得打。「因此，我或許不懂空氣或傳輸點數，但我可以幫助你們建立供水系統。」

充滿不信任的耳語傳開了。

「妳當然會回來吧。」一個挺著蓬鬆柱狀黑髮的青少年說出了所有人的心聲。

我會，因為我遇到了電梯內的窒息男子，因為盧卡斯在循環太空船上要我做了那件事，因為我為

卡歐復仇需要付出代價，因為我做了太可怕、太可怕的事情。艾莉西亞只說了一句：「我保證。」

「妳保證？」刀子傑克說。

「我保證。」

「各位夥伴，」澳洲人大吼：「我們拿到一個合約了！」

第一天，管線女王將大家分成幾個小隊。小孩參加拾荒隊，他們動作快又輕盈，能攀爬和躲藏。她給他們一張清單，派他們出去偷上頭的東西。

「我需要四支工程隊。」艾莉西亞宣布。她讓她的人馬坐在上城區唯一的寬敞大空地，一個氣體交換器的頂端。它的大小跟一間辦公室差不多，蓋子的部分有弧度。「露水隊，水槽隊，管線隊，紫外線隊。」

「我呢？」傑克說。他盤腿坐在地上，褲子捲到小腿中段，寬領上衣的釦子一路開到腰部，兩邊袖子都被他撕掉了。艾莉西亞喜歡澳洲人對待衣服的方式。

「保全隊。」艾莉西亞說。傑克微笑，他胸口、上臂的皮膚布滿疤痕，疤疊疤疊疤。「現在大家集合過來。」她從查巴林風短褲的口袋裡抽出一支真空筆，在白色的水槽絕緣材上寫字。上城區沒有副靈，沒有網路，沒有辦法做簡報、呈現施工圖表的聰明辦法。沒有紙。她在一百平方公尺內畫出中心區高樓層供水計畫的綱要，簡單但繁瑣，耐用又容易維修，有全面性的備份但又完全是組合式的。

「查巴林在第一天就會把它拆了。」有個水槽隊的男子說。

「那我們就守住它。」傑克說：「人人都是保全隊員。」

外出打獵的孩子們回來了。頭髮很蓬、要艾莉西亞說到做到的那個男孩亞亞，腋下夾著十根五公尺長的塑膠管，眼神閃閃發亮。

「我碰到了一個機器人。」他氣喘吁吁地說。上城區的每個人都上氣不接下氣，都很省話，話說到一半都得喘氣。

「你還好嗎？」艾莉西亞問。那孩子咧嘴笑，舉起一把液體管線和促動器——他奮戰後得到的獎杯。

「面對機器人要小心一點，」傑克說：「你沒受過跟它們戰鬥的訓練。」

第二天，各小隊前往工地進行準備工作。僅存的幾架固定監視器和監視機器人都被孩子們的彈弓和軸承擺平了。艾莉西亞引導著各小隊——不對，那根管線不該往那去，那個集管槽得擺更高，安裝紫外線消毒器時要做好防護。如果你在那裡裝總水管，會炸掉半個上城區。裝這。過濾網要裝這，這個水槽。你說沒半張過濾網是什麼意思？拾荒隊！

「妳發號施令時還挺性感的。」傑克說。

「而你可以找點事做。」艾莉西亞說，然後丟了一把黏膠槍給他，那是從五十樓茶店裡某個粗心的維修工人手中偷來的。

第三天，水開始流動了。

「把凝結水收集器掛在這。」艾莉西亞下令。「收集不到之前那麼多，不過熱交換器會一直散發冷空氣，你們可以採集到現在八成的量。」梅利迪安中心的屋頂排著鏡子，藉日光打信號。露水隊打開二十個集水槽下方的活門，水開始流動了。孩子們跟著水流奔跑，循水管翻過導管、跑下樓、繞過轟隆響的熱引擎、穿過電纜導管的迷宮，檢查一根根水管、一個一個交會處。**看有沒有漏水**，這是管線女王的指示。**別弄太緊，會損傷螺紋**。

三座儲水槽等距擺放在中心周圍，邊緣人聚集到它四周。一陣震動，遠方傳來隆隆聲，咕嚕，噗嚕，然後是水流噴射的聲音，水流過來了。

傑克併起雙手，將打旋的水流捧到唇邊，嘗了一口，然後遞給艾莉西亞。她直接從他手中喝水。

「很好。」她說。她的下半句話「但還可以更好」被歡呼聲淹沒了。

她緊盯著他，無法挪開視線。

接著她回過神來，舉起一隻手。

「關掉它，水還沒有多到可以浪費的程度。」

當天晚上，她考慮預約衛星時間，打電話給地球上的卡歐，給她媽，給公寓。但她萬分猶豫——她不知道地球的時間，而且這樣等於無緣無故打電話回去，會驚動大家。她的思緒從巴拉飄到諾頓身上，俊俏、嫉妒心重、窩心的大個子諾頓。他為了她把自己的大雞巴、卵蛋上的毛剃得一乾二淨，像是嬰兒皮膚那樣光滑。他會勾搭上別人的，他太可愛了，不可能乖乖等她。但他搞不好會，藉此表現出他的真摯、高貴，區辨何謂守信跟不貞。

而她是不貞的一方，因為她真正想念的人不是諾頓。

他們分開的時間太他媽的久了。

第四天，她以鐵手身分不斷工作，毫不歇息，連盧卡斯都注意到了，還挑出來說。接下來他們得向座無虛席會議室進行大規模的簡報，地球人和五龍的代表都將出席，絕對不能出半點差錯。她謊稱自己月經來，當天事情一辦完就坐上了電梯，前往城市頂端。傑克在那裡，她的心飛向虛空，就像那些有翼飛行者一樣，在梅利迪安中心的空域翻身，閃著光。他沒在笑，沒人在笑。

「發生什麼事了？」艾莉西亞掃視眾人的臉。有人不見了，人群中開了一個洞。她想起是誰了。

「亞亞呢？」

水槽隊在天蠍座α星方樓配電盤的旁邊發現他，血液流過鐵網柵，而且是連穿過三層樓的地面。他挺直地坐著，靠著隔板。他的腸子跑到他大腿上了，胯下到胸骨被劃開。

只有機器會這樣殺人，無視肉體尊嚴到這種地步。

水槽隊撤退時，城市高層迴盪著查巴林的腳步聲。

「他媽得意忘形了。」傑克說。艾莉西亞的一隻手搭上他的肩膀，他輕觸那隻手。「好啦！」他大喊：「我們還得裝水溝！在外頭走動要小心點，夥伴們。」

他們得做好一切準備，鎖緊零件，進行測試。因為第五天，就要下雨了。

艾莉西亞用意志力催促電梯往上、再往上，升快點、再快點，不過電梯的速度是固定的，而且她似乎搭到了每樓都停的。挫敗感使艾莉西亞焦躁不安。雨水預定在獵戶座方樓時間下午一點降下，她得趕在第一滴水落下前抵達才行。

她抵達終點七十五樓，衝上樓梯。她腳下的梅利迪安沉寂，懸宕著。中心區完全沒有飛行者，橋梁、穿越道上空無一人。空氣中結滿一點一點、聚積多時的灰塵。艾莉西亞的嘴裡嚐得到，也感覺得到它塞住自己的鼻孔。這座城市等著被滌淨。

高樓居民等待著，他們的儀態有舞團的靈巧和優雅。有人站在樓梯平台和高台上，有人趴在欄杆上，有人蹲在金屬台階上。

「喔，女王啊，我的女王！」艾莉西亞瞇眼望向天花板的燈，發現傑克使出了他的招牌動作：翻越欄杆，瀟灑墜落四層樓的高度，到她所在的平台上，伸出一隻手：「該動手了？」

「刀子傑克。」艾莉西亞牽起他的手，和他一起走上樓梯，迎接一層又一層的歡呼和口哨，那些聲響迴盪在上城區的窟窿狀結構中，增幅成機械的咆哮。艾莉西亞上樓的同時，看到孩子們從破爛的口袋裡掏出鏡子，傳訊到中心另一頭，接著回覆閃了過來。準備好了，一切都準備好了。

「我說啊，別當著我的面那樣叫我。」傑克在他們抵達南儲水槽時說。瞬息萬變的高樓強風吹得塑膠布劈啪響，各小隊已在女王和傑克身後就位，在水槽旁圍成一圈。孩子們已準備好要循著水流奔走，修好瑕疵。艾莉西亞設計系統時已把梅利迪安的暴雨納入考量，不過工程師的詛咒是，理論往往難以熬過現實的考驗。

艾莉西亞緊張又激昂，全身僵硬。她在辦公室的一整天都在隱藏內心激動，如今她發現激動是焦慮的面具。如果第一滴雨降下來它就解體了怎麼辦？如果亞亞死得毫無意義，只換來一團糾結的管線和塑膠碎布該怎麼辦？

起重架上是全然的沉默，宛如上帝造物前的沉默。

艾莉西亞聽到清脆的叮一聲，低頭看到鐵網格上有個黑點，接著又冒出了第二個、第三個、第四個。她看到她的第一滴雨了：尺寸跟她的拇指根部差不多，墜落速度緩慢，她得以追蹤它的軌跡。它在她的右前臂上炸出水花，發出響亮又扎實的啪一聲。現在雨水下墜得較規律了，四散各處但穩定。起重架、樓梯、都市高層的金屬機器巨獸都叮咚響著，塑膠水槽和塑膠布發出啪啦聲。

「跟我來。」傑克說。她牽著他的手，而他把她拉到欄杆邊。「妳看。」

雨一碰觸，梅利迪安就綻放了。人群塞滿原本空盪盪的橋墩與人行道，每座陽台都擠滿了人。上千上萬張臉孔仰望著雨水。

「喔，天啊。」艾莉西亞說，眼眶泛淚。

「還不只這樣呢。」

雨勢加劇，成了傾盆大雨。艾莉西亞轉眼間就溼透了。雨重擊著她，打得她呼吸困難，得試著在成串落下的雨珠中找空檔呼吸。聲音震耳欲聾。她感覺就像在一件打擊樂器裡頭，有一整座城市那麼大的鈴鼓中。她見識過里約的熱帶雨林豪雨，但現在這雨勢超越任何人的想像。這是聖經裡的洪水。傑克緊抓住她的手，大喊：**別走！**

中心區的拱頂上被層疊的彩虹填滿，共三層，燦爛耀眼。這是無雲的豪雨，太陽線放出正午亮度的光。彩虹橫越獵戶座和水瓶座方樓的峽谷，掛在牆與牆之間，分別呈現清晨與傍晚的姿態。天蠍座α星方樓原本是暗的，接著天空散發出白晝之光，啟動彩虹的狂歡節。如果有這種奇觀看，他們當然願意點亮天空。

「喔。」艾莉西亞．柯塔說。「喔！」接著她感覺到了，流動的水，奔騰的水，飢渴的水。「水開始流了。」她拖著傑克離開欄杆邊，越過叮噹響又滑溜溜的金屬網來到水槽邊。她用雙手碰觸一根水管：那震動幾乎帶著性的意味。她把淋溼的頭髮往後撥，呼喚拾荒隊的一個孩子。

「還撐得住嗎？」

那孩子豎起兩根大拇指，大大地咧嘴笑了。

水管現在開始震動了，在支架上搖得喀啦喀啦響。艾莉西亞想像雨水奔流過水溝，經過簷溝，流入支水道，進入導管，匯聚在主水管，瀑布般地灌注而下，繞過上城區一個個樓層。水流滾滾奔騰，有如河水，狂野洶湧。儲水區上方的水龍頭爆出水來了，瀑布從水管墜向塑膠儲水區。支桿位移，發出嘎吱聲，群眾開始後退。艾莉西亞的設計經過強化，上城區居民也如實地完成了工程。塑膠布鼓脹，水位上升。鏡子反射的光線堅硬如鑽石，穿過傾盆大雨，一閃一閃，無比炫目：信號說，東北和西北儲水區都運作中，水滿進來了。

「可惡！」傑克的吼叫壓過轟隆水聲。他的頭髮平貼著頭顱，衣服緊黏在身上，一道道衣縫和皺褶都溼透了。「你這小可愛！」下一個瞬間，他的臉僵住了，表情大變。「快離開這裡！」他大喊。高樓層居民四散，爬上樓梯、支柱，攀上管線，雙手交替地往爬梯上層移動。艾莉西亞困惑地環顧四周，平台上只剩她和傑克了。

「莉，快閃邊去。」傑克大叫。艾莉西亞還保有地球人的肌肉，一跳就跳到了下一個平台上。她瞥見世界角落中的黑影了。

四名戰士穿著護甲，雨水從他們的頭盔邊緣灑下。他們身上的護套插著刀子和泰瑟槍，後方則縮著一群查巴林，和他的撿拾資源用的有爪機器。

「去他媽的。」傑克脫下上衣。艾莉西亞看到他的背和肩膀布滿疤痕，有些仍帶著瘀青，標示出最近才縫合的傷口。他的手懸在屁股後方的刀鞘上空。「又來了？」

「我們有我們的工作要做。」有個查巴林從淌著水的黑暗中呼喚：「這玩意兒很壯觀，但我們不能讓它存在。」

「但它還是會存在。」傑克說。艾莉西亞看到戰士們繃緊了肌肉，肌腱在硬甲衣下方收縮了。「你們這些娘炮還沒受夠教訓嗎？」傑克也看出來了。「我叫什麼名字？」他說：「我叫什麼名字？」

「丹……」查巴林開口，但傑克以怒吼打斷了她。

「我是他媽的刀子傑克！」

喀，嗡，噠。兩架機器人跨出陰影，穿入暴雨雨幕中。水珠沿著它們光滑的外殼往下滑。它們強健、優雅、美麗。它們被運往近地軌道前，艾莉西亞曾以盧卡斯代理人的身分前往中國廣州的工廠驗收，她還記得當時的情景。它們美麗而駭人，她感覺快吐了。

「啊。」傑克說。他轉身，背對敵人。

好增加衝力。他旋轉，動作優雅如閃電。在那一瞬間，一把刀已插在戰士腋下，對方的泰瑟槍已在傑克手中。瞄準，出擊，就在一念之間——甚至不到一念，那是一個動作。機器人躍向空中、展開刀刃時中槍，四肢短路重摔在地。倒在地上的戰士胡亂踢腿，在地上轉圈，血液規律地從動脈傷口湧出。在月球重力下，血噴得很遠，而雨如懲罰者般洗去所有紅色液體，使它流過金屬網的孔洞。

傑克如獵豹般蹲低身體，臉上掛著嗜血的獰笑。第二架機器人行動了，傑克翻身，機器人甩出尖端如刀刃的腿。機器的速度，機器的精確度。要不是有人從樓上甩了東西下來，那一腿必定會砍中身體側面，一路削到他的脊椎。那是流星錘，線段纏住了機器人的腿，重物旋轉著，產生的角動量足以扭斷它的關節。機器人倒地了，孩子們從高樓一躍而下，邊歡呼、吹口哨，邊發動襲擊。以斧頭劈開對方，扭出、扯斷它們抽搐的內臟。

戰士衝了過來，傑克站在他們和孩子之間。有個敵人想從外側繞過去，傑克手一揮，一把刀就沒入了敵人的喉嚨。旁人向傑克揮刀，但他早已彎身閃避，手中的另一隻刀畫出弧線軌跡，插入女戰士膝蓋後方。她倒地，尖聲咒罵。傑克倒地，滑過潮溼的地面並踹向另一個想包抄他的戰士，以他全身重量壓碎對方的護膝。雨勢滂沱有如天罰，但艾莉西亞還是聽得到膝蓋骨碎裂的聲音。

「孩子們！」

他是怎麼察覺戰士襲向他的？他感受空氣的流動，感覺雨水暫時消失，靠氣味，還是靠更細膩的戰士知覺能力？他抓住那個膝蓋碎裂的戰士的拇指，往後扳（又傳來骨頭碎掉的聲音），握住刀，閃過敵人劈下來的刀刃，然後刺向對方的前臂後側，那裡並沒有防護。敵人鬆手了，傑克接住他的刀，沒讓它掉落地面發出巨響。他刺向戰士的腳背側面，下一刻便從地上起身了。雙手空空。

「以其人之道，」他說。雨使他的頭髮塌成一綹綹的，不斷滴水。「還治其人之身。」

他又使了個眼色，**那就上吧**。

還未倒地的戰士只剩最後一個，她的手懸在泰瑟槍上方。她搖頭。

「聰明。」傑克說。他從其中一個倒地戰士的膝蓋後方抽起一把刀，再從死者的喉嚨抽起另一把，用潮溼的衣服皺褶擦乾淨，深呼吸，唰，兩把刀就入刀鞘了，動作快到艾莉西亞完全跟不上。

「該拿的就拿。」

洪水衰減成大雨，然後變成一般降雨，再變成雨滴。雨停了，上城區滴著水。水珠在陽光中化為數十億顆鑽石，城市高層鑲上寶石了。各平台和樓層蒸騰、繚繞著水氣。傑克爬上樓梯，艾莉西亞沒表現出歡欣鼓舞的態度。他沒在看她。他爬上樓，夾道的上層區居民向他點頭示意，而他沒回應。沒人說話。

在血腥衝突剛落幕的樓層，查巴林從陰影中出來了。

艾莉西亞在他的臨時小屋找到了他。那是塑膠布做成的帳篷，掛在一個支架上。帳篷外圍積了一圈雨水。傑克跪在地上，背對她，一絲不掛。他小心、動作精準又輕柔地清潔著刀刃，磨利它們。

艾莉西亞站了許久，盯著他看。她從未看過裸體的月球男子。月球重力造成了體態變化，很優雅，同時也很令她反感。近似人的人，恐怖谷。疤痕覆蓋他每一吋肌膚。她猜他二十出頭歲，不過他散發出沉著自若，懷著老男人才有的想望。

「看夠了嗎？」

艾莉西亞嚇了一跳。

「抱歉。」

「我有個姑姑也搽那種香水，麥迪遜姑姑，我恨死她了。」

「我打擾了你，我走了。」

「別走。」他拍拍床墊上的枕頭。「如果妳不介意坐在全裸男人的對面，就坐吧。」

「我完全不介意。」她盤腿坐到枕頭上。塑膠內塞著塑膠碎片，這床是抹布拼成的窩。帳篷頂沒封好，水從那裡滴了下來。傑克專注又勤奮地磨著刀。

「我們都有自己的巫毒魔法。」他說：「我還是羊夫時，總是先穿右手手套，右邊靴子，沒有例外。嗯，戰鬥後，我的社交能力並不會處在顛峰。」

「我了解。」

「我很確定妳不了解，莉。」

他舉起一把刀，讓刀面反光。刀鋒像是鍍了一圈火。他耍弄著刀，轉它，拋它，使出各種靈巧的招數。刀落回他手中，右手一揮，刀尖便來到艾莉西亞的喉嚨下方。他沒看她，她沒瑟縮。

「我要上你，就在這張床上。」她說。

他望向她了，咧嘴而笑。金屬反光，刀子收回刀鞘中了。艾莉西亞迎向他，同時解開溼透的褲子。她推倒他，騎到他身上，吸飽水的上衣已不在身上，她脫掉胸罩，跨坐著，把他的手腳都釘在破布巢上。傑克掙扎，但她有月光菜鳥的力氣。他大笑，狂笑，將她擁入懷中。

兩人接吻，她用雙手捧住他的臉。

接著伸手捧住他的卵蛋。上頭沒有毛髮，光滑得像玻璃。

「我也有自己的巫毒魔法。」艾莉西亞說：「我的男人都得剃掉陰毛。」

「妳這野蠻人，每個人都會剃毛。」傑克說：「你只要讓陰部在地活衣裡卡個一次就有得受了。」接著他將艾莉西亞抱起來，逼出一聲小小的尖叫，然後將她往前放。他咬她的大腿內側，而艾莉西亞往前滑，跨到他臉上。他大口享受的同時，她捏著他的乳頭。他的舌尖滑過陰蒂，打出迪斯可節奏，使她呼吸加速。肌肉收縮，繃緊了。還不行。她抬起一隻腳，撐起身體，抓住他的雞巴。它長長的，向左偏。她上下搓弄，然後吐了口口水到掌中，搓揉龜頭。傑克發出一聲悶住的「靠」，然後開始用舌頭探索她的陰唇。他在蠶食她，蠶食。她含住雞巴，感覺它在口中抖了一下。她在不噎到的前提下盡可能含深。

小愛心，那是她特別幫諾頓龜頭下方的小三角地帶取的名字，魔法的根源。諾頓。

她用食指指甲撥了一下小愛心。傑克叫出聲，接著爆笑。

喔，好久沒有任何人在做愛的時候笑了。好久沒有任何人笑了。

她回頭望向他：「好啦，月球人，這上頭有什麼特殊的招式？」

他熟練地轉動她的身體，使其側躺，折起她左腳，抓住她右腳往外拉，然後滑入她體內。她用葡萄牙文罵了一句髒話。他們愉悅地搞在一起，姿勢，變化，時間——艾莉西亞不知道他們到底試了多少、持續多久，最後她仰躺著，身體對折，腳壓到頭頂（葡萄牙人把這招稱為「堆高機」），傑克的屁股像幫浦那樣上下擺動，而她從那空隙看到三個小孩在陋屋屋簷下偷窺，那裡仍在滴水。

她尖叫，翻身終結那姿勢，拉起潮溼的墊床破布裹住身體。

「喔，嘿。」說話的人應該是男孩：「我們只是要說，你們辦完事後能不能來看看儲水系統的運作狀況？」

離開熱食店後，羅伯森邀海德來住處過夜。

「他會在家嗎？」羅伯森提議時，海德問。羅伯森曾把海德介紹給華格納和安妮麗絲，兩人都很歡迎他，但他在華格納身邊並不自在。事實上是很害怕。而華格納一直坐立不安，亢奮，失眠，飢腸轆轆。焦躁，情緒化，動作超級、超級快，好奇心強過了頭。羅伯森不用上地表就知道地球已呈現半圓。

「他在大塞翁隕石坑拿到了太陽企業的短期契約。」羅伯森說：「後天才會回來。」

海德鬆了一口氣，羅伯森也鬆了一口氣。

那公寓對月球人來說也算小。羅伯森住的附屬建築在上層，是工作／音樂／讀書隔間改裝成的，空間又更小了。床墊剛好填滿整個空間，像踩在靴子裡的腳，兩個男孩躺在上頭像是兩個標點，也是太極。

「好啦，你是怎麼辦到的？」海德問，側躺調整出舒服的姿勢。

「辦到什麼？」羅伯森問。水流在他們頭上隆隆、呼嚕響，空調持續發出低頻。

「魔術。」海德說。

「效果。」羅伯森說：「真正魔術師稱之為效果，『魔術』這個說法太不誠摯了。」

「但魔術師本來就不誠摯，你們會騙人。」

羅伯森思考了好一段時間。

「你會編故事。」海德從來不讓羅伯森讀他寫的東西，就算他肯，羅伯森也對閱讀不感興趣。不過他知道海德寫了好幾MB的虐心文、甜文、先悲後甜文、配對文、男男配對文、腐文上傳到網路。他有辦法不斷拆解、分析任何肥皂劇的結構、譬喻、角色變化弧線，直到他看見羅伯森的鏡片開始閃光，那代表他開始用鏡片打電動了。「故事會欺騙人，令人覺得這些角色是真實存在的，要你在意他們身上發生的事。」

「算是說對了，」海德說：「但不是百分之百正確，完全正確。人確實會那樣行動，會那樣感受，會難熬。」

「效果的本質也是那樣，就那角度而言也是真的。在效果施行的途中，真實是存在的。如果沒有注定發生的戲法，效果就不存在。那通常是非常單純、直接的機關，但你絕對不能看見它。」

輪到海德思考了一陣子。

「我懂了，但你是怎麼辦到的？」

「練習。」羅伯森毫不猶豫地說：「演員練習一千次，音樂家練習一萬次，舞者練習十萬次。不過魔術師要練習一百萬次。」

「一百萬？」

羅伯森要鬼牌查數字。

「事實上，超過一百萬。」

海德聽完遲疑了一下。「我看過你練習跑酷動作，跳上落下，跳上落下，跳上落下。失敗就重試，失敗就重試。」

「你得把動作烙印在身體裡，讓它在身上成形。魔術也一樣。只是觀眾不會看到失手的部分，如果失手了，觀眾就會看出你要詐，效果就沒了。」

「我辦不到。」海德說：「任何需要算準時機、需要巧手的動作，我都做不出來。我沒辦法細膩操縱身體的力道，腦內化學物質出了問題。它就像跑得比較慢的鐘，就只是比每個人的鐘都慢一些。」

「哇，」羅伯森說：「那就是說，你真的是永遠活在過去的人嘍？」

「可以那麼說，對。」

「哇。」羅伯森感覺到海德在床上湊近他。他還在梅利迪安跟狼幫一起生活時，客廳的安靜角落有他自己的床墊，跟通鋪有段距離。他不是狼，因此大家不期待他和狼幫一起睡，不過他知道大家隨時歡迎他過去。如今他在西奧菲勒斯，做著他在梅利迪安時絕對不會做的事：和其他人一起睡一張床。對方甚至不是狼，是一個朋友。他覺得在這裡行得通，很安全。來到安妮麗絲公寓的第一晚，他醒來時不知道自己身在何方，半夢半醒地在室內亂繞。放聲尖叫。華格納不只一晚進房陪他。有人在他背後，他很安全，遠離政治以及月之鷹與其朝臣的世仇，深埋在這又小又沉悶的西奧菲勒斯隕石坑，但在某些夜晚，他還是會尖叫著醒來。

「我學會的第一個戲法……效果，是我丈夫教我的。」羅伯森說。羅伯森向海德訴說自己的故事時，透露的細節多到足以填滿他的好奇心，但不至於使他陷入險境。今晚他得說更多。今晚他要卸除戲法，展示真相。

「他叫熊弘琳，我和他結婚的時間只有一個晚上。我們一起吃了晚餐，還講笑話，然後他就教我撲克牌戲法。他人很好，永遠不會傷害我，也永遠不會讓任何人傷害我。後來他成為照料我的人。」

「後來？」

「合約失效後。」羅伯森說：「我姑姑艾芮兒上法院終止了那段婚姻，說實在的，那比較像是把我當成人質，就像布萊斯．馬肯齊領養我那樣。艾芮兒那時不在，沒辦法幫我擺脫他，不過熊帶我去了南后，要華格納收留我。」

「你這輩子碰過好多事啊。」海德說：「我的人生有點無聊。」

「無聊才好。」羅伯森說：「大家都說想要充滿冒險的人生，像肥皂劇那樣，但沒有人可以那樣生活。沒有人能安全地活在肥皂劇和冒險之中，冒險是會死人的。」

「有誰，呃……」海德隱諱地問。

「有誰死了嗎？有，我媽，熊，跟我一起玩跑酷的夥伴。」

「靠。」海德仰躺，十指在頭後方交扣。

「別告訴任何人，他們還在找我，就算盧卡斯叔叔現在成了月之鷹也一樣。沒人知道我在這裡。」

「我不會說的。」海德說。

8

「真相如何不重要，重要的是外人的觀感。小心了。」

從早餐時間到午夜，訪客川流不息。當瑪莉娜還只是怪怪的研究者時，某些鄰居跟他們並不親近，但他們還是好奇地跑來看這個月亮下來的女人。而原本就是朋友、很挺她、很友好的鄰居，認為先給瑪莉娜空間好好安頓下來才是最好的。朋友。一整車大學時代的朋友從城裡跑上來，就為了見她一面。他們緊張地戴著過濾口罩，提防植物、動物和任何可能的疾病傳染源。人聲鼎沸得像爆炸，肌膚接觸太多了——她的死忠好友喬迪—芮直接走到她們小時候花了大把時間一起玩耍的房間，她們會在那裡幫玩具編一些灑狗血的故事。她仍在當森林巡護員，仍沒找到生命中最重要的那個人，不管那是男是女。瑪莉娜原本希望她再待久一點，但門鈴再度響起後，她就告辭了。來者是安吉利斯港警局的桃樂絲警官和凱爾警官。

「有什麼問題嗎？」凱西問。警察始終是卡爾札家的敵人。

桃樂絲警官不太自在但又刻意地拖著腳步移動，彷彿在尋找扮警察的藉口。

「只是例行地來巡一巡。」

「從月球返家的人是你們的例行巡視對象？」瑪莉娜推著輪椅進客廳。歐香守在她右肩，左邊是薇薇爾。

「只是想確認妳一切都好。」

「為什麼會不好？」

「妳最近才從敵對國家回來。」桃樂絲警官說：「妳曾受雇於其中一個大企業，在其中一個大家族的要角身邊擔任私人助理。」

「安吉利斯港警局似乎對我了解得要命呢。」瑪莉娜說。

「她不是恐怖分子！」歐香脫口大喊！房間裡的空氣凝結了，氣氛很可能迅速惡化。

「我很確定警官只是要確保大家不會對瑪莉娜抱持愚蠢的看法。」凱西說：「真相還沒上路，假消息已經傳遍世界各地了。」

「女士，您說得正是。」

瑪莉娜等待巡邏車的輪胎壓過院子泥土、發出嘎吱聲時才開口。

「有人要他們盯著我。」

「他們認為妳是恐怖分子！」歐香說。

「我只知道妳傻到可以領獎了，歐香．帕茲．卡爾札。」凱西用氣音說：「妳不能在警察面前說那種話。」

「不要緊。」瑪莉娜說：「來幫我做復健吧。」不要緊才怪。空氣感覺很混濁，水嘗起來像是被汙染了，每個布滿蛛網的角落都有眼睛在看她，有耳朵豎起。這房子被入侵了，她正受到監控。

「妳絕對無法想像，」瑪莉娜痛苦地利用行走架拖著自己前進：「我以前隨隨便便都能跑二十公里。」

「跑？」歐香心目中的運動是從沙發這頭滾到那頭。瑪莉娜氣喘吁吁地跨出一步，又一步，再一步。歐香跟著她，隨時準備在她跌倒時接住她。

「跟一個男生有關。」瑪莉娜說：「喔，不過他是個大人物。當然得是，不然叫不動我。那跑步的過程像個儀式，或宗教。要在身上彩繪，還要穿真的、真的很小件的衣服。」

「瑪莉娜！」歐香激動地說。

「我沒要跟妳聊性……」

「不，不，不！」歐香哀號，手摀著耳朵：「瑪莉娜，如果我問妳的話，妳可以不要給我噁心的答案嗎？妳能保證嗎？」

「我無法保證。妳問吧。」五步後即將抵達走廊盡頭，到時候要再轉身折返。

「上頭……月亮上的人真的不在乎你是異性戀、同性戀還是雙性戀嗎？」

「真的，沒人在乎，沒人會評批別人，地語甚至沒有對應的詞彙。上頭有多少人，幾乎就有多少種性別和性傾向。重要的是你愛誰，不是你愛哪種人。」走廊盡頭到了，她的腳不怎麼安穩地拖著地，踩出複雜的腳步，倚著行走架轉身，踏上回頭路。「我花了很長時間才搞懂這點，但那是月球的絕對核心。任何事情都是兩個人之間的合約。妳爸亞倫呢？我沒看到他人。」

「他們在進行臨時分居，想知道自己喜不喜歡這種生活。」

歐香答得很快，瑪莉娜感覺到背後潛藏的憤怒。

「月球式的婚姻只是另一種合約，跟誰、哪種形式、多長，都有規定。同居，分居，做不做愛；開放式關係，一妻多夫，一夫一妻都行。月球人可以同時跟好幾個人結婚。」

「聽起來很複雜。」

「就應該這樣。進入婚姻的門檻應該要高，離開的門檻要低。我在月球上最好的婚姻律師身邊，但就連她都得花上所有時間去修補破洞、撫平傷痛。」

「身邊。」

「什麼？」

「妳說妳在她身邊，不是跟她一起工作。」

「閉嘴，扶我回輪椅上。」瑪莉娜說：「然後拿我的啞鈴來，我還有上半身的療程要做。」

然而歐香將啞鈴放到地上，衝向前門去了，因為家中有人宣布另一個訪客到來：從印尼過來的史凱勒。

他們像是失眠者祕密結社的成員。瑪莉娜肌肉痠痛到睡不著，史凱勒的時差太嚴重了。

「從西邊往東更嚴重。」他蹲著，冰箱的光照亮他。失眠症的命定法則：睡不著的人一定會在廚房撞見彼此。

他拿起紙盒痛飲果汁。「長時間搭船會讓人脫水。」

「我告訴你，從月亮飛到地球更糟。」瑪莉娜說。

「想要什麼嗎？」

「不用。」

她從來就不喜歡她弟。他誕生得晚，是么子，爸媽的心頭肉。他可以大搖大擺的晃到東南亞去，旅行、放鬆、體驗人生、結婚，利用自己的魅力在雅加達搞到一個行銷工作的職位。而她被送到月球賺錢付媽的醫療費。

「聽說安吉利斯港的條子找上門了。」

「他們在監控我的通訊器材，要定位很簡單，那人工智慧跟屎一樣。」

史凱勒坐到廚房的椅子上，不斷往後搖。

「我花了三天才到這，整個過程爛透了。某個星期有兩、三個晚上得電力管制，所有人都把問題怪到別人頭上，關於現狀的理論有上百萬個。現在大家看什麼都是陰謀論了，政府，每個國家的政府，都受到月球掌控，現在是月球在做主。還有什麼規格化的世界政府、心靈控制之類的。」

「事實正好相反。」瑪莉娜說：「你們入侵了我們。」

史凱勒舉起紙盒，又大喝了幾口果汁。

「政府越是否認某件事，人民越相信那是真的，而且堅守這些想法。跟月球有牽扯的人都是撒旦的使者，大家會攻擊月球回來的人。我們這棟公寓就有個女人被洗劫了，她都已經回來兩年，重新適應地球了。有人闖入她的公寓，懷疑她預謀搶走供水。接著伊瑪目[5]們大吃一驚，某個星期五出現了一大票人來參加集會。雅加達VTO辦公室遭到襲擊、縱火，有個暴徒還阻止消防隊滅火。有人發起遊行抗議日惹的核融合電廠，說馬肯齊氦氣是限電的主謀，說將來每個人都得在眼睛裡裝吸幕……」

「是眼幕。」

「隨便。總之每個人都會被迫裝一個，你要是敢作亂，政府就會斷絕你的網路，接著是你家電力、供水，最後讓你無法呼吸。」

史凱勒喝光紙盒裡的果汁，將它拍到桌上。

「最後會輪到外國人被盯上。這狀況不只發生在印尼，馬來西亞、印度、澳洲都有。馬肯齊是澳洲佬，但鄧肯・馬肯齊的照片還是被掛在港灣大橋上燒掉。」

「你到底要表達什麼？」

「那一種病，會傳染。在這裡也不例外。」

「我是……什麼？月球派來的超級祕密間諜？」

「而且為上頭的大人物工作，這大人物的哥哥是月球統治者。」

「事情不是那樣……」

「真相如何不重要，重要的是外人的觀感。小心了。」

5　伊斯蘭教中的領袖。

9

「我們做的生意不是買賣，是建造。我們的靈魂很高貴，高貴的靈魂總是向上看。外頭還有許多世界，盧卡斯，是世界。我們可以把它們當成珠寶，納入掌中，那才是他媽的未來……」

艾莉西亞認為她的屁股太符合典型地球人體型，跟月球家具不對盤。坐在椅子上時腳顯得太短、身體太長、太寬。躺在床上也沒好到哪去：柔軟的記憶床墊加上月球重力等於每晚夢到自己下墜，驚醒十次。艾莉西亞在椅子上扭動，試圖找一個舒適的姿勢。月球受託管理機構在這幾天內開了三次會。

流言在新月亭的一圈圈座位之間擴散開，眉來眼去，交頭接耳。艾莉西亞猜得到他們在說什麼。月之鷹自己的妹妹跑了，不肯替他出庭。

她自己要和他對簿公堂。

柯塔告柯塔？

不是你想的那樣。艾芮兒・柯塔要代表露娜・柯塔向盧卡斯・柯塔爭取路卡辛侯的醫療照護權。

但露娜・柯塔是……

一個怪小孩？對，但她不會面臨利害衝突。

因此艾芮兒・柯塔可以主張露娜・柯塔最有資格對路卡辛侯進行醫療照護，能帶給他的利益最大。

而且她人在那裡，在遠端月面。

腦袋真靈光呢，那個艾芮兒・柯塔。

盧卡斯起身宣布會議開始時，台下的人差點沒出聲嘲笑他。他歡迎講者上台，一個腳步遲鈍、身穿青銅色袍子的肥胖人影便痛苦地走下階梯，來到最低處。**維迪亞·拉歐**，馬尼奧告訴艾莉西亞，**經濟學家，懷塔克里戈達德銀行顧問，白兔閣成員，理論經濟學院客座教授**……艾莉西亞關掉個人簡介，改聽大家壓低音量的交談，對話的尾巴：**大人物來了**。艾莉西亞眼前這人矮胖，有棕皮膚和銀色短髮，身上穿著、披著上等質料的精美織物，跟流行完全搆不上邊。女人？男人？艾莉西亞看不出來，也不需要做出判斷，因為這裡是月球。這裡的性別與性傾向種類似乎跟公民人數一樣多，而且這裡還有各種代名詞（如果你想，你可以要對方別對你使用代名詞），不只指涉對應的性別、生理性別、性傾向，甚至還有給非人存在、另類人類的代名詞。遠端月面的居民對機器說話或說到機器時，也會使用專有代名詞。這裡還有月狼，黑暗人格和光明人格要分開來看。

「各位，我會長話短說。」

當馬尼奧在維迪亞·拉歐四周展開各種情報視窗時，艾莉西亞想通了一件事：判定現有性傾向是否由原始性別偏移而來，是有害無利的。月球人不會那樣思考，所有事情都是協調出來的。

「詳細的提案與完整分析已寄給各位的副靈了，檔名是『月球交易所，目標是行星外價值關係』。我在這段簡短演說當中要做的提案，無異於徹底重建月球文明的經濟基礎。」

艾莉西亞主要是透過水利工程公司老闆之眼理解經濟這回事。這公司超級在地化經營，現金交易，遊走法律邊緣。私有，接受投資。但演說者要談的經濟不是這麼一回事：是金融化、貿易、金融衍生性商品；遠期合約和期貨，交換合約和選擇權合約，看跌和延緩和拖欠。合約和保險和轉保。各種充滿尖銳探問又複雜的交易工具。從價差獲取直逼量子規模的微小利潤，再透過極大量的交易次數無限放大。

在開設當季，月球交易所的金融衍生商品交易量就會達到地月兩界GDP總和的五十倍。

這行字吸住了艾莉西亞的目光，還有另一句：所有經濟的未來都在金融化之中。**我們在幾年前就走到了這一步——從效率市場中獲益，比靠製造商品或材料貨物賺錢容易。交易所未來五十年可預見的規模擴張，太陽企業的太陽環提供的能量都支撐得住。**

你要把我們變成月球規模的股票市場，艾莉西亞發覺。

「接下來的一個世紀，月球表面的用途將調整為能源生產，次級月壤改充作電腦原料。」維迪亞．拉歐說。

黑色月亮，艾莉西亞心想，**所有高山都被剷平，所有坑洞都被填滿，月海布滿黑色玻璃。在夏夜從巴拉往上看，你什麼都看不到。只會看到天空開了一個洞，洞裡有錢在滾錢。**

「如此系統必須要全自動運作。」維迪亞．拉歐接著說：「執行與監督的角色也必須自動化——就連知名的月狼也跟不上交易的速度。」他抬頭看，以為有人會笑。地球人聽不懂他在說什麼，五龍的人馬板著一張臉。

你們的世界終結了，艾莉西亞心想，**你們建立這地方、為這裡而戰、拚命尋找活路，結果黑色玻璃將淹沒一切。**

維迪亞．拉歐又回頭歌頌市場了。

「月球交易所將會使月世界成為第一個真正的後匱乏社會。我們保證所有居民都會獲得基本收入、無限的太陽能，我們過去認知中的『工作』將煙消雲散。我們將進入後勞動社會，每個人都有資源和機會去完成個人的自我實現。交易所將根據獲利情況，依個人的欲望之別分配這些資源與機會。」

個人幻想可能會壓榨他人帳戶裡的比西，金融家卻要確保所有人的幻想都獲得實現？維迪亞．拉

歐，他們竟然還稱你為天才？聽聽這個里約商人的話吧，大家考慮的永遠都是利益。沒工作，代表不需要工人，代表人力冗餘。你的月球交易所將建立在人命上。

「各位，我在此提案給月球受託管理機構，還望各位仔細評估。這是月世界的未來。」

維迪亞・拉歐說完了，謝過觀眾後退場。

艾莉西亞觀察各代表的反應。地球人分成好幾個小團體，邊談話邊退出會議室。沃隆佐夫家的年輕人圍在艾夫根尼・格里戈洛維奇身旁，那個巨漢向盧卡斯點頭示意，並走向他。

「不介意的話，談一下吧。」

「當然好嘍，艾夫根尼・格里戈洛維奇。」

「不是在這裡。」他望向艾莉西亞，身上散發出強烈的古龍水味，摻那麼重通常是為了掩蓋更深層、更撲鼻的臭味。艾莉西亞看著他鼻子上的血管，紅通通的臉，突出的肚皮，僵硬的步伐（他彷彿在緩慢地石化），解讀背後的意義。伏特加快把他變成石頭了。瓦列里・沃隆佐夫又浮現她眼前，飄浮在聖彼得與保羅號的無重力中軸內，屎尿味瀰漫空氣中，源自塞太滿的結腸造口袋。他的體態跟她面前這個魁梧的男人正好相反：皮膚與肌腱像是一團破布，骨頭被侵蝕到最後成了紡錘狀。一束頭髮，鼓脹、水汪汪的眼睛。

「就我們兩個談。」艾夫根尼・沃隆佐夫說。

阿沙默家認為我們是野蠻人，瓦列里・沃隆佐夫說，**馬肯齊家認為我們是酒醉的小丑，陽家不把我們當人看。**

艾夫根尼・沃隆佐夫的保鑣走下高處座位，圍住他們的君主，隔絕外人，然後將他移向出口。艾莉西亞看到他臉上的恐懼了。

「盧卡斯？」

「艾莉西亞，接下來的幾個小時，我不用妳陪。」

她爬樓梯前往大廳的途中，注意到維迪亞·拉歐正在和王永晴、安塞爾默·雷耶斯、莫尼克·柏廷熱切地進行對話。

那機器在盧卡斯·柯塔掌中，小巧、細緻得像珠寶。極微小的天線，翅膀是一小束分子膠片。盧卡斯的手倏地闔上，將機器人碾成粉末。他用衛生紙把手擦乾淨。

「我的保全人員逮到超過八架間諜無人機。」盧卡斯說。伏特加從會議結束後就冰到現在，杯瓶在鷹巢的溫暖溼氣中冒著煙。盧卡斯倒了一小杯酒，艾夫根尼·沃隆佐夫的渴望在臉上一覽無遺。

「那幾隻是故意讓你發現的。」艾夫根尼·沃隆佐夫說。

「肯定是。」盧卡斯將結了一層冰的杯子遞給他，杯子消失在那壯漢的掌肉之中。盧卡斯發現他戴了好多戒指，全都陷進肉內了。「請。」

「你不跟我一起喝嗎？」

「我不喝伏特加。」

「琴酒是小女孩喝的酒。」艾夫根尼舉起他的拳頭。「布達產的。」他將酒杯放到寬闊的椅子扶手上，沒沾半口。「一定很好喝，我很確定。他們就愛我喝酒，盧卡斯。他們給我容易喝到酒的環境，而我為他們喝酒。」

「龍不該被自己的孫輩監視。」盧卡斯說。

「你監視自己的兄弟。」艾夫根尼．沃隆佐夫說。

「我哥迷人、熱情、慷慨、英俊，而且不怎麼有能力領導柯塔氦氣。」

「他們嚇壞我了，盧卡斯。我們了解這個世界，我們了解什麼時候該伸手，什麼時候該收手。我們知道該如何行動，知道什麼是必要的，做什麼會過頭。那就像一支舞，盧卡斯。你們，我們，陽家，馬肯齊，阿沙默，轉啊轉，轉啊轉的。而他們不懂得克制，認為自己身上沒有被加諸任何限制。他們沒有責任感，沒有忠誠心。你懂嗎？」

「我懂忠誠。」盧卡斯說：「我原本以為我們是盟友呢，艾夫根尼。」

玻璃牆外，旗幟與風箏在中心區的空域飛舞著。有人在飛，總是有人在飛。伏特加變暖了，冰層融成鏡片似的水層，但艾夫根尼還是無法把視線移開杯子。

「我們是盟友，盧卡斯，最古老的盟友。」

「勞爾─耶瑟．馬肯齊卻知道我們用質量投射器解決知海的事。」

艾夫根尼在椅子上調整了一下坐姿。

「我們要團結面對這件事，艾夫根尼，不然我們全都會死。」

「他們要我測試你。」艾夫根尼．沃隆佐夫口齒不清地說：「那些年輕人。他們要我對你施壓。」

「你讓我在地球人面前出糗。」

「他們想知道你會跌到什麼地方。」

「那我稱他們的意了嗎？」

盧卡斯．柯塔十歲那年和他媽以及哥哥一起到ＶＴＯ首都聖奧爾嘉進行國事訪問。建造場中的金屬臂無聲地在真空中揮動，電弧銲製造出上千顆光化星星照亮月球夜晚，機器人縫合並連結金屬板、鐵網、支柱，打造出鋪軌器、冶煉器、燒結機、月環乘客艙和月球堆土機，而他對著這些景象輕聲低語。阿瑪莉亞教母牽著盧卡斯進入古老的圓頂下，裡頭氣味很糟，嘴裡還嘗得到沙，他還感覺得到輻射從月壤屋頂滲下。他們將他介紹給格里戈里、他兒子們、女兒、他們的小孩，以皇族對皇族的方式。年幼的盧卡斯知道他應該要展現親切、社會化的一面，跟他們打成一片，儘管他們都至少大他三歲，而且體型大很多。

拉法交出他的真心與靈魂，轉眼間就跑了起來，跟他們在樓梯追上追下，丟球，玩抓人遊戲。盧卡斯窩在後方，離教母很近，此時他們正在介紹她給沃隆佐夫的後裔們。這些大人男女才是他該攀談的對象——他們將繼承格里戈里的事業，有一天他得試著欺騙他們、擊敗他們。龍對龍。他走向艾夫根尼．沃隆佐夫。這壯碩、大膽的年輕人看到了那個黝黑、嚴肅、心懷鬼胎站在母親旁的孩子，感覺到他的潛力，於是記住他的名字，將他的長相歸檔。他蹲下來，伸出一隻手。

「先生，你叫什麼名字？」

「盧卡斯．艾利娜．迪．露娜．柯塔。」盧卡斯搶在亞德里安娜之前開口，握住那隻大手，「我會接掌柯塔氦氣。」

其他人笑了，但艾夫根尼．沃隆佐夫沒笑。

「我是艾夫根尼．沃隆佐夫，我會接掌ＶＴＯ月球。」

三十五年後，盧卡斯．柯塔望著當年那個艾夫根尼．沃隆佐夫所剩的殘骸。對方一而再、再而三地瞄向那一小杯變暖的伏特加。房間內的一切事物都以它為平衡點，艾夫根尼．沃隆佐夫坐立難安。

「那個金融家。」

「維迪亞．拉歐？」

「你考慮採用他的計畫嗎？」

「月球交易所？他很有說服力。」

艾夫根尼．沃隆佐夫往前湊。

「嗯，我的看法是，去他的金融化。沃隆佐夫家不做貿易，我們做的生意不是買賣，是建造。我們的靈魂很高貴，高貴的靈魂總是向上看。外頭還有許多世界，盧卡斯，是世界。我們可以把它們當成珠寶，納入掌中，那才是他媽的未來，盧卡斯。那個維迪亞．拉歐……我告訴你他辦不到什麼。營運他的交易所不需要人類，派兩百個機器人到交易所、氦氣業、太陽環上工作，地球就開心又穩當了。」

「你的重點是什麼，艾夫根尼？」

「你會落向哪一頭，盧卡斯．柯塔？地球還是月球？來一趟聖奧爾嘉吧，其他混蛋你都拜訪過了，你欠我們。」

間諜機器人的粉末閃閃發亮，盧卡斯將它從桌面撥開。「哎呀，月之鷹無法接受這提議。」

艾夫根尼原本有可能發出怒吼，有可能以巨掌捉住盧卡斯的桌子，壓碎它。但接著他解讀出機器人碎片代表的意義了。**我們正受到監控**。

「不過呢，念在我們兩家多年的情誼，我可不可以派我的鐵手過去呢？她也是柯塔家的人。」

「VTO三大分部的人都會在聖奧爾嘉歡喜迎接月之鷹的鐵手。」艾夫根尼說。

地球、月球、太空分部，全聚集在一個地方，盧卡斯思索，**可見沃隆佐夫一族有重要的消息要宣**

布。

「我會告知我的茂・迪・費洛。」盧卡斯說。

「那就她媽的跟我乾一杯吧，你這沒卵蛋的巴西人！」艾夫根尼・沃隆佐夫大吼，然後抓起扶手上的酒杯。杯底在列印皮革上留下一圈伏特加印子。「敬家族。」

「看起來像是一座城市。」露娜・柯塔說。她翱翔在無盡的城市地景上空，看著那些軌道和街區。她伸出手，靠想像力轉彎。「人群，熱食店，列印機。馬路，纜車，列車。」都是幻象，投影在她的鏡片上，但把它們當真是一件有趣的事。「你們在他的腦袋裡放了一座城市。」

「是幾座城市。」格布雷西拉西耶醫師說。她是路卡辛侯的主治醫師，但也不只是一個醫師，現在這過程也不僅是醫療行為。路卡辛侯正重新長大成人。露娜鏡片上的影像看起來像城市，但某方面而言是她從未見過的畫面，而它們是治好路卡辛侯的關鍵。露娜本人也是關鍵。

「你們為什麼不讓我看他？」達柯塔・凱爾・馬肯齊一來醫療中心接待室巡視，露娜立刻問她。

「療程很精密。」格布雷西拉西耶醫師說，並立刻帶露娜到私人房去。「因此手術室是蓋在避震架上。我們正在進行奈米手術，將小到肉眼看不見的蛋白質晶片放進他的腦中，串進神經連接組。」

「我知道。」露娜說：「我說的『看他』指他的影像，你們封鎖了我的副靈。」

「沒什麼好看的，露娜。就只是一個年輕小夥子處於醫療程序引發的昏迷中，旁邊有一大堆機器。」

「你們有沒有拿掉他的頭蓋？」露娜問。格布雷西拉西耶醫師被她的有話直說嚇了一跳。

「妳想看那些蛋白質晶片嗎？」醫生在椅子上前傾身體問。她沒有蹲下來配合露娜的身高，那等於是在侮辱對方。

「讓我看。」露娜說，接著她的鏡片就冒出了一大片奇觀，像是梅利迪安的牆壁、太陽線都化為大道，而那些大峽谷分歧十倍，再十倍。

她眨掉圖表。

「裡頭有人的城市。」露娜宣告。

「有人和聲音。」格布雷西拉西耶醫師說：「還有記憶，這也是我們需要妳的部分。我們能給他基礎的能力，像是步行和語言，但使路卡辛侯成為路卡辛侯的要素——他的記憶，受到了損傷。非常嚴重的損傷，不過網路上充滿記憶。我們可以利用蛋白質晶片賦予那些記憶給他，最後呢，我們重建神經連接組，那些記憶就會成為他自己的記憶了。」

「我知道。」露娜說：「你們要我把我的記憶給他。」

每當格布雷西拉西耶醫師的世界出現什麼異常狀況，她就會轉動頭部。

「我們進不去裡頭。」她說，一根手指向露娜彩繪過的額頭。月球夫人的死亡之眼瞪得她半路收手。「網路上有他的記憶和妳的記憶，我們需要妳的准許才能使用。」她在露娜臉上看到失望的表情。「如果妳想的話，可以在我們下載到晶片時進行預覽。」

「我想看。」露娜說：「那感覺會像跟他在一起。我要去哪裡弄那些？」

「妳哪都不用去。」格布雷西拉西耶醫師說：「我們可以從任何地方連線。」她又多嘴了，露娜垂頭喪氣。「不過我們可以給妳一個房間，特別的房間。」還是眉頭深鎖。「還有特別的床。」

「還有格蘭尼塔？」露娜問。

「妳最喜歡什麼口味？」

「我沒有最愛的口味。」露娜說：「我喜歡探索口味。草莓，薄荷，加豆蔻。」

「一言為定。」格布雷西拉西耶醫師伸出手。

「不是妳跟我一言為定。我是柯塔氦氣的柯塔一族，是我跟妳談妥這個安排才對。」露娜嚴肅的伸出一隻手，格布雷西拉西耶醫師也嚴肅地跟她握手。

草莓加薄荷，很好，草莓配豆蔻，還可以，豆蔻配薄荷，怪死了。草莓加薄荷加豆蔻，又一個失敗的格蘭尼塔實驗。露娜還是喝光了，因為她不希望別人以為她是爬白金山爬到半路就放棄的那種探險家。她仰躺到床上，很舒服，更重要的是它看起來很順眼。這醫療中心跟她過去討厭的所有醫療中心沒兩樣：光線過亮，溫度過暖，聞起來像是藏了什麼玩意兒，完全沒人有時間理會九歲女孩。

「跟格布雷西拉西耶醫師說我準備好了。」她對副靈露娜下令。

好的，露娜，放輕鬆，我們要開始了，格布雷西拉西耶醫師出現在鏡片上對她說。露娜閉上眼，記憶開始在她眼皮背後的黑暗中上演。

她叫出聲來。她又回到博阿維斯塔了，這裡充滿綠意、生機、光線、流水、溫暖。沉靜、嘴唇豐厚的奧里莎之臉俯瞰著她，而她探索著河流，赤腳在池子裡涉水，沿著小瀑布往上爬，然後跌倒，溼透了洋裝。一架無人機飄在她頭上，她的教母在一旁顧著她。畫面中的細節遠超過她自己的記憶。她聽到所有葉片的窸窣聲，看到所有陰影與漣漪，想像她感覺得到腳趾間的冰涼流水，聞得到老博阿維斯塔的溫暖植被。一株高大、搖曳的竹子那裡傳來聲響，使她分心，拋下原本進行的任務。竹莖間有幾條小徑穿過，年輕的冒險家無法抵抗它們的吸引力。小徑的畫面拉近，她瞄到如帳幕的枝幹間有動靜。小徑帶她來到小樹林中央的一片空地。路卡辛侯在這裡，年紀已快脫離兒童期，身穿長裙、隨風飄逸的天藍色洋裝，還化妝。

「月球女王，月之夫人！」他大喊，鄭重行了一個屈膝禮。「水女王葉瑪亞歡迎妳參加她的大舞會！」他彎腰牽起她的手，半蹲半蹦跳地在空地上舞動，他們笑啊笑，不停地笑。

「當時我幾歲？」她問副靈露娜。

三，懸浮在她胸口的銀灰色球說。

畫面一轉，他十五歲，而她五歲了。他們在贊果之眼中，他的公寓內。他調了幾架長臂、動作精確的機器人過來，為了玩換臉遊戲打發漫長的夜晚。兩人分別設定自己的機器人，讓它幫自己彩繪新臉，誰引起對方最大的反應，誰就是贏家。她想起這件事了。她不想重看一次，不想重溫多年後變得模糊的那些細節。動物的臉，劇院面具，超時尚的妝容，武術家戰鬥時的臉。天使與惡魔，骷髏與骨頭。接著路卡辛侯轉過身去，機器手臂忙了起來，而且是前所未有的忙，來回擺動、飛舞、閃過來閃過去，畫圈圈，一下子又突然橫越路卡辛侯的臉。

他轉過來面對她。

他的臉變成了一隻隻眼睛。除了眼睛之外什麼也沒有，一百隻眼睛。

那時她發出尖叫，此時她也叫了。當時她拔腿就跑，不過此刻她留在原地。她有辦法直視那百眼之臉，因為她看過更糟的畫面。

現在她六歲了，走在祕密小徑上，前往伊安莎的眼淚形成的奇妙池子，結果路卡辛侯發現了這條路，人已經在池子裡了，旁邊還有個朋友。兩人都裸體，望著彼此。當她說**這是我的池子**時，兩人轉過頭來，一個說**喔**，一個說**嘿**，然後退離彼此。現在露娜知道他們在做什麼了，不過當時她說：**呃，我要加入**。結果他們逃得可快了，彷彿她倒毒藥到池子裡似的。

那男孩叫畫星．奧拉普，副靈露娜告訴她。他是路卡辛侯在神之若望的研討班同學。露娜現在知道了，他們逃跑不是因為她抓到他們在玩彼此的陰莖，而是因為他偷偷帶著男孩闖過保全網。她接著又想，**但他不可能通過的，因為保全網會檢查每一個人。有人放他進來**。她心想，**晝星這名字真美**。

現在她七歲了，博阿維斯塔熱鬧非凡，到處都有音樂、光線、穿華服的人，而她穿梭在賓客間追著裝飾用的蝴蝶，白色洋裝上有大膽的紅色牡丹圖案，不管到哪裡，大家都稱讚她美極了。路卡辛侯和他的奔月夥伴在一起。她對那個馬肯齊女孩說「妳的雀斑真美」，結果路卡辛侯要她閃邊去，因為她只是個孩子。但那沒什麼大不了，因為艾芮兒姑姑、盧卡斯、卡林侯、華格納、亞德里安娜奶奶也都在。她想緊抓著路卡辛侯奔月派對的記憶，因為這是她最後一次覺得博阿維斯塔是一塊樂土。可惜記憶的洪流並不停歇：數以百萬計的時刻被記錄、歸類、儲存下來。在露娜記下來之前，她的副靈就記住了。這事實令她暈眩。

露娜知道什麼可以清理思路。

新的格蘭尼塔組合：豆蔻、香草、腰果。這肯定會成功。

「我自己去？」

「妳自便。」格布雷西拉西耶醫師說。副靈露娜收到訊息時，她其實已在探索醫療中心內可進入的隧道、管道了。科里奧利很古老，比博阿維斯塔古老得多，屋頂深入隕石坑壁。她沿著滿是灰塵的走廊前進，望出氣閥舷窗，看著減壓後封閉以來的通道迷宮，偷瞄深入城市過往的豎井。她大叫自己的名字，而它們報以令人滿意的回音。這時副靈露娜告訴她路卡辛侯醒了，她可以去看他。她便一路跑過去。

「妳把他的頭蓋骨放回去了吧。」露娜說。

格布雷西拉西耶醫師轉了轉頭。

「我們沒動他的頭，去吧，去看他。」

他坐著，眼睛閉上，呼吸急促。他誇張地瘦，蒼白。露娜在他臉上看得出骨頭的形狀，他的雙手垂在被單上，像是筷子。他的胸口像是搭在圓桿上的帳篷。他的副靈金吉懸浮在頭上，摺疊成太陽系儀似的形狀，一個個旋轉的圈圈套在一起。露娜從沒看過任何副靈變成那樣子。

金吉現在啟動了極簡介面模式，副靈露娜說，**它正在編輯、處理歸檔後的生體情報，大小有好幾PB。**

露娜在床邊踮起腳尖。她感覺得到房間的懸吊系統在腳下凹陷，感覺得到牆壁、地面、低矮的天花板內有機器，且無法擺脫一個想法：她從外頭觸碰門把時，它們便一溜煙地消失在視野之外，而她再度觸碰門把準備離開時，它們就會從祕密角落竄出，鑽入路卡辛侯的皮膚，進入他體內。

「路卡辛侯？」

他睜開眼睛，看到她，認出她了。

「露娜。」

電梯裡的常客看出來了，露出微笑。那神采在工作日早晨顯得生機勃勃。鷹巢保全看出來了，點點頭。月之鷹後勤辦公室的程式工程師看出來了，交頭接耳。盧卡斯的僕人與幫傭看出來了，互相使了個眼色。艾莉西亞大搖大擺地從他們眼前走過，踩出月球漫步，笑容滿面。

鐵手跟人做愛了。

盧卡斯在橘亭內：一個天篷，兩張椅子，一張石桌，在種滿樹的露台盡頭，梅利迪安中心邊緣的一顆珠子。

「妳遲到了。」

「抱歉。」她無法克制嘴角上揚。專業點。「案子如何了？」

「我們正在協議審判和法律系統。過去二十四小時內，梅利迪安、南后、遠端月面三地已經剝奪二十二個人的法律資格了。」盧卡斯拿起鬱金香形玻璃杯，啜飲薄荷茶。他沒問艾莉西亞要不要喝，他知道她痛恨這茶。盧卡斯放下脆弱的玻璃球莖和裡頭的茶：「我要他到這裡來，艾莉西亞。我要他和我在一起。我都忘了，妳根本沒見過他。妳聽過傳言，大家都說他是個浪蕩的花花公子，但他其實善良又勇敢，比我勇敢、善良多了。他參加過奔月，我完全沒試過。他救了卡喬·阿沙默的性命。他在真空中折返，救了那男孩。大家都忘記他做過這件事了，但阿沙默一族沒忘，莉。」

艾莉西亞僵住了，盧卡斯從沒叫過她那個綽號。

「我要妳前往聖奧爾嘉，妳要在那裡見VTO月球、太空、地球分部的代表。」

她心中的微笑，剛做愛完的容光煥發，性吸引力強烈的活潑台步，全都凍結了。她差點大聲說：不。

盧卡斯繼續說：「艾夫根尼·沃隆佐夫先前來見我，帶來一個建議——一個提案。而我打算聽聽他的說法。我本人不能去——我在月球受託管理機構眼中必須是無瑕、清白的。」

「什麼時候要去？」艾莉西亞問。

「明天。」盧卡斯說。

「明天？」

盧卡斯·柯塔抬起一邊眉毛。

「有什麼問題嗎？」

「沒問題。」

她的行動必須快速、扎實，把所有計畫都壓縮成一顆鑽石。如果她只有一個晚上的時間，那她必須讓這個晚上撼動梅利迪安的根基。

「很好。」盧卡斯・柯塔說：「嗯，妳嘴角為什麼一直上揚？」

那不是最上等的旅館。樓層有點太高，缺乏時髦感，旅館內沒有可以吃東西的地方，房間散發出循環利用太多次的空氣、清潔不足的衛生設備的氣味，清潔機器人沒掃到角落。**讓我訂梅利迪安娜**，艾莉西亞懇求他，**那裡很棒，我請客，我付得起**。梅利迪安娜是梅利迪安第二高級的旅館（最高級的旅館是六星級的漢穎，房間隨時都被月球受託管理機構和來訪的地球人占著），但他很堅持。住天寧旅社，不然就不要去。刀子傑克是通緝犯。

「我是個叛徒。」他說：「我家人把我踢了出來，我爸跟我斷絕關係。我是個賤民。」

什麼？艾莉西亞說，不過他打開了門，和她一起進入那有異味的過小房間，看到了床。「喔，去他媽的。」他像墜毀的衛星那樣倒到床上，當艾莉西亞從浴室出來時，他已經睡到在打呼了，笑得像個小嬰兒。

她想了個方法叫醒他。他們做愛，扭打，在彼此身上實踐自己的性幻想，在彼此的肉體和心靈上都留下深深的印記，他們發笑、尖叫、大喊，叫出最骯髒的瀆神之語。他們筋疲力盡地睡在彼此身上。

他們又做了一次。一搞再搞，一搞再搞。他們幫彼此口交。他將她身體往後折，採堆高機的姿勢，雖然她腦袋裡的血流隨著他雞巴的節奏激烈搏動著，她還是願意讓他主宰、羞辱她。只要他隨後願意立刻舔她雙腿之間。

他們又睡著了。

艾莉西亞醒來時，身邊沒有人。她翻身，看到他像隻鳥似地窩在房間裡唯一一張椅子上，望出小小的舷窗。天蠍座α星方樓現在是夜晚時間，銀中帶青的光線射入玻璃內。在那光中，他身上的每一道疤都是青紫色的，肉體像是布滿溪流與山脊的地形。他仰望著光，那身影在艾莉西亞眼中就像個孩子，沒比他在上城區守護的那些孩子年長多少。

他的俊俏令她心臟都漏拍了。

「我做過壞事。」他說：「可怕的事，手中染血；幹了好幾年。根本沒辦法把那味道趕出腦海外。我是為了那光。我感覺手中的刀子，然後光來了。可怕，輝煌，填滿一切。一切在那光線下都是美麗的。我看得到其他人看不到的景象，我看得到宇宙邊緣。那道光，那是我唯一能夠看清事情的手段。我愛那道光。我恨我做的事，但我沒有其他方法能看到它。我必須擁有那光。」

他望著房間另一頭的她。在天蠍座α星方樓的夜晚中，他的皮膚是鐵青色的。

「他們逼我殺人，莉。第一刃衛。我不按他們的意思辦事，他們就把我逐出家門。」

「我的甜心。」

「我聽到葡萄牙文還是會發毛。」

艾莉西亞將被子往下拉，拿起床邊桌冰桶內的伏特加，倒了一杯。他對酒搖搖頭，但鑽到她旁邊，依偎她溫暖的身體。艾莉西亞沿著他身體側面撫摸，感受得到每一道疤。他在發抖。

「嘿。」她說：「嘿。」

「我從來沒把這件事告訴任何人。」

她親吻他的臉頰，老派而禁欲地。他在發抖。她躺在他身旁，直到他睡著。他開始扭動，發出小小的哼聲。她又躺了更久一點，直到他做完噩夢，然後再久一點，直到她確定自己可以行動。她把手從肩膀下方抽出來，他含糊地說了什麼。

第一刃衛。

艾莉西亞叫出馬尼奧，用鏡片鎖定那個睡著的男人。

他是誰？她無聲地問。

答案立刻就來了。

丹尼·馬肯齊。

她迅速穿衣，沒發出一點聲音。關門，在走廊上套鞋。快走，堅定地走，永遠不要回頭。回頭一瞥，她就會變成鹽柱。不能停，妳不能停下來。妳要是聽到他從身後叫妳的名字，妳就會轉頭。妳就會告訴他所有事情。

我毀了你家，我殺了你祖父，我把你們的城市融成了爐渣。

她按下電梯鈕。**要去哪裡？**馬尼奧代替電梯發問。

「下樓。」她低聲說，她的胸口激烈起伏。「一路到底，幫我叫一輛三輪摩托。我要搭下一班列車前往聖奧爾嘉，幫我訂位。」

電梯內空無一人，她背靠著牆，腳縮到胸前坐著。她毫無止境地啜泣，失落地發出顫抖哀號，垂頭喪氣地穿過天蠍座α星方樓亮如珠寶的夜色。

你殺了卡林侯。那道光在你體內燒亮，於是你讓他跪下，割開他的喉嚨，脫光他的衣服，把他吊在一條窄道上。還有，你好俊美，我愛你。我是逃跑的懦夫，我沒和你一起面對我的真實身分。

起來，妳是茂・迪・費洛。

她強迫自己站起來，現在她能呼吸了。

布達林大道，馬尼奧說。三輪摩托等待著，艾莉西亞鑽進貼合身形的座位。**梅利迪安車站**，摩托說，同時關上車門，加速駛去。**預估在兩分八秒後抵達**。

「通知月之鷹辦公室，說我已經遵照命令上路了。」艾莉西亞說。「知會聖奧爾嘉，要求官方VTO代表來車站見我，帶我去行政人員休息室，我會需要沖個澡和換新衣服。裝扮風格的三個重點是時髦、專業、叛逆。」

完成，馬尼奧說話的同時，三輪摩托駛下陡坡來到車站中央大廳。一天二十四小時，梅利迪安車站的月台都擠滿了旅客、工人、學生、家庭。摩托在商務車廂的休息室敞開，艾莉西亞下車站挺。一名赤道一的職員等著她，手裡拿著剛列印好的服裝盒，他的同事則拿著毛巾和附贈的盥洗用品包。

「歡迎妳，茂小姐。」穿西裝的男人說：「可以請妳跟我同事走嗎？」

空氣帶有水療設施的清新，還有合成松香，但艾莉西亞只聞到沙，嘗到沙。淨化之雨止息後，灰塵又溜回空氣中了。塵土永遠不會死滅。

他那裡，在世界的屋頂。

她的副靈發出叮一聲：月之鷹辦公室傳檔案來了。接受，開啟。盧卡斯的附加訊息：**這是給馬尼奧的新外觀模組，跟身為月之鷹代表的妳比較匹配**。換模組只需要一眨眼的工夫。副靈是擴充現實物件，只存在於觀看者眼中，佩戴者要看自己的副靈就像看自己的後腦勺一樣困難。馬尼奧閃現新形態的透視圖：一個金屬手套握著礦工的十字鎬。茂・迪・費洛，鐵手。

10

艾莉西亞從來不信任藍色眼珠。要是看得太深，只會發現藍色眼底的冰冷和殘酷。德米特里・沃隆佐夫的藍眼珠卻閃閃發亮。

從梅利迪安出發的這趟旅程太短，她包下的機動車太小，她的保鑣也靠得太近，因此艾莉西亞無法回想丹尼・馬肯齊帶給她的創傷。傷口邊緣刺痛著。各種指控和反控在腦袋中呼嘯，責怪將她燒成灰，罪惡感凍結了她。丹尼・馬肯齊。丹尼・馬肯齊。

她走出氣閥，跨入沃隆佐夫族首都兼工廠的煙霧與蒸氣中。如果梅利迪安是電力、燒結的石頭、車輛輪胎、熱食、焚香、嘔吐物、汗水的總和；如果南后是電腦、塑膠、工程用黏著劑、琴酒、深埋地底的寒冷散發的醒腦氣味所綜合的柔軟麝香，那聖奧爾嘉就是機器人、機具、灰塵、關在深邃角落許久的空氣、輻射帶來的刺痛、無用古龍水調和出的香料。

「茂・迪・費洛。」一個骨瘦如柴又矮小的VTO職員向她鞠躬。對方性別不明，艾莉西亞猜他是**中性人**，開始思索正確的代名詞。馬尼奧告訴她，對方叫帕夫・涅斯特。一個顴骨迷死人的年輕男子端了一個托盤過來，上頭有一顆小圓麵包，還有一碟鹽巴。「歡迎來到聖奧爾嘉。」艾莉西亞撕開麵包，蘸了蘸鹽。

「麵包與鹽。」艾莉西亞說。馬尼奧在梅利迪安車站的行政人員休息室內為她簡報過沃隆佐夫一族的禮儀。「我代表月之鷹獻上他的歉意。」

另一名年輕女子送上一個托盤，上頭有幾枚手環。她跟剛剛那個沃隆佐夫少年是一組的。

「聖奧爾嘉一直有輻射方面的問題。」帕夫．涅斯特說：「這能監控輻射量。」

它也能監控妳，馬尼奧說。

你能擺平它嗎？艾莉西亞在戴手環時問。

我駭進去了，馬尼奧說。**好了，妳可以隨意開關它了。**

聖奧爾嘉宣稱自己是月球上最古老的都市（馬肯齊金屬的精煉機器人所提煉出的稀土，最早就是從這裡發射回地球的），且老態外顯。它是一個蓋住小隕石坑（直徑不超過兩公里）的圓頂，覆上六公尺後的月壤。數十年來，聖奧爾嘉已擴展出一片腹地，上有建設工廠、月環與彈運設施、轉軌廠、通訊塔、太陽能發電機、工程與機器人學工廠，不過它核心一直是灰濛無奇的沃隆佐夫半球，輻射汙染、洩漏，從上方篩落。

圓頂內是混沌的壯麗景象。沃隆佐夫族的城市是公寓、商業區、熱食店、育兒室、幼稚園、研討班、工廠和聖殿形成的圓柱體，立於圓頂中央，高一公里。迴廊、樓梯、走道密密麻麻地布滿這座牆壁圍起來的城市表面，電扶梯與移動路面則探入其內。沒有東西是平的，沒有東西是準而直的。七十年來，聖奧爾嘉就像貝殼那樣增長，擴建區蓋在附屬建築上，樓層疊上樓層，地面上方再加地面，整個新街區倒到舊街區上。城市像石筍一樣不斷增生，繞著一個隱藏的古老心臟。管線、鐵路架線、通訊線路、纜車的網絡將所有區塊串連在一塊。

艾莉西亞知道，她在這裡會像是在家一樣熟悉。

她應該要穿晚禮服出席。

「這是一個正式的接待晚宴。」帕夫．涅斯特說：「我們有各種標準。」

艾莉西亞住的外交人員公寓位於聖奧爾嘉舊城區核心地帶，俯瞰著一個長滿髒兮兮多肉植物和低垂蕨類植物的院子。下方某處傳來嘩啦啦的流水聲。如果她走到陽台，望穿更高處一層又一層的陽台、電纜結成的網子，就能看到一小方天藍色，轉變成無訊號灰幕，最後變成死寂的黑。在聖奧爾嘉，連天空的狀態都欠佳。VTO建造了月球賴以為生的公共設施，但連自己的首都都維護不好。

帕夫．涅斯特帶著她走上樓梯，穿過鏗鏘響的狹窄通道，鑽進大牆面之間，深入滴水的隧道，來到城市中心古老又有霉味的房間內。遠離輻射的程度，是月球社會階層的重要指標，其重要性就算在圓頂下也沒有降低，只是軸度不同；往內，不是往下；靠近核心，遠離圓頂。

「太醜，太乏味，讓我看起來活像八十歲，有絆倒的危險，太多荷葉邊。」這是艾莉西亞給帕夫．涅斯特展示的前五款洋裝的評語。

「荷葉邊？」

「褶邊。」艾莉西亞露出噁心的表情：「打褶。」

帕夫．涅斯特又傳了一款到艾莉西亞的鏡片去。純白，裙襬及地，彷彿要昭告「我來了」的墊肩，附腰帶，雕像式的優雅。它暖心，經典，迷死人不償命。

「袖子。」艾莉西亞說。帕夫．涅斯特很消沉：「什麼？在我出身的地方，宴會禮服是沒有袖子的，也沒什麼有的沒的。」

她的助手又傳了另一件袍子到她的鏡片去。

「就這件。」艾莉西亞宣布：「絕對就是它了。」

列印店準備洋裝的同時，她沖澡。在聖奧爾嘉，就連水都感覺是回收再利用的。帶有新鮮的尿味。她保養皮膚和臉時，洋裝已送到門邊了。

「幫我一下。」她要求帕夫。

馬尼奧讓她看自己的樣子。她可以迷死二十公尺內所有活物。她撥高頭髮，噘嘴，雙手放到屁股上。

你的交通工具來了。

她開門來到狹窄、陡峭的街道，驚叫失笑。兩個肌肉發達的月光菜鳥扛著轎子，一男一女。

「你們在開玩笑吧。」

「這是非常實際的安排，考量到我們的地形和妳的衣著。」帕夫說，並將艾莉西亞忘掉的手拿包遞給她，關上門。「請握緊扶手。」轎子動起來時，她差點被甩到地上。艾莉西亞抓緊皮帶，指節都發白了。她簡直像是來到了聖奧爾嘉的主題公園，轎子搖啊晃的，倒退上陡峭的樓梯，下斜坡，沿著螺旋狀坡道繞啊繞的，頭上淨是聖人投影、霓虹神殿、街道天使、各區的超級英雄。最後砰的一聲，她被放在一道雙開門外，門上刻有各種弧度與拱門，組成複雜的圖案。保全人員有三排。艾莉西亞將手拿包夾在腋下，以她最火辣的儀態跨出轎子。馬尼奧丟了一些比西幣給轎夫。帕夫已經到了，他走不一樣的路，更隱祕的路徑。他那件煙灰色錦緞紗麗克米茲[6]上頭沒有一點汙漬、皺褶。

大廳擠滿來賓和迎賓者，艾莉西亞從他們身邊走過。馬尼奧叫出該公寓的地圖，但艾莉西亞決定跟著比較有確信的人走。往宴會的最喧鬧處前進。她踩著高六公分的鞋跟大步邁進，大廳、等待室、會客室內的人紛紛轉頭看她。

她上次穿高鞋是在科帕皇宮飯店假扮成女僕的那次，鞋跟、裙子、上衣、鬆弛的絲襪都太小了。而今晚她穿的所有衣物都完美合身。總管宣告她來到沙龍，不過早在她的名字被高雅的俄羅斯腔念出前，大家都盯著她看好久了。他們當然會看。那件洋裝是閃亮綢緞織成的，非常貼身，緊到艾莉西亞幾乎無法呼吸。她胸口到髮尖的每一吋肌膚都裸露在外，整件衣服彷彿是單靠聖人的冀望撐起來的。歌劇手套長度及肩，穿這件洋裝不可能不性感。服裝設計、鞋跟高度逼出的魅力。

「鐵手！」面對如癡如醉的歡呼，總管大喊。艾莉西亞已經分析完全局了；這些人會盯上她，那些人會綁住她必須要搭上的對象，這些人會試圖引誘她。她從托盤上撈起一杯馬丁尼，上戰場。

整整半小時後，沃隆佐夫家才下第一步棋。

他很高，不過他們家族的人都很高。藍眼珠，衣著完全合身，帥得令人屏息。個個都是。艾莉西亞在出席月球受託管理機構的會議時記住了他的長相，年輕、有自信的那一代，據守在會議室最高層，對自己的力量有十足把握。他穿著正式襯衫，繫著硬挺的白色領帶，燕尾服外套。他完全就是艾莉西亞的菜。沃隆佐夫的調查工作做得很徹底。

「艾莉西亞．柯塔。」他鞠躬，迷人極了。

「德米特里．米哈伊洛維奇。」

「妳美翻了。不是每個人都能駕馭一九四〇年代的風格，但妳看起來就像好萊塢經典女星。真正的銀幕女神。」

艾莉西亞從來不信任藍色眼珠。要是看得太深，只會發現藍色眼底的冰冷和殘酷。德米特里．沃隆佐夫的藍眼珠卻閃閃發亮。**冰或火？**艾莉西亞對馬尼奧低語。她還來不及回應他的恭維，他又說了下去。

---

6 發源於印度次大陸的傳統服飾。

「妳副靈新外觀模組的氣質真是……堅毅呢。」

「跟我不搭嗎？」

「當然了，而且對一個柯塔家的人來說太金屬了，不太尋常。」

「我就是這樣。」

「鐵手。很抱歉，我從來就發不出葡萄牙文的鼻音。」

「茂・迪・費洛。」德米特里帶著艾莉西亞遠離沙龍，前往一座圓頂迴廊，中央有座噴泉。德米特里引導艾莉西亞繞行有柱拱廊。就聖奧爾嘉的邏輯來推斷，這宮殿肯定位於城市最中心，不過這裡的房間還是很寬敞，不會帶給艾莉西亞幽閉空間恐懼。就聖奧爾嘉的標準來說，這裡的空氣很新鮮，只是飄著濃濃的古龍水和俄羅斯皮革香水味。德米特里身上的氣味跟他的長相一樣甜，沒人來救她。

「我對妳的頭銜印象很深刻，很像是我們會取的名字。」

「那不是頭銜，也不是我取的。」艾莉西亞說：「茂・迪・費洛是我的綽號，別名。在巴西，每個人都有綽號。不過綽號不能自己取，是別人取給你的。茂・迪・費洛是米納斯吉拉斯的老礦工綽號，意思是礦工中的礦工，第一高手。」

「或第一女高手。」德米特里・沃隆佐夫輕輕觸碰艾莉西亞，帶著她繞過迴廊轉角。艾莉西亞發現他修了指甲。

「我的曾祖父迪奧戈是第一任茂・迪・費洛，後來它成了一個家族名，已經傳了好幾代。不是從我姑婆開始的。」

「亞德里安娜・柯塔。」德米特里・沃隆佐夫說：「現在的鐵手則是妳。告訴我吧，是誰幫妳取這名字的？」

「盧卡斯，月之鷹。」

「妳的杯子空了。」他接過她的杯子時，指尖在她手指上停留太久。「妳還要再一杯嗎？還是說，我們應該要遠離那些喧囂？我真心覺得宴會很累人」。

喔，你這甜言蜜語的騙子。

「我想再喝一杯。」艾莉西亞說。

「那就讓我為妳斟酒。」德米特里的禮儀跟他西裝一樣完美無瑕，但他搞砸了。當他帶領艾莉西亞穿過迴廊回宴會會場的途中，話題轉到了手球上。

「我知道這裡很流行。」

「喔，我愛死了。」德米特里說：「我們都支持聖奧爾嘉。我以前會上場打，後來成了球隊老闆。聖人隊？妳一定聽過。我得帶妳去看場球賽才行，妳要了解手球才能了解月球。」

「聽起來很不錯。」艾莉西亞說：「改天吧。我以前會打排球，排球在里約很興盛。沙灘排球，要穿小得很蠢又緊得很蠢的比基尼，名字寫在屁股上。」

她這輩子從沒打過沙灘排球。

她從德米特里．沃隆佐夫身旁溜開，連回頭看一眼都沒有，從某個托盤拿了一杯自己的馬丁尼。宴會上的人退開來迎接她，問候，恭維，禮貌性的互動。派男孩失敗了，那他們接下來就會派女孩。艾莉西亞已經瞥見她了。她從旁邊另一頭望過來，當艾莉西亞和她四目相接時，她的視線便逃開。棕色大眼睛，棕色皮膚，蓬鬆的頭髮梳成楔形。淡黃色絲質禮服和珍珠。她在宴會的右側緩緩移動，艾莉西亞在左側，最後兩人在伏特加噴泉那裡碰面。

「妳逮到我了。」她溼潤的嗓音落在中音域，語氣興奮。「我不像德米特里那麼會玩這種遊戲。」

她伸出戴手套的手：「艾琳娜．埃富．沃隆佐夫─阿沙默。」

聲音誘人的艾琳娜十七歲，生於聖奧爾嘉。父親是凡．伊凡諾維奇，艾夫根尼．格里戈洛維奇的姪子；母親是派遜絲．卡西．阿沙默，露西卡．阿沙默的堂親。馬尼奧指出艾莉西亞和艾琳娜的關係，其複雜性使她頭暈目眩。

「我還以為沃隆佐夫家和阿沙默家是世仇。」艾莉西亞說。

「確實是。」艾琳娜．阿沙默就算背誦機器程式碼也會很迷人。「像我這樣的人就是雙方的和約。」她的米黃色洋裝窸窣低語，帶著她朝陽台移動。陽台下方遠處是填滿閃亮生化燈的院子。她逼近艾莉西亞，只差一步就要進入親暱的距離了。

「那妳是哪一邊的人？」艾莉西亞問。

「我不懂妳的意思。」

「沃隆佐夫還是阿沙默？」

艾琳娜皺眉，兩眼間出現兩條細紋，傳達她的疑惑。

「我當然都是啊。或者說都不是，我就是我。」

艾莉西亞一捉住月球生活的一角，它就振翅掙脫，那羽毛亮麗得像鸚鵡。家族就是一切，例外是家人會逼你選邊站，選一個身分。艾莉西亞想起她在車站遇到的勇士學者，達柯塔．凱爾．馬肯齊。她原本懷疑馬肯齊無法找到家族之外的、更重要的效忠對象。馬肯齊家擺第一位，直到永遠。艾莉西亞從那位勇士學者、從高雅的艾琳娜．埃富．沃隆佐夫─馬肯齊身上得知一件事，就是身分也是可協商的。對你有用的家族，才是家族。

「我帶妳來這裡是為了好好地警告妳，艾莉西亞．柯塔。我的任務是誘惑妳。我會那麼做，而妳會迷上我。」她從採光井旁退開，盯著背後，跳舞似地倒退回宴會裡。艾莉西亞也只能跟上去了。艾琳娜將她介紹給更多沃隆佐夫家的成員：月球上的，層層軌道與電纜間的沃隆佐夫，英俊高大，鐵道之王，探測車之后；地球來的沃隆佐夫，矮胖、搖搖擺擺，還在學習適應新重力；太空來的沃隆佐夫，扭曲、虛弱，對抗著重力。馬尼奧記住他們的臉、名字、父系名和母系名，而艾莉西亞試著不要去回想瓦列里．沃隆佐夫，以及在他四周排成太陽系的結腸造口袋和一圈圈尿管。

名字，臉，理不清的身世。驚人的女裝和僵硬的燕尾服。聽介紹聽到一半的艾莉西亞抬起頭來，發現艾琳娜和舞池另一頭的帕夫．涅斯特在交換眼神。艾琳娜注意到艾莉西亞的目光，露出微笑，毫不害臊，沒人能讓她害臊。**妳真美，妳散發著光芒，除了這點之外妳什麼也不知道。妳永遠會有人迷戀，生活永遠有魔力保護。沒人會因為妳的口音、出身、財富、膚色對妳品頭論足。**

「見夠多皺巴巴的老男人和醜貴婦了嗎？」艾琳娜問。

「我還需要見誰？」艾莉西亞問。

「其他人只會試圖嚇唬妳，害妳無聊到死。宴會已經告一段落了。下一個問題，妳有辦法穿著那禮服跑步嗎？」

「要我升空飛一下也行。怎麼了？」

「只是，妳的動作得比妳的保鑣快。」艾琳娜說完拉起禮服一跳，化為奶油色與棕色的閃電。不到心跳一拍的時間，艾莉西亞便關掉她的追蹤手環，跟上前去。她的第一步絆到裙子，害她差點頭下腳上著地。她彎腰抓著一條縫線一路撕到大腿，現在她能跑了。她一跨步就躍上水晶燈，第二步撞上了牆，這時艾琳娜已轉進一條走廊。艾莉西亞拚命想壓低身子，踏實地跑步。兩人氣喘吁吁、笑聲不斷地來到一個空盪盪的隱祕房間，只有天然岩石和鋁，完全沒有公共套房那種沉悶的光彩。直徑一公尺的圓形艙門繞牆壁中段一圈，艾琳娜和艾莉西亞四目相交，踢掉自己的鞋子。

「我說過我要誘惑妳的，艾莉西亞．柯塔。」艾琳娜．埃富．阿沙默說。每個圓形艙門上方都有一段把手，上頭有黃色警告條紋。艾琳娜抓住把手，盪進艙門內，消失蹤影。艾莉西亞聽到遠方迴盪著歡喜的尖叫聲。

「去他的。」艾莉西亞脫下鞋子，眨眼間就鑽進了傾斜的管道中。身體後仰，下滑速度越來越快，腳朝下地往未知空間探去。她咯咯笑，接著管道的角度越來越陡，到了接近垂直的程度，重力將她往下拉。她在全然的黑暗中橫衝，隨管道的角度左拐右彎，禮服在她身後四周洶湧翻騰。她忍不住發出興奮與恐懼的尖叫。接著她突然覺得肚子浮浮的，坡度變緩了，她被拋入長長的螺旋之中，一轉再轉，不斷往下鑽。她呼號，她喊叫，她鬼吼，同時在管道內咚隆咚隆地轉圈，像是排水管中的渣滓，人體做成的。她要是興奮到失禁也不意外。一個光點放大成光圈，接著她從管口射出，飛出，落在一大疊柔軟的緩衝墊上，倒抽一口氣。她翻身站了起來，就像經歷了美好性愛後那樣昏沉、眼神矇矓、頭腦遲鈍。她一直笑，一直笑。

艾琳娜懶洋洋地躺在緩衝墊上，棕色大眼珠圓睜，神色迷人。

「那是什麼？」艾琳娜問。

「第二緊急逃生方案。」艾琳娜說。現在艾莉西亞看出來了，這裡的出口艙門數量跟另一個房間的入口數量相當——另一個房間離這裡有多遠？她似乎滑行了很長一段時間，不過滑行時的時間感是飄移的。「我們在聖奧爾嘉下方五百公尺處。」艾琳娜說，彷彿看穿了艾莉西亞的想法。「這是一個防輻射避難所。突然有太陽閃焰發生時，我們就會跳進離自己最近的管道，滑到這裡來。」

「它繞得像個拔塞鑽呢。」艾莉西亞說。

「像什麼？」

「盤旋路徑，**螺旋**。你們為什麼要把逃生坡道做成螺旋狀？」

「為什麼你們不會？」艾琳娜皺眉的表情令人心碎。「有的還是Z字形的呢，我幾乎每個都溜過了。」

VTO首都下方的祕密遊樂園，雲霄飛車似的逃生系統。艾莉西亞想起來了，沃隆佐夫家的任何東西都很巨大，愛、憤怒、忠心。巨大的玩心。其中一條逃生管道傳來高亢的尖叫，越來越響亮，最後一個男孩飛了出來，還開心地大喊著。他落到緩衝墊上，往前滾了一段距離才起身。他是金髮與上揚嘴角構成的模糊人影，看起來大約十二歲。他笑著跑走，離開了避難所。

「這件禮服毀了。」艾莉西亞說。「我不能穿這樣見人。」

「樓上有個列印機。」艾琳娜羞怯地將一隻腳勾到另一隻的後方。「不過呢……」

「不過？」

「妳也許會想換件衣服？我打算去另一個派對。」艾琳娜說：「比較像樣的派對，給我們這種人去的。」

艾莉西亞天人交戰。是時候了，該放下茂．迪．費洛的職責和責任，該化身為艾莉西亞．柯塔里約管線女王了。她要跟年紀、外表和自己相近的人，和不需背負權力重擔的人一起混。

妳差點就得逞了，艾琳娜．阿沙默。

「我有工作要做。」艾莉西亞說：「早上要開會，開會對象都不是我們這種人。」

艾琳娜失望地咬著下唇，然後點了一下頭。

「好吧，不過妳和他們辦完事後要打電話給我喔。」她突然踮起腳尖，在艾莉西亞的嘴唇種下一個甜美的吻，然後就蹦蹦跳跳地離開了。打著赤腳，神采飛揚。

我的任務是誘惑妳，艾琳娜剛剛說，**我會那麼做，而妳會迷上我**。

艾莉西亞受到誘惑了，而且她很著迷。

眼前是一顆太空中的石頭，半滿的地球照亮其背面，映襯著它。太陽同樣只露出一半，陽光在地上投出幾何形狀的陰影，可見人類對這顆石頭動了一些手腳。

艾莉西亞·柯塔懸浮在這顆施工過的石頭上方，飄在太空之中。人類的建造物成了比例尺，艾莉西亞猜那石頭的直徑是一公里左右。太空中的石頭不是她熟悉的領域。那石頭在她下方轉動著，她花了一小段時間才靠光影的運動做出推論：不是石頭朝她逼近，是她在朝石頭靠近。她的空間定位能力也不好。太空岩石的亮面上有一條細細的黑線，是人造物嗎？不，是一道陰影。什麼東西會產生這樣的影子呢？艾莉西亞想到一半就瞥見了那條發光的線。垂直纜線。她移動頭部，視線順著纜線移動，結果簡報畫面產生了反應，壓低角度並將她扣到纜線上，往上方送，遠離那顆石頭。

她再度往上看，攝影機角度又變了，月球表面出現在她眼前。她和滿盈太陽照射下的近端月面之間，有一個小黑點，彷彿飛蚊症患者所見的飄浮物。光襯著光，艾莉西亞很難看出細節，不過外形帶來的提示、產生的反光，她都接收到了：上頭有船塢起重架、太陽能板、電源天線、燃料槽、環境組件、機器人、建造機器、機器手臂。某種太空站。鏡頭側移，使她的視線得以流連在停泊區上繫住的太空車輛，氦氣與稀土罐，大小如公寓的隕石冰閃閃發亮。艾莉西亞的視野一晃，從太空站移回纜線和後方的月球上。某樣東西閃現逼近，快速地通過她身旁，消失蹤影。艾莉西亞不知從何時開始，沿纜線爬升變成了飛行，也不知何時又轉向成下墜落。

搭循環太空船離開地球時，她也不知道月亮是在哪一個時間點從天上的星體變成腳下的世界。艾莉西亞的月球地理學知識起碼夠她認清一件事：纜線將她送往南方，赤道的遙遠下方。她搭著太空電梯往下，掠過第谷和克拉維斯，持續往南。現在她看到沙克爾頓坑壁朝南極盆地投下永恆的陰影了。艾莉西亞瞄到永恆的陰影中有光，其中有顆星子比其他光都耀眼，是玻璃塔頂的恆光閣。

現在，南后地表的凌亂雜沓映入她視野了：廢棄的探測車、燒結機、淘汰的環境裝備、通訊塔、外氣閥、布滿車轍的灰色月壤。月球城市，多麼美妙、精密、進步的建築，裡頭住著愛好流行時尚的青少年，房間裡撒滿各種屑屑。一串光衝出坑壁的陰影，進入亮處——是一輛越極特快車，停靠於月球的第一都市。鏡頭更低、更近了。下方有個港口開啟了，儼然是一張黑色的嘴。導覽影片在此結束，艾莉西亞的鏡片變透明了。

她坐在一張圓形會議桌前，房間內一片黑暗。唯一的光源是桌面內側的光，它們使聚集在此的VTO高層的臉孔產生戲劇性風采。在這裡的人都是老人（幾乎都是男人），她在接待晚會上見到的那些人。VTO月球的高個子，VTO地球的矮胖男子，VTO太空那個脆弱、看起來像麵條的男子。也有比較年輕的面孔，當中有女性。每個人的表情都很嚴肅，沒在笑。這就是沃隆佐夫家的風格，他們認為巴西人太常笑了。

「令人驚豔。」

嚴肅的臉孔看著她，不說話。他們都知道，她不明白剛剛看到的畫面代表什麼。從太空到月球的纜車。

「將電梯移到南極，就能保持赤道軌道暢通。」她正對面的帕維爾．沃隆佐夫說。

「我們的月環動能轉運系統會繼續與循環太空船連動運作。」艾莉西亞左邊的奧林．沃隆佐夫說。

「這是生體運輸方面。」她右邊的皮奧特・沃隆佐夫說。

「在平衡力中的升空時間落在兩百個小時左右。」帕維爾・沃隆佐夫說：「超過離子化輻射的照射時間上限。」

「將上升器維持在人體安全速限內，會帶來不經濟的質量負擔。」皮奧特・沃隆佐夫說。

「完整詳述請見附件。」奧林・沃隆佐夫說，且面帶微笑。

「喔，老天啊，你們這些吠個不停的蠢蛋！」一個沒聽過的嗓音插了進來，來自一張新面孔。「她根本聽不懂。」瓦列里・沃隆佐夫是盛會上的鬼魂，飄浮在所有鏡片中的人工生命。他從此刻在地球遠端的聖彼得與保羅號連線過來，不在月球的直接通訊範圍內。光速帶來的延遲時間是鐵錚錚的兩秒，除此之外，傳遞他化身影像的高地軌道通訊衛星也會再拉長延遲時間。瓦列里・沃隆佐夫跟會議室的時差是十秒。「那是一個太空電梯。」呈現他化身影像的軟體有影像編輯功能，把他的結腸造口袋、長長的腳趾甲、她幾乎已不記得細節的半裸身影都修掉了。不過他看起來仍像是剝下的人皮所製成的風箏。「妳知道什麼是太空電梯，對吧？」十秒延遲時間強化了他的措詞效果。「妳知道最節省成本又能妥善將質量運出一個重力場的方式是什麼嗎？垂下一條線，然後往上拉，就像運一桶尿那樣。所以嘍，這是一條很長的線——幾乎一路延伸到地球，不過那還在設計。太空電梯。事實上，是複數座電梯。你能蓋兩座的話何必蓋一座？規模經濟，他們都是這麼說的。一座蓋在南極，一座在北極。」房間裡的人等待了一下，對瓦列里・沃隆佐夫表示敬意。接著艾夫根尼・沃隆佐夫開口了。

「甚至不是兩座電梯，茂・迪・費洛。是四座。」

艾莉西亞的鏡片又亮了，她從南極往上升，來到寬闊的艾托肯盆地上方，耀眼星星般的恆光閣落到她後方、下方，陰影拉長，最後融合成一片黑暗。太陽如大燈籠般閃耀在一條燦爛的光弧上方，那是月球的日夜交界線。她乘坐著隱形的線路往遠端月面的上空升高，腳下是無盡綿延的山脈、隕石坑，還有孤立、看不見的小月海。上升器將線路甩往遠端月面的高空，接著畫面切換了。艾莉西亞仰望著撒滿星子的天空，她從來沒看過天空中有這麼多星星。她的位置更高，速度更快了。

月球在艾莉西亞下方漸漸縮小，明暗交界四處可見，形成一個光暈，接著陽光從月亮四周湧現，艾莉西亞在VTO會議室內情不自禁地倒抽一口氣。一座太空城市出現在她眼前。地球那側港口使她驚愕，折服了她的想像力：這裡比近端月面的定錨點巨大、複雜十倍。有三艘長一公里的太空船飄浮在綻開的散熱葉片上，有如蜂鳥。推進器的藍焰一閃：一艘搭載滿滿燃料槽、散熱葉片、太陽能板的拖船駛離了遠端月面，準備往返於地月兩界之間。太陽照亮VTO的商標。鏡頭拉近，聚焦在太空港口上進行焊接工程的機器人、穿硬甲衣的人影上。這些簡報影片中永遠有太空焊接的畫面，沒有空檔。鏡頭拉近到其中一個太空工人的鍍金面罩上，月亮，以及後方的黑色地球映照其上。

畫面回到會議室了。

現在艾夫根尼．沃隆佐夫開口了。「月港計畫。簡單、低成本的地月運輸手段，同時也是地球與太空間的運輸手段，運用四座太空電梯。月球握有未來太陽系發展的關鍵，我們要將它打造成太陽系中心。低成本的太空交通工具製造，機器人學專家，便宜的能源和巨大的發射吞吐量。我們明天就能開始蓋。」艾夫根尼的眼睛炯炯有神，所有在場的沃隆佐夫都盯著他看。

「為什麼你們要我看這個？」艾莉西亞．柯塔問。

「VTO需要南后、羅茲德斯文斯基的工程執照。」艾夫根尼．沃隆佐夫說：「只有月球受託管理機構可以核發給我們。」要地球、月球、太空的代表都同意才行。「我們能不能仰賴月之鷹在議會上投一票給我們？」

「我代表月之鷹來到此地，但不能替他發言。」

「妳當然不行。我們是希望妳說服他。」艾夫根尼・沃隆佐夫說。

「不只這樣。」帕維爾・沃隆佐夫說：「我們希望他說服地球人。」

「月之鷹無黨無派，不偏袒地球或月球。」艾莉西亞說，她發現所有人都看著自己。「就跟你們在L1點上的小行星一樣。」她試著說笑，但會議桌上一片死寂。

「月之鷹也許無黨無派，」艾夫根尼咆哮，「但盧卡斯・柯塔是在月球出生的，血裡混著月塵，月塵會顯露出來的。」

「記住妳剛剛看到的畫面。」奧林・沃隆佐夫說：「妳要對它們瞭若指掌，像是面對自己的皮膚那樣。我們不能讓任何材料流出聖奧爾嘉，妳要當它的倡議者。」

「他被監視了。」艾夫根尼・沃隆佐夫說：「那些無人機我都看到了。我們不能冒險，不能容忍材料落入地球人手中的任何可能性，就算用加密頻道傳輸也不行。」

「那妳的看法如何？」瓦列里・沃隆佐夫插嘴，偏要在這時問。

「我不確定我有沒有辦法妥善處理。」艾莉西亞說：「這件事太難啟齒了。」她發現自己沒在回答他的問題。「我沒辦法像你們那樣深入了解它。它很巨大，很雄偉——我從來沒看過類似的東西，沒辦法把它完整塞進腦袋裡。我不知道自己有沒有辦法正確地推銷它。我知道自己對它的感覺是什麼——也許我可以訴諸我的真情。」

VTO會議室給地球遠端的瓦列里・沃隆佐夫十秒鐘的時間。

「那樣就夠了，艾莉西亞・柯塔。」

他微笑，陰森地露出綠齒。

會議桌上的每個人都隨他一起微笑。

華格納．柯塔往椅背靠去。探測車持續發出舒適的運轉背景音，但塑膠碰觸到肌膚時，他還是打了個哆嗦。每一條神經感覺都像是增長了十倍，而增長了十倍的神經還被織入上千條傳導纖維中。那些神經纖維遭到觸碰，使他綳緊身體，接著他才放鬆，將全身重量放到椅子上。

「發動它，光博士。」他下令。這輛探測車很老舊（無異於外掛動力系統的氣閥），只在不久前加了副靈介面補釘，沒有更先進的人工智慧了，但它還是很可靠。華格納聽到引擎齧合的聲音，那像是一段弱音的旋律，出現在機器運轉聲的交響樂中：感應器嗶嗶叫，促動器咻咻響，空調像在呼吸，還有他的心跳如鼓聲，空氣沙沙摩擦他呼吸道。他感覺到重力產生微妙的變化。較不敏銳的感官會捕捉不到它，他卻覺得它是幾乎無法承受的搔癢。車子開上廣闊的月壤後，他一定會痛苦萬分。探測車沿著車身軸線旋轉，接著止住了。

「開啟，光博士。」

探測車前半變成透明的了，滿盈的地球照亮華格納，他正裸體坐在太陽一一三八蘿莎號的指揮席上。他叫出聲來。藍光照入他全身的每一個細胞，神經燃燒了起來。他起身，站在地球光中轉動身體，讓每一吋肌膚都接受曝曬。他的後腰，手掌。他撈起及肩長髮，讓頸後接受曝曬。他的全身上下都浸泡在地球光中。他呼吸得費力，如高潮時那般氣喘吁吁。肌肉只能勉強維持他的站立，於是他倒回指揮席上，上氣不接下氣。

「我們去工作吧，光博士。」

修理工的身體又要由誰修理？月狼華格納．柯塔。

他需要工作，不是錢。安妮麗絲的波斯古典樂團賺的錢夠多，她樂於和他、羅伯森一起用。距離的重要性勝過金錢。自從華格納在希帕提婭轉運站搭上熟悉的接駁列車，而羅伯森在他隔壁座位坐下的那一刻起，他就非常害怕地球之牙對他眨動藍眼的那刻。如今他已無法忍受。他原本以為不吃藥就能承受得住，但隨著地球一天天升起，他的心理變化越來越劇烈。

吃藥吧，安妮麗絲說，**親愛的，你這樣太折磨自己了。吃藥吧。**

在他離家去大塞翁工作前的那個深夜，他溜下床，赤腳走到列印機前。藥方很複雜，每種成分都需要好幾階段的合成。他坐著發抖，望著公寓的列印機。沉默像水晶一樣裹住他。當光博士說藥開好了的時候，他的心臟漏跳了一拍。他配水吞下藥，心悸發抖，接著混濁、不確定性、昏沉的迷霧、遲疑、缺乏明晰從他的感覺中區隔、分裂出來，陰與陽。他又一分為二了，他回到自己了。他感覺到狼幫在兩千公里外呼喚著自己。

他在安妮麗絲和羅伯森醒來前就上路了。

在擁擠的太陽一一三八蘿莎號內，華格納．柯塔明白了何謂孤狼。他吼叫，咆哮，突然開始胡言亂語，慟哭到眼淚都乾了，消沉至極。他不只一次按下外氣閥控制鈕，為的不是撲滅體內的白熾火焰，而是想接近他真正的靈魂，它正在地平線下方，與數以萬計的地球燈火一同燃燒著。他深咬自己的手腕、前臂，回想狼幫夥伴的愛之齧，滲血的肌膚上的地球之牙。他把一片拇指指甲咬成鋸齒狀的刀刃，刺入皮膚，從兩邊乳頭到肚臍間劃出不平整的滲血線條。他安靜啜泣，肌肉重挫，整個人蜷縮在堅硬的金屬網地面上，過了一個又一個小時。這比他想的還糟上許多，他在地獄之中。

二十分鐘後抵達目的地，光博士說。

他撐起身體，屈呈跪姿，緊握的拳頭抵著地面，汗水浸溼了他全身，還從髮梢滴落。他是人體的殘骸，人性已在白光中燒盡。他有辦法強迫自己起身，是因為現在只剩狼在了。疼痛是月狼的症狀。

他起身。

「讓我看看自己。」

他花了大把時間仔細端詳探測車鏡頭拍出的他，看起來就像死人。光博士告訴他哪裡有水、洗滌劑、急救包。華格納．柯塔淨身，治療，封住傷口。他有工作要做，只有月狼能做的工作。黑暗人格有集中力，有可觀的內向專注力。光明人格富有靈感、洞察力、天外飛來的天才奇想；負責修理那些修理工的人，就該有這些特質。他首先是個分析師，然後才是一個照護者——太陽企業幸運八號球玻璃小隊的老大。他有獨到的觀察，能發現其他人不會發現的連結。

他穿上地活衣，纖維拉長、滑過他變得敏感的肌膚，而他品味著這觸感。手套戴上了。初步系統檢查。他感覺到探測車煞住，抵達了他與損害維修機器人的會面點。

情況永遠會是如此，不過他行的。沒有其他人辦得到。

11

她的家園就矗立在地平線與天頂之間的固定地點。她從來沒看過那麼藍的東西。諾頓有次買了藍寶石耳環給她，閃閃發亮，但也只是小石球，不是地球……眼前這顆球是全宇宙的藍糅合成的。她舉起手，抹掉她認識的每一個人。

如果忍不住在這頂太空頭盔內流淚的話，會發生什麼事？

王永晴殷勤地看著版畫，每一幅都花很長的時間研究。維迪亞．拉歐等待著她，雙手收在衣袍的大袖子裡。這名地球女子對十八和十九世紀的平版版畫並不感興趣。但如果月球受託管理機構非得在維迪亞．拉歐的地盤見她，他們就要掌控會面的時間節奏。安塞爾默．雷耶斯和莫尼克．柏廷顯然已經感到無聊了，看都看得出來。

「這場小叛亂的布爾喬亞味真濃。」王永晴說。她看完畫後，月人社的工作人員便帶主人和賓客入座。

「政治對我們來說是新鮮事。」維迪亞．拉歐說：「有句話是怎麼說的？『讓一千朵花綻放』？」

酒侍送水來了。

「前提是花圃夠平靜。」王永晴說：「好啦，我沒要聊天和吃飯，那我們該在飯前還是飯後辦事呢？」

「這次會面是妳要求的。」維迪亞．拉歐說：「妳做主。」

牆上掛著一小幅威廉．布雷克的複製畫，畫的是架在地球與月亮之間的梯子。王永晴沒注意到它，又或許她注意到了，只是評論它也不會帶來什麼政治上的好處。當中性人拉歐在這張桌子旁向艾芮兒．柯塔預告這些地球人即將到來時，她被逗得可樂了。

「很好。你的月球交易所提案，我們很中意。」王永晴說。

「我們已經跟我們各自的政府談過了。」莫尼克．柏廷說：「他們很贊成，對這件事很有熱情。金融化既有賺頭，也能鞏固月球利益結盟的未來。」

「我的公司願意提供資金發展此計畫。」安塞爾默．雷耶斯說：「我們預期會有地球資金與人工智慧研發者的合夥團隊介入。」

「太陽企業比地球任何研發單位都還要先進。」維迪亞．拉歐說。

「這是控制力的問題。」安塞爾默．雷耶斯說：「簡單說，交易所這件事，我們希望月球的涉入越少越好。」

「地球所有，地球營運。」莫尼克．柏廷說。

「地球營運？」維迪亞．拉歐說：「即使會有時間延遲也照做嗎？」

「我們會輪調工人。」莫尼克．柏廷說。

「這在經濟方面沒有道理可言。」維迪亞．拉歐說。

「就像我同事說的，我們希望月球的涉入越少越好。」王永晴說：「最好是完全沒沾到邊。」

「我們會在短期內拿下太陽企業的太陽環，確保能量供給。中期目標，我們會監督全自動化交易所的建造，遵循拉歐提案的內容。」莫尼克．柏廷說：「長期目標，徹底金融化月球，使月球人口在我們的控制下減少。」

「在控制下減少？」維迪亞．拉歐說。

「減到可以確保地月兩界和諧的數字。」王永晴說。

「什麼意思？」

「你一定要那麼遲鈍嗎？零。」王永晴攤開餐巾，整齊地鋪在大腿上。「月球上零人口。現在我們要開動了嗎？」

鐵海位於風暴洋的東側分支，並非官方命名，而是最近才有的非正式地名。它是VTO大鐵路調車廠的綽號，內有三百平方公里的軌道、轉軌器，有維修廠和建造廠。

一輛漆著綠銀雙色，也就是馬肯齊金屬代表色的高官列車循著鐵海的配電系統移動，一而再、再而三地岔入支線，與長達數公里的一般乘客特快車、外殼醜陋的貨運列車、鋪軌機、維修轉向架交會。馬肯齊金屬的精煉機跑在專屬的鐵軌上，橫跨兩條磁浮鐵軌。列車停在巨獸的肚子下方，入庫架降下，將整輛列車抬離鐵軌，氣閥相接，密封，完成等壓程序。每個社會都有自己的「不計算時間」，也就是大家通常會忽略的等待、忍受、處理時間。在月球，「不計算時間」是等待氣閥密封、運作的時間。

帕維爾．沃隆佐夫和他的私人保全在天花板低矮的走廊上等待內氣閥開啟。鄧肯．馬肯齊彎腰穿過氣閥，進入狹窄的空間。刃衛跟在他身後，彆扭地拖著腳步走路，試圖排列出一個夠嚇人的陣形。所有人的副靈都和天花板融為一體。

「我代替我祖父致歉。」帕維爾．沃隆佐夫說：「長久以來，我們兩家的情誼一直很深厚，他非常想到場，但他進不了走廊。」

隨行人員彎腰駝背地穿過低矮的通道，副靈低聲向主人發出障礙物與小心頭部的警告。

「這設計上是專給維修人員使用的通道。」帕維爾．沃隆佐夫說。

從精煉機頂端的控制中心望出去，景致令人心跳加速。鐵海風光盡收眼底，你可以一路看到聖奧爾嘉壞死的工業組織。這裡的房間只夠主管進入。保全和刃衛都窩在走廊上，試圖調整出一個舒適的姿勢。

「我已經把控制系統傳給你的副靈了，你可以親自駕它出去。」帕維爾對鄧肯．馬肯齊說：「反正我們每隔幾天就得移動它。」

「轉向架會結凍、黏成一塊。」鄧肯．馬肯齊說。他沒忘記坩鍋上的那些舊儀式。他的副靈艾斯佩蘭斯打開鏡片中的操縱視窗，而他輸入了一條路徑。沃隆佐夫不會聽到柵極輸送動力給牽引馬達的低沉嗡鳴，不會感受到重達萬噸的精煉機開始移動時的微弱加速度。他們是工程師，不是鐵路遊俠。他們不是在不斷繞行月亮的偉大坩鍋上長大的。繞行世界一圈要二十九天。他們不曾沐浴在永恆的陽光之中，置身在鏡子陰影的庇護中。

「選那裡當目的地，真是有勇氣。」帕維爾．沃隆佐夫說。

「我感覺有些帳還沒算完。」鄧肯．馬肯齊說。精煉機現在全速奔行著，時速十公里。駕駛螢幕上，以及鄧肯．馬肯齊眼球上的信號燈轉綠了。他的心情很複雜：帶著鄉愁的欣喜，剛結好的痂開始流血、發疼，權力帶來的振奮，苦澀的悔恨——不管VTO再做幾個精煉機，它都不會是坩鍋了。有些城市只會發跡一次。精煉機穿過轉轍器駛上主線，連震一下都沒有。

「我們改善了設計。」帕維爾．沃隆佐夫說：「這是跟坩鍋原本型號相同的備份舊精煉機，我們加裝了新系統的零件翻新。新組件完全獨立運作，更輕，更有效率。我們的施工、製造品質比我爸那一輩精良多了。」

「我不懷疑。」鄧肯．馬肯齊說。他發現帕維爾．沃隆佐夫臉上掛著壓抑的驚駭表情，為此竊喜；帕維爾望出窗外，看到一輛乘客特快車朝精煉機疾馳而來。毀滅迫在眉睫。下一刻，特快車就消失在精煉機下方了。每一個第一次接招的人都會被唬倒。

「我們每月可以交五組。」帕維爾說：「新款精煉機效率更高，因此你們不需要過去那麼多組就能產出原本的總產量。我們可以在六年內讓你們恢復舊坩鍋時的產值，之後只要加車就行了。」

「我很驚豔，帕維爾．艾夫根尼維奇。」鄧肯．馬肯齊說。

「移除維生系統和居住環境，會大大降低建造成本與難度。我們只加壓這部精煉機來向你們展示。升級版的型號會由我們的自動系統維修保養。」

「沒那個必要。」鄧肯．馬肯齊說。聖奧爾嘉的圓頂落到地平線後方了，精煉機橫越東風暴洋的平坦大地。

「我知道馬肯齊金屬以往總是用自己的維修保養小隊……」

「我不需要任何維修系統。」鄧肯．馬肯齊說。雙方是在狹小的駕駛艙中，呼氣會呼到對方身上的距離下面對面，因此VTO主管們努力不表現出錯愕。

「鄧肯，我不懂。」帕維爾．沃隆佐夫說。

「我不會跟你簽約。」鄧肯．馬肯齊說。俄羅斯人竊竊私語，不斷對彼此使眼色。「哈德利將維持馬肯齊金屬主精煉機的地位。」

「鄧肯，你已經捉襟見肘了，你得繼續精煉。你可以捨太陽能改採電力，但那代表你得接受太陽企業那套太陽環，不然就是得靠核融合發電，向你弟購買氦－3，至少短期內必須如此。」

「帕維爾，你見過我父親嗎？」

「在南后見過，他一百歲時。」

「在輪椅上，固定在環境裝內，上百組系統維持他的生命。屎尿，電力的味道。不過他的眼睛……你盯著他的眼睛看過嗎？你應該要看的。他的眼睛從來沒變老，完全是我小時候看到的模樣，泛著光。他讓鏡子轉向太陽時，眼裡也泛著一樣的光。他在五十歲那年來到月球。大家都說火箭升空會殺死他，但他沒死。他們說微弱的重力會殺死他，骨質和肌肉都會流失，結果他沒死。只有一樣東西能殺死羅伯特·馬肯齊，那就是背叛。我告訴你這老頭是什麼樣的人：你如果建議他選這個或選那個，他會說去你的，我要走第三條路。第三條路永遠存在。

「採土、熔煉、搬移，我們過去五十年來都是這麼做的，但其他做法存在。去他媽的土。它永遠處於飢餓狀態，吃掉一切，然後吸乾我們的骨頭。土就像個小孩。我們不需要它，另外有個系統牽涉到的全是我們能運用的資源，而且那些資源就擺在那，數量足以讓我們建造任何世界，不只是月球。你應該要聽聽我們的孩子想出的點子。人造世界，那些住居地就像是……天空中的項鍊。數十個，數百個，數千個，足以容納十億人，萬億人。那裡有足夠的金屬和碳，可使所有美夢成真。資源唾手可得。

「你知道我為什麼要取消訂單嗎？我不要你幫我製作精煉機；我要你幫我打造太空採礦機。太空船，質量投射器，數萬個鏡子。我們有處理原料的技能，你們有太空運輸的經驗。幫我們採礦、熔煉、搬移吧，我們一起合作。我們需要一起合作——所有人都得一起，所有龍。不然我們會曝屍在月塵中。盧卡斯·柯塔控制不了地球人。我爸支持月球獨立，全心全意地支持。月球獨立已經不夠了，我們得飛得更高，把手伸得更遠，散布得更廣，讓地球永遠逮不住我們。只要地球還需要我們，我們都能活命，一旦他們不再需要我們……」

鄧肯・馬肯齊出拳打破玻璃，玻璃上染了血。艾斯佩蘭斯對刃衛發出警報，要他們提供醫療包紮。鄧肯・馬肯齊打發掉他們。

「我家老頭信奉月球獨立，我信奉的是打造千千萬萬顆月球，千千萬萬個社會。」

鄧肯・馬肯齊感覺到些許的減速，精煉機正在煞車。

「你想要什麼，鄧肯？」帕維爾・沃隆佐夫問。

「讓我到你們的董事會簡報，我要把我告訴你的話說給他們聽。」

龐大的精煉機停了下來，巨大如山的陰影籠罩風暴洋的灰色平原，延伸到遠方。精煉機以緊追太陽的速度前進，因此鄧肯・馬肯齊原本設定的最終目的地應該還要一個小時才會到達。

「剩下這段路，我要搭有軌機動車。」鄧肯・馬肯齊說：「你們可以跟我一起來坩鍋，也可以搭這玩意兒回聖奧爾嘉。」

這兩個男人在狹小、擁擠的車廂內對峙著。四目相交，呼出的氣息噴在彼此的臉上。

「我跟你一起去。」帕維爾・沃隆佐夫說。在走廊上，以及爬下機動車氣閥時，他都在工程學的允許範圍內盡可能緊跟在鄧肯・馬肯齊後方。「鄧肯，我跟家人談過了。你可以跟他們開會了。」

艾琳娜身上的地活衣彷彿是皮膚上的彩繪。服裝上最亮眼的部位貼合著她肌肉的曲線和輪廓，而艾莉西亞的視線緊貼其上。要這女孩停止放電就跟停止呼吸一樣困難，她的魅力跟心跳相繫。她戴上頭盔，從艾琳娜・埃富・沃隆佐夫—阿沙默化身為一個客體。艾莉西亞承認，她性感得要命。

不過硬甲衣更性感，更特別、深沉、黑暗的性感。它以開啟狀態立在氣閥等待室內，看起來像個擁抱，像在接受驗屍。艾莉西亞小心翼翼地倒退進入它內部，觸覺模擬陣列進行感應測量，裹住她，同時觸碰她一千個部位，搔得她咯咯笑。它們親密又敏感，宛如愛人的肌肉。硬甲衣將她封入內部了。頭盔鎖定、密封時，艾莉西亞抵抗著心中的恐慌。接著馬尼奧和硬甲衣的人工智慧連線完成，裝甲消失了。她抬起手，赤裸的手。她的手、腳、腿，她看得到的一切部位都沒有衣服蔽體。

我有一整櫃風格殊異的硬甲衣用外觀模組，馬尼奧說。艾莉西亞看完前五十件就累了，選擇了貼身的假尼奧普林衣，看起來就像巴拉海灘上那些有錢的衝浪少年少女，扛著衝浪板身邊還有保鑣那種。

她鼓起勇氣拖著腳跨出一步，感覺就像自己的身體。受保護，但靈活。隔絕，防禦。艾琳娜檢查著硬甲衣。她會看到什麼？可愛的衝浪小妞還是鋼鐵人？硬甲衣的介面將艾琳娜的臉投映在頭盔面罩上了，她看起來是直接站在真空之中。這些花招，這些模擬畫面與舒緩不安的輔助有可能會害穿地表衣的人跌倒。就像大家對她說的，月球想殺妳，而且有千種方法可以殺妳。

「緊跟在我背後，別被誘惑了。」艾琳娜說：「妳要繫鏈嗎？」

「我不要繫鏈。」

內氣閥在她身後關上。

「要多久的時間，空氣才會……」

她的太空衣答答答地震動著，觸覺模擬系統將一道激射的氣流轉譯到她的皮膚上。停了。

氣閥氣壓已與地表同步，馬尼奧說。

看來，那就是氣閥減壓的感覺。

外氣閥向上滑，一方亮光越來越寬。

「那就走吧。」艾琳娜說，她的名字懸浮在肩膀上，是綠色的。綠色代表狀況良好，紅色就是有問題，白色是死亡。艾莉西亞拖著腳步走上斜坡，艾琳娜拍拍外氣閥牆上的月球夫人塗鴉，是真空筆畫的。上千個手套碰過那半張臉，使它斑駁到幾乎看不見了。艾莉西亞用手套尖端拂過它，她現在是個塵工了。

來到白日之下。她在坡頂突然止步。

我走在月亮上，月亮！

「歡迎啊，月光菜鳥。」艾琳娜說。艾莉西亞跨過燒結地的邊緣，踩上月塵，踢了沙沙的灰色地面一腳。揚起的煙霧比她想的還高，掛在空中許久才觸地。

我走在要命的月亮上！我等不及要告訴卡歐了！

她讓靴子踩到地表上，看到它和前人留下的腳印交錯。無風的月海會永遠保留足跡和胎痕。她前往瑪瑙斯進行發射準備工作的前一晚，曾帶著卡歐和一個望遠鏡上海洋塔頂，他還要求看金東。那是淚海上長一百公里的陽具圖，工業化初期的產物，無聊的塵工和耐性十足的機器畫出來的。

她跨出月壤上的第二步，抬起頭。要命的月亮亂得要命。淘汰的科技，倒塌的通訊塔，翻覆的碟狀天線、破裂的燃料槽、廢棄的探測車、可用零件被摘光的列車。太空衣殘渣，人類遺留的垃圾。有機物已被查巴林撿拾得乾乾淨淨，回收再利用。金屬骨骼仍被丟在原地。金屬便宜，是死的，碳是珍貴的生命。

艾莉西亞從堆滿垃圾之地仰頭，地球吸住了她的目光。她的家園就矗立在地平線與天頂之間的固定地點。她從來沒看過那麼藍的東西。諾頓有次買了藍寶石耳環給她，閃閃發亮，但也只是小石球，不是地球。某次學校要大家畫黃金綠旗，她飽受折騰，想不起天球儀上的星星有幾顆、在什麼位置，不過那天球儀只是藍色的空格，不是活生生的世界。眼前這顆球是全宇宙的藍糅合成的。她舉起手，抹掉她認識的每一個人。

如果忍不住在這頂太空頭盔內流淚的話，會發生什麼事？

「來吧，茂。」

「我一直盯著上頭發呆，對吧？」

「月光菜鳥總是會盯著地球看，我這話沒有惡意。」

「你們怎麼有辦法這樣生活？」

「什麼？」

「那個，上頭那個。你們怎麼有辦法忍受？」

「那不是我的世界，茂。」

輕盈的內襯衣領著笨重的太空裝甲繞行聖奧爾嘉，先是垃圾場，再到建造廠，這裡有機器人在蔓生狂歡的電纜中攀爬、安裝電線，有機器臂將面板移到正確的位置，焊接的弧光形成星海，照亮風暴洋。他們進入圓頂的陰影中，地球缺了一角，然後是鐵路調車場，列車在這裡分離、轉軌，特快車駛出車庫值勤，軌道匯聚到大赤道主線上。艾莉西亞瞄到軌道遠方的一個巨大物體。

「那是什麼？」

「備份精煉機，」艾琳娜說：「最後的坩鍋。他們肯定是在進行列車測試。馬肯齊金屬訂了新的精煉列車。」

「艾琳娜，」艾莉西亞・柯塔說：「妳能帶我去坩鍋嗎？」

「那裡沒什麼……」

「我想去。」

一輛探測車從一長排停定車輛的尾端奔馳而來，繞過兩名女子，停住。

「門在哪裡？」艾莉西亞問。這輛探測車的車架很堅固，是用鐵棒搭起的，電池和通訊天線像蜘蛛一樣掛在巨大的輪子上。

「VSV260沒有車門。」艾琳娜說：「妳要坐上車，不是坐進車內。」她向艾莉西亞示範如何將太空衣勾在維生系統上。防護桿落到她肩上方並固定住了，她發出小小的驚呼。

「我會對妳說『抓好了』，但我們其實沒東西可以抓。」坐她左手邊的艾琳娜說。探測車上路了，感覺像是在坐遊樂設施。自從在瑪瑙斯太空站搭單段式太空運輸機升空後，艾莉西亞就沒有這種搭乘交通工具的體驗了。月壤一片模糊，而且離她的腳實在太近、太近了。

「這他媽太屌了！」她大喊：「我們現在的速度有多快？」

「時速一百二十公里。」艾琳娜說：「妳想要的話還可以更快。」

「我要。」

艾琳娜將速度推到時速一百五十公里。探測車行駛在凹凸不平的地形上，到處散布著石頭、有十億年歷史的噴出物，輪胎又震又晃，不過艾莉西亞感覺平順無比，像是在坐皇家馬車。這玩意兒裝的懸吊系統太神奇了，肯定有預測地形的能力。探測車駛上小丘，飛了起來。只有動作片裡的車子會像這樣飛。

月球，月球，她搭著一輛飛車在月球上奔馳。

「舊坩鍋在西方，車程一小時。」艾琳娜說：「妳的太空衣裡有很多娛樂選項，好好放鬆吧。」

「我比較想聊天。」艾莉西亞說。她已經看過標準套組的肥皂劇了。

艾琳娜非常健談。在短短十幾公里內，艾莉西亞已得知她住忒的母親和住聖奧爾嘉的父親是什麼樣的人，得知阿沙默、沃隆佐夫、陽家、馬肯齊家如何以複雜的姻親關係結合，創造出一整群皇親國戚和潛在的人質，而她在這之中又居於什麼位置。

「沒有柯塔家的人。」艾莉西亞說。

「你們家的人一直都很怪。」艾琳娜說：「那些代理孕母……唔。」

艾琳娜飆得更快一些，然後聊起她的研討班：藍蓮花，生態圈設計者的讀書會，過去二十年來都以聖奧爾嘉為據點。

「就根本來說，我的研究是地球化。」

艾莉西亞在科幻片或之類的節目裡聽過「地球化」這個詞，意思是將別的行星轉變為地球，賦予生命給無生命的星球。

「地球化月球？」

「為什麼不行？大家都想說，喔，月球喔，太小了，重力不足，不會自轉，沒有磁場。我們可以搞定一切，這只是工程學的問題。好啦，我猜沃隆佐夫把他們的遠大計畫透露給妳了。不過我們阿沙默家也有遠大的計畫，我們要帶來生機。不管人類要前往太陽系的什麼地方，不管我們在什麼星球或人造住居地落腳，我們都會帶來生機。我們也可以賜予月球生命，很簡單，四十顆又大又肥的彗星，砰砰砰。」

「不能讓四十顆彗星撞月球。我是說……」

「要先分解它們啊，這是當然的。」

「ＡＫＡ還在重建馬斯基林隕石坑。」艾莉西亞在瑪瑙斯的火箭發射訓練進行到第二週時，

ＶＴＯ以高速冰塊衝擊器精準轟炸電廠，癱瘓了它。那艾琳娜．埃富．阿沙默，沃隆佐夫和阿沙默家開戰時，妳又是站在哪一方？妳低調躲麻煩去了嗎？

「那證明了我的說法正確。妳想想，如果妳能從兩百公里外擊中那麼小的目標，那要把東西打到空地上更是易如反掌。我們可能甚至不用疏散梅利迪安的居民。不過那只是小事，大事是，暴雨過後我們就會有大氣層和氣候系統了。我們會一起到地表上等待輕柔的降雨。」

艾莉西亞想起月球上的雨。肥大的水珠緩慢墜入梅利迪安的隙縫，在大峽谷上架起虹橋。她想起渾身溼透的丹尼．馬肯齊。

「妳知道刺激的是什麼嗎？知道什麼才是最刺激的嗎？月壤加雨水等於？」

「我不知道。」艾莉西亞說。

「泥巴！等於泥巴，棒翻天的泥巴！我的研究對象就是它，我是月球土壤學家，泥巴學家。泥巴在手，我能將它轉變成土壤，讓它活過來。輕柔的降雨大約會下三年，泥巴要培育二十年。不過再來呢，在那之後呢，我們就開始綠化工程。泥巴是魔法唷，大姊姊，永遠別忘了這點。

「讓我帶妳見識見識我眼中的月球。我們現在所在的這個位置，是水面下二十公尺。我們將會有大洋，將會有海和湖。兩極會有山脈和冰河。我們有生物圈，高一公里的樹木形成森林，大草原上充滿動物——草原動物。也許我們會帶一些地球動物過來，也許我們會設計自己的新品種。草食巨型動物，跟那個精煉機一樣大。翅膀長達一百公尺的鳥。月球將成為一個花園，而我們將居住在美麗、有機的都市當中，它們就像自然的一部分。我們不需要在地表種植作物，因為我們現在的做法比地球農業有效率多了。我們會有真正的白天與夜晚。那些衝擊、動能的轉移將使月球再度開始轉動。一天估計有六十小時。想像妳站在外頭看地球從雲層中升起，想像看看啊！

「好，這也許只能撐個十萬年，但這段時間夠我們想出永久解決之道了。也許我們最後會解體月亮，將它造得大一點。有其他研討班在研究這個。拆開它，將地表面積增加到地球的五倍大。這還是我們前往太陽系其他角落前的事呢，其他地方會有更多生命。這就是我們的遠大計畫。妳的呢？」

「什麼意思？」

「大家都有遠大目標，茂。妳的是什麼？」

「我不知道。我有嗎？」

「我們帶來生機，沃隆佐夫握有前往太陽系其他角落的關鍵，妳問任何姓陽的，他們都會跟妳大談後匱乏年代的共產主義。馬肯齊沒說出口，但他們確實有盤算。那柯塔家的信念是什麼？」

盧卡斯的身影浮現在艾莉西亞眼前：枴杖在手，人站在會議室的地面上，地球人在他右方，沃隆佐夫家在他左方。她知道他的枴杖裡藏著刀刃。什麼叫權力？永遠與武器相伴就叫權力？**和我一起來月球吧**，離開蒂茄卡海灘的回程車上，他說，**幫我奪回馬肯齊和陽家從我這偷走的東西**。盧卡斯偷走了權力，但那權力沒有半點力量。他每使用一次權力，帝國和家人就被拉得更遠。政治角力磨去了他的鋒芒，隱藏的刀刃再也不出鞘了。最後一個柯塔想要什麼？相信什麼？

胎痕迷宮的中央，倒著一個破裂的逃生艙，下方輪軸是碎掉的，頂端被削去了一半。艾莉西亞無法不聯想到砸爛的骷髏頭。破裂處的邊緣鑲著一長串融化金屬形成的淚珠，艙內一團亂：燒熔的碳氫化合物，玻璃纖維還有鈦金屬飛濺的痕跡。月壤上有一塊塊閃閃發亮的金屬，是精煉機爆炸降下的鐵雨撞擊地面後凝固而成的。艾琳娜停下探測車，撿起一塊金屬遞給艾莉西亞。那像是一頂小皇冠，她幫她的拇指加冕。探測車越靠近災難現場，潑濺到地上的金屬星星就越大顆。它們和滿地殘骸合而為一，越來越大的零件、碎片、大塊的降鐵。大都是碎到無法辨識的機器，偶爾會出現看得出用途的小零件。

探測車駛入大浩劫區。VTO鋪軌皇后已用最快的速度清空赤道一，抬起殘骸放到鐵軌兩側。起重臂翹出一個瘋狂的角度，翻覆的轉向架跟探測車一樣高；有個曲頸瓶的側面洞開，凝結的金屬層疊於凍結的舌頭上。半面鏡子靠在融化的住居單位上，使陽光聚焦在結成渣的月壤上。

艾琳娜將探測車停在一抹黑玻璃上，玻璃橫掃月壤，形成一個弧形。一顆牽引馬達被匆促丟在路邊，其中一頭砸穿了黑曜石，埋在碎片之中。艾莉西亞看到自己倒映在黑玻璃上的身影了，而且是看到自己的真正樣貌：披著裝甲的龐然大物，不是副靈製造的愉悅幻影。

「鏡子倒塌時在月壤上焊出了這些玻璃路。」艾琳娜說：「我們稱之為死亡路，走在上頭會看到自己的希望、真正的未來、自己的死亡。」

大災難首先會催生笑話，接著是迷思，然後才是陰謀論。

艾琳娜駕車繼續深入迷宮。整輛精煉列車都被移到這裡棄置了，立著擺，靠著彼此。

這是妳幹的好事，艾莉西亞·柯塔。妳說了那個字，熔融的天空就垮下來了。

探測車停了下來。

「還有其他人在。」艾琳娜說。艾莉西亞的抬頭顯示器上出現人影，就在傾覆殘骸的對面。

「我沒看到任何標牌。」艾莉西亞說。

「他們沒用任何標牌。」艾琳娜說：「我們可能得走了，拾荒者會來這裡挖珍貴的金屬渣。負責回收的查巴林收了賄賂，睜一隻眼閉一隻眼，沃隆佐夫只是不容許那種做法，但對馬肯齊家而言，那等於是盜墓。因此他們通常會全副武裝。」

「我很樂意閃人，我看夠了。」

艾莉西亞眼前螢幕跳出一連串機器語音，跳出許多資料。

「有人在對我們進行安全掃描。」艾琳娜說：「層級很高。」

那幾道人影從鋼鐵巨獸後方一現身，姓名便浮現在影像的上方。看到姓名前，艾莉西亞就透過太空衣的顏色辨識出對方來歷了：綠銀雙色，是馬肯齊金屬。三件地活衣，兩件硬甲衣——有個名字她絕對不會錯認，鄧肯．馬肯齊。

對方向你們打招呼，馬尼奧說。

「我是瓦索斯．帕列奧弗利羅，」另一件硬甲衣說：「我們不歡迎妳，茂．迪．費洛。」

「我必須要來看一眼。」艾莉西亞開口。

「妳看到了什麼，鐵手？」鄧肯．馬肯齊在頻道內插嘴。艾莉西亞命令探測車放她下車，她輕輕落到月壤上。地表散布著微小的碎屑，是被救援機器磨得更碎的組件和零件。「我告訴妳我看到什麼，艾莉西亞．柯塔。我看到我家，我成長的地方。沒有任何地方能跟這裡比擬，這是地月兩界了不起的工程學壯舉。我們是永晝之子。我看到我的家人，當鏡子轉向我們，他們的體溫飆到千度。我比較偏好把那想像成快速閃現的高熱，沒了。一百八十八人死亡。」

「我——」

「妳能對我說什麼？妳是地球來的。」

「我——」

「妳跟我仇家同姓？我們不會怪罪無辜的人，那不是我們的作風。妳在這裡很安全，沒人會怪妳。妳知道大家是怎麼說馬肯齊的嗎？」

「你們三倍奉還。」

「在某個時間點，所有仇恨都得一筆勾銷。註銷，全部歸零。以牙還牙、以眼還眼、以血洗血的循環不能再繼續下去了。這樣下去是要做什麼？把月球拆成兩半，好繼續對罵嗎？我們有更大的敵人。妳回到梅利迪安後幫我向盧卡斯傳話。告訴他，他必須做出決定。選邊站，就這麼告訴他。還有，別忘了妳現在看到的，該死的鐵手。」

馬肯齊一行人同時轉身，一個接一個消失在坩鍋的殘骸內。

鄧肯．馬肯齊回頭了。

「永遠別再回來這裡，妳們兩個都是。」

艾莉西亞站在硬甲衣內發抖，無法動彈，無法發出移動命令。她快吐了，非吐不可。她得把所有恐懼、罪惡感、懦弱都吐出來：她無法對鄧肯．馬肯齊說，降鐵的幕後黑手就是她。

妳的生體徵象指數都飆得很高，馬尼奧說，**我將提供抗暈眩和鎮靜藥劑**。

不用，艾莉西亞無聲地大吼。溫暖的恩賜在她腦內擴散開來，風暴消退了。她應該要對這種強姦式的投藥表達震怒，但她甚至沒力氣發火。現在她坐到座位上了，安全桿降了下來。現在探測車沿路折返，穿梭在鋼鐵迷宮內了。塵土胎痕壓上黑曜石小徑，死亡路。

12

「瑪莉娜，妳有沒有……」

「我有沒有殺過人？不，我應該沒有。我傷過人，傷過許多人。妳要知道，我在上頭是很壯的人，像超級英雄那樣。後來我沒那麼壯了，在那個當下我就知道我得回來了。我在那裡的每分每秒都很害怕，從來沒那麼強烈地意識到自己活著。這裡的人——地球人，隨時都是麻木的，只會被動地經歷一些事。在上頭隨時得煩惱一千件事才能保命，妳不會把任何事情視為理所當然。妳懂嗎？」

一道陰影橫過窗前，籠罩從未被籠罩的位置，歐香．帕茲．卡爾札因而醒來。陰影，引擎聲，男人說話的聲音。她瞇眼往外看。一輛貨車，送貨來了。她穿上衣服來到外頭的階梯，看到凱西正在指揮兩部板車機器人和工程師繞過露台，前往它的西南角。

「布雷默頓水療池。」她念出側邊的字：「我們要裝按摩浴缸了嗎？」

「是瑪莉娜要裝按摩浴缸。」凱西說。

到了中午，就連史凱勒都被電鑽的組裝聲吵醒了，儘管時差令他身體非常不舒服。

「她為什麼需要按摩浴缸？」他問。

「治療師說水對她有好處，可以支撐她。」

「你們不用的時候，我可以泡嗎？」歐香問。

「歡迎所有人使用。」瑪莉娜說。

「等一下等一下，家裡有家裡的規矩。」凱西說：「泡按摩浴缸要穿泳衣。沒有例外。」

工程師接了一條水管到戶外水龍頭去，水放了兩個小時，水療池才滿，又等兩個小時，水才加熱到人類血液的溫度。接著他把機器人趕回車上，載它們回布雷默頓。木頭浴缸擺在木頭露台上，散發出氯和新鮮雪松的氣味。歐香看著瑪莉娜在溫水中慢跑，跳上跳下濺起水花。瑪莉娜拿啞鈴鍛鍊上半身肌肉時，她則坐在池邊，垂下腳。

「妳的身體會變皺。」

「我待在這星球身體就會變皺了，重力會讓膚色變得像屎似的。我以前的膚色就跟妳一樣。」

「所以說，在那裡對胸部也很好？」

「比較不會下垂，不過角動量原理還是適用。妳只要試著跑步或甚至轉身轉快一點，很快就會明白質量與重量的差異。女孩需要所有撐托拉提的輔助，少不得。」

當晚，歐香和瑪莉娜一起泡進水池。她穿著泳衣下水，非常在意自己的身體，動作彆扭。兩人沐浴在泡泡之中，感覺愜意。瑪莉娜受到記憶的撼動：馬克羅比烏斯地下深處的水池，大小只能剛好容納兩人，屋頂上有龍，古老的東方之龍。蛇海冒險之後，她累得快死了，溫暖如血的水包覆著她。卡林侯滑入水中，來到她身旁。

「瑪莉娜，妳還好嗎？」

她得更謹慎地表現情緒，要更月球人一點。女孩會慫恿她，所以她得談起卡林侯。

「我想起了一個人，一個男人。」

「喔！」歐香說，迫不及待要聊性和祕密了。

「結局並不快樂。他是個非常、非常俊美的男人，身體的每一根骨頭都蘊含著暴力。他是柯塔氦氣的扈衛。」

「是某種劍鬥士嗎？」

「他無法接受自己對戰鬥的愛好。那是他最不想做的事情，但他無法擺脫。」

他的身影出現在瑪莉娜眼前了，華貴，耀眼，背景是克拉維斯法庭。他赤腳站在髒汙的地板上，朝婕德．馬肯齊的臉踢起一片血沫，他敵人的血。

「他死了，親愛的。他披上戰甲，左右手各拿一把刀，獨自面對敵人。我想他也知道自己走不出來，他那天在法庭上見識了那可怕的場面，而他無法跟那些影像一起活下去。」

「瑪莉娜，妳有沒有……」

「我有沒有殺過人？不，我應該沒有。我傷過人，傷過許多人。妳要知道，我在上頭是很壯的人，像超級英雄那樣。後來我沒那麼壯了，在那個當下我就知道我得回來了。我在那裡的每分每秒都很害怕，從來沒那麼強烈地意識到自己活著。這裡的人——地球人，隨時都是麻木的，只會被動地經歷一些事。在上頭隨時得煩惱一千件事才能保命，妳不會把任何事情視為理所當然。妳懂嗎？」

「我在試著理解。瑪莉娜……」

「噓。」瑪莉娜觸碰歐香的手臂，不過女孩早已看到牠們了。駝鹿一步一步前進，停下腳步，瞪視，挺立，從露台旁邊走過。兩隻，三隻，接著還有兩隻。

「這年對牠們來說是個好年。」之後兩人又開始聊天了，而歐香說：「怪怪的一年。」

光線照在水面上。瑪莉娜的注意力被駝鹿吸走的期間，月光圍困住她。月亮掛在颶風山丘上空，一抹盈凸月。

「今天是勃脣日，也可能是二勃脣日。」

「那是什麼？」

「月球上的日期，我們使用夏威夷曆法，一個月裡的每一天都有一個名稱。我們的月寫作『玥』，玥跟地球的月不一樣；我們的一年比地球的一年少了十天。」

「瑪莉娜，」歐香說：「妳說『我們』、『我們的』。」

「我真的說了，是吧？」瑪莉娜說：「妳可以不要皺眉嗎？如果妳可以，我就向妳介紹我的月球。刃衛，五龍，月狼。喔，對，『我的』。」

13

那股自在，永遠都是虛假的。是幻覺，是魔術效果。沒有哪個姓柯塔的可以安全度日。月球上唯一的護盾，就是你所愛之人的身體。

由羅茲德斯文斯基隕石坑的外科醫生嫁接的神經連結小巧而靈敏，但仍然是一種義體。艾芮兒對這精妙的陷阱保持警戒：永遠不能忘記自己有殘疾。永遠別忘了妳的脊椎已被切斷，下半身已癱瘓。不過這科技真是了不得，靠著新嫁接的神經連結，她要跳舞也行。艾芮兒縱容自己在某道鐵窗前做了一個單足旋轉。窗外是壯闊的風景，下方的科里奧利隕石坑如鑲嵌了寶石的碗。這仍是一個關人質的籠子，只是很別致。

亞別娜．曼努．阿沙默，碧賈浮宣布。艾芮兒點了茶，一邊啜飲一邊看著纜車從車站往上升。亞別娜就跟平常一樣，散發出聰慧、沉著氣息，打扮時髦：皮毛方披肩，附有小面紗的藥盒帽。但她終究是受過長途列車之旅的蹂躪，這點就連她都無法掩飾。從月球一面移動到另一面是一種折騰。

「為什麼我們不能用網路搞定一切就好，我不懂。」亞別娜複製進度報告給艾芮兒時說。這女孩很棒，把才能投注到政治上實在太浪費了。

「如果有侵害裁量權的情況出現，我才會知道要叫達柯塔去找誰算帳。」

「妳走路的樣子好怪。」亞別娜說。

「感覺像是別人的腳。好啦，預審我要妳來主導。」

這女孩的自制力值得讚賞，她的眼睛只瞪大了一丁點。

「妳是律師，答辯由妳來做。」

「我在近端月面惹出了一些麻煩，我也不是大酋長的姪女。」

「而我不是律師。」

「那不成問題，親愛的。呃，應該說會是個障礙，但妳得想辦法繞過去。」

「找其他顧問來。」

「不，他們不感興趣。」

「妳的意思是他們沒上過他。」

才華，自制力，還有撐起兩者的自覺。

「只有妳了。」

「什麼？」

「唯一人選，沒有其他人了。」

「那實在太……」

「太有戲劇性，當然了。一個女人，獨自發聲，在克拉維斯法庭上，而且被成千上萬名強大的敵人團團包圍。我們最常套在法庭上的意象是『鬥劍』，是『競技場』。不，那是錯的，我的甜心。法院是劇院，是舞台。法律不是戰鬥，法律是勸服，一直都是如此。它比任何肥皂劇都棒。網路收視率將會突破太陽線。」艾芮兒看著亞別娜，看她無言地經歷一連串的內心變化：**我辦不到，這一點也不合理，妳在開玩笑／瘋了／太難搞了**。「有什麼想說的嗎？」

「有，去妳的，艾芮兒·柯塔。」

「好，好。妳並不會孤立無援，妳隨時會有人工智慧的充分支援，整支團隊都會在妳背後，我會在妳耳邊助陣。妳以為我會放妳毫無防備地走進克拉維斯法庭，連奶子都變成靶子？好啦，妳還會需要一個扈衛。」

「靠戰鬥擺平紛爭太野蠻、太過時了，也是對法律的汙衊。」

「當然是嘍，但如果我是盧卡斯，我一定會提出決鬥，就為了看妳脫到只剩胸罩和褲子，然後插把刀到妳的頭髮裡。這樣妳能接受嗎？」

「這汙衊了所有人、所有事物。我們不是野蠻人。」

「我弟弟是柯塔氮氣的扈衛。卡林侯是我認識的人當中最貼心、最溫柔、最英俊、最會照顧人的男人，而我看著他在克拉維斯法庭上劃開了哈德利·馬肯齊的喉嚨。就算倒在木頭地板上、泡在自己的血泊中的人變成他也不奇怪，機率很高。我們如此訂定法律，就得付出相應的代價，代價是任何觸碰它的人都會被劃傷。不須付出代價的法律是沒有公平正義可言的，卡林侯明白這點。雇一名扈衛吧。我以前都找伊修拉·奧魯瓦費米，接著我們再來搞定妳法庭上的妝容。趁妳還在這，去找路卡辛侯談談吧。他現在可以說話了。說故事給他聽，他喜歡故事。談談妳也談談他。」

亞別娜在門邊猶豫了一下。

「妳開始有母性啦，艾芮兒？」

「去見妳的客戶吧。」

「我會做這個？」

露娜點頭表示「**對對對**」，又把一塊蛋糕推到湯匙上了。

「我可以……自己。吃。」路卡辛侯．柯塔說。他接下湯匙，送往自己的嘴唇。露娜緊張地看著。在最後一刻，他的眼睛跟丟了蛋糕，手晃了一下。露娜衝上前去，用紙巾拯救了落下的蛋糕。

「抱歉。」

她每天都會來看他。格布雷西拉西耶醫師在他腦袋中塞了不知什麼玩意兒，當醫師拔掉那裝置後，她就會過來。他的反應一天比一天敏捷，表情一天比一天開朗，說話越來越清晰，但她很快就發現他的內心有些破洞。對她而言歷歷在目的片刻、日子、完整事件，在他心中是不存在的。

別逼他回想，格布雷西拉西耶醫師指示她，**妳無法叫他回想起不存在的記憶。多跟他聊聊他還記得的事情。社交敘舊是很重要的。**

今天她窩在床尾，和他聊蛋糕的事。起先他幾乎聽不懂她在說什麼，接著記憶回來了，蛋白質晶片連結脫鉤的記憶，使它們在他腦袋中重新復活。她告訴他事情是怎麼開始的：他宣布他再也不要吃任何中秋月餅，因為沒人愛吃。他要自己做糕餅來吃。他花了三天時間去做，成品過甜，加的麵粉也太多了，不過那並不是月餅。大家都讚不絕口，受到鼓舞的他於是開始會在聖人日、節慶、生日會、研討班聚會上烤蛋糕，不久後就上手了。露娜告訴他蛋糕的事情時，他的目光變得炯炯有神。他想起來了。接著露娜帶他重返寧靜海，那時他們搭著搶來的探測車逃亡，而他為了打發時間，對著她大談蛋糕論：蛋糕為何是最佳禮物、做蛋糕有多難、蛋糕有什麼法則。他一句接一句說個沒完，在途中越過紋溝與隕石坑，最後遇到馬肯齊金屬那幫人。他的表情沉了下來，搖搖頭。蛋糕，以及在科里奧利醫療中心醒來這兩件事之間，有個巨大的鴻溝。

儘管這裡的有機物列印中心是全月球最先進的，它還是花了好一段時間才合成出那個檸檬糖霜蛋糕。當露娜用湯匙盛起一小塊蛋糕，湊上前，表現得像是要餵食小孩的母親時，路卡辛侯看起來很緊張。接著狂喜在他臉上漫開。

「請再多給我一點。」

這次他將湯匙送往自己嘴邊，且允許露娜觸碰他的手。

「我以前會做這個！」

「你會用一種特別的方法做蛋糕。」

路卡辛侯皺眉，不解。他的記憶就像月球地景，坑坑疤疤，充滿裂縫。

「等你準備好，你會想起來的。」露娜說。

兩人的副靈同時宣布訪客到來，路卡辛侯瞪大了眼睛。

「亞別娜！」

頂著月球夫人面具的露娜換上惱怒的表情。這時間是屬於她的，空間是屬於她的。她最先。她調整好姿勢，守在路卡辛侯的床腳，有力的守備位置。她仰起頭，用最凶的目光瞪亞別娜．阿沙默。對方的眼睛連眨一下都沒眨。

「露娜，路卡辛侯。」

路卡辛侯奮力坐挺。露娜無法接受他這麼做，他可能會撕裂、拉傷、弄斷某處。她後退，依然擋在亞別娜和路卡辛侯之間。

「妳為什麼在這裡？」

「我來見我的客戶。」

露娜撐大鼻孔，眉頭更加深鎖。

「我是妳的客戶。」

擊中要害。接招吧，聰明鬼阿沙默。我知道妳和路卡辛侯有一腿，但那都是往事，都過去了。關於妳的回憶大都掉進他記憶中的洞了。

「我還是得跟他說……」

「如果我是妳的客戶，我就能叫妳滾蛋。」

話一說出口，露娜就發現這只是空洞的威脅。亞別娜也知道。

「我不會走的，露娜。」

「好吧，不過妳待在這裡，我待在那裡。」

亞別娜．阿沙默考慮一下，坐到床腳。

「亞別娜。」路卡辛侯說。輪到亞別娜．阿沙默受到震撼了。

「我還不知道你能說話了。」

「他開口說話好幾天了，我們聊了很多。」露娜說：「對吧，路卡辛侯？」

「很多。」路卡辛侯說。

亞別娜的眼眶泛淚了嗎？

亞別娜吸了一下鼻子，從手提包中拿出一小張衛生紙。

「你看起來……很好，路卡辛侯。」

「像屎。」路卡辛侯說：「妳看起來。很棒。好帽子。」淚水又湧出了。

「別拖太久。」露娜說：「妳不要害他心情變差或搞得他頭昏腦脹，或說太多困難的事情。格布雷西拉西耶醫師嚴格禁止這些事情。」不過亞別娜才是消化太多艱難的事情後消沉低落的那個人。

「好。路卡辛侯，我不知道露娜是不是跟你解釋過了，總之有一場大戰要為你開打了。」

路卡辛侯發出小小的驚呼，瞪大眼睛。

「我說了什麼？」

露娜用氣音回覆，搬出她從母親那裡聽來的那套話：「路卡辛侯知道官司的事。說『官司』，別說什麼大戰。」

「爸，媽。」路卡辛侯說：「還有艾芮兒姑姑。」

「好。」亞別娜說：「我在和艾芮兒一起工作，我們認為對你而言最好的處置是別去煩你，直到你的狀況改善一點。因此我們拚了命……我們要設法將你留在這裡，直到你康復到可以自己做主的程度。我們想做的是，把你的監護契約交給露娜簽署。她已經救過你一次，因此非正式契約存在。你懂嗎？」

路卡辛侯點點頭。露娜向他解釋過好幾次了，不過有許多回憶在他的新大腦中爭奪空間，最近的事件往往會被擠出去。同樣一句話，他常常會跟她說三、四次。亞德里安娜奶奶在她很老、很老的時候就像這樣。露娜從他眼中看到困惑。

「你好好養病就是了。」露娜說，但她看到亞別娜露出猶豫的表情：「怎麼了？」

「我需要你幫我一件事，路卡……」

「他不叫路卡。」露娜插嘴。

「路卡。」床上的路卡辛侯喃喃自語。

「他累了。」露娜說：「妳得走了。」

「我得把該說的話說完。」亞別娜說：「我會出庭。沒什麼好擔心的，只是預審階段，我們會決定什麼對你而言才是最好的，同時等大案子來。」

「在這裡，最好。」路卡辛侯說。

「我們也這樣覺得。而我會確保你可以留下來，你的艾芮兒姑姑想好計畫了，但我們會需要你幫忙。」

「妳沒跟我說這件事。」露娜惡狠狠地說：「我才是客戶，我應該要知情。」

亞別娜嘆了一口氣。

「好吧，露娜，我們需要路卡辛侯的幫助。」

「會有用嗎？」

「那是艾芮兒·柯塔的計畫。」

「好，妳現在可以問路卡辛侯了。」

「路卡，我們需要你幫一個忙。」

露娜沒挑亞別娜語病，不過她的疑心被激起了。

「做什麼？」

「做好玩的事。」亞別娜·阿沙默說。路卡辛侯開心地展露笑顏，但露娜臉色一沉。

「做什麼？」她又問了一次。

「只要和我做視訊連線就行了。」亞別娜說。

「安全嗎？」露娜問。

「安全。」亞別娜說：「全世界最安全的事。」

「路卡，我認為你應該要配合。」露娜宣布。

亞別娜鬆了一大口氣。

「謝謝你。那是檸檬蛋糕嗎？」

路卡辛侯點點頭。

「我可以吃一塊嗎？」

「可以。」路卡辛侯對著露娜氣呼呼的臉說：「當然。可以。」

梅利迪安有服務各種人的酒吧。玻璃工有和平爵士酒吧，VTO鋪軌皇后有紅色發電機，他們的太空分部人員則會在東方小酒館喝伏特加馬丁尼。馬肯齊氦氣工人在「庫吉」抖掉腳上的月塵，馬肯齊金屬的羊夫則會在隔壁方樓的「鐵槌」喝，並將空杯重重叩到桌面上。手球大聯盟明星運動員都在「D」尋歡，月球甲級聯賽球員聚在聖瑪莉，球團老闆則在職業俱樂部的露台上吹牛、談生意。程式設計師與軟體工程師在「索引」狂歡，醫學院學生去「屠殺」。彈運調度員、鐵路督導員、演員、諧星、歌手、音樂人、修習兩百多種不同科目的學生，都有各自的專屬酒吧。政客在三十二街上的各大預約制俱樂部套房內喝酒、爭論，政治光譜上所有位置都有對應的店家。律師在論證俱樂部互揭瘡疤、發牢騷，克拉維斯法庭的法官則窩在對面方樓的「法官席」（同一條街、同一個門牌號碼）揮霍小費，喝那些爛琴酒。閃刃則是扈衛的酒吧。

在亞別娜．阿沙默的想像中，閃刃是一個喧鬧、海盜氣息濃厚的空間，石頭屋簷低矮，每個楣石上都刻著一個警句，世仇血恨交織於此，大家翻臉比翻書還快，長年積怨以刀刃解決。震耳欲聾的饒舌金屬，著墨於英烈的歌詞，落在桌上的酒杯打出拍子。歌頌刃衛的曲子。

結果閃刃讓亞別娜大失所望。她站在東五十三樓的岩層開挖出的標準住居單位套房，玻璃和鈦。她一走進去就想回頭了，沒人盯著她的束腰洋裝、假狐狸皮毛披肩、棒呆了的帽子看第二眼。

店內的客人更令人失望。她原本以為會看到壯漢，還有精瘦又暴躁的女人。以為會有鉚釘、刺青、穿環、光頭在輕柔的光線中發光。龐克頭，疤痕，消失的手指，破T恤，無袖連帽衣，月球多種時尚潮流的混搭。真皮，帥得要命的鞋子。確實有壯漢、精瘦又暴躁的女人，月光菜鳥也很好認（大家雇用他們是為了他們的地球人肌肉），不過克拉維斯法庭的扈衛的體格、年紀、性別、風格，跟梅利迪安任何俱樂部的客人都有很大的差異。放的音樂是月球流行樂，選曲很好，無害卻又會讓人想跟著用腳趾打節拍。供的飲料是馬丁尼，裝在優雅、結露的酒杯中。凹室、桌邊、吧台邊的話題跟戰鬥、血腥、光榮勝利、競技場上擊倒的敵人無關，都是在聊現在、過去、知名的官司。判例，立論和聰明的手法，法官、律師、原告、被告的性格和怪癖。法庭八卦和醜聞。這些扈衛出庭的時間比許多聘用他們的律師還長，甚至還超過法官。亞別娜沒看到半把刀，甚至也沒看到哪件女裝上浮現不可能錯認的刀鞘輪廓。閃刃內的大多數客人從未為了法律拔刀。

亞別娜的副靈突米已認出她在找的男人，不過她決定走向吧台，花長一點的時間打量對方。

伊修拉．奧魯瓦費米，艾芮兒長期合作的扈衛。一個體寬、頭尖的約魯巴人，在同事之間開心地微笑著。艾芮兒說他是個好心的人，盡職的父親，凶殘的戰士。亞別娜看不出來。伊修拉．奧魯瓦費米上次在法庭上拔刀已是兩年前的事了。

他很壯，亞別娜對突米說。

但他的體格很糟，突米說。

伊修拉．奧魯瓦費米已在月球重力下失了銳氣，在閃刃與朋友度過太多個充滿歡笑的夜晚了。亞別娜走向他那一桌。

「我要簽一個扈衛。」

「去找我的經紀人。」伊修拉說。

「我代表艾芮兒．柯塔。」亞別娜說。

「我了解艾芮兒．柯塔這個人。」伊修拉說：「如果她要我，她會自己過來，不會派一個實習生。」

亞別娜的手伸向桌面，將伊修拉的半杯酒倒掉，酒杯倒扣。伊修拉起身了。閃刃陷入沉默，完全靜止，彷彿變成了冰冷的月心。大家都知道杯子倒扣代表什麼，任何人看了都會挺身一戰。

「我想為艾芮兒．柯塔雇用一位扈衛。」亞別娜說：「誰打倒他，誰就能拿到這份差事。」

閃刃爆出一陣喧鬧。好幾個人撲向伊修拉．奧魯瓦費米，桌子在亞別娜閃避的同時翻倒了。一張椅子從她身旁掠過，她還彎腰閃過一顆拳頭。桌子倒了，酒杯像雪崩般傾倒，家具砸成碎片，亂砸、鬼吼的身軀們在酒吧內扭打成一團。亞別娜壓低身體和頭，尋求掩護。大家接著又把碎片拿起來當武器揮舞。一隻椅腳擦過她的鼻子，一把飛刀將藥盒帽上的羽毛削掉一公分。一隻腳踢向她的臉，但攻擊者在最後一刻發現她不是場上打手，旋身踹中另一個持刀衝來的女人的耳朵。好幾個人倒向鋪滿破碎馬丁尼酒杯的地面。亞別娜好不容易來到吧台邊，蹲到桌面下方，雙手護頭。她感覺全月球的人都到場了，擋在她和出口之間，拳腳相向。

一隻手搭上她肩膀。亞別娜轉身，舉起手拿包準備出擊，結果發現一張西裔女子的臉孔。她很瘦，穿著鉚釘女工風的藍衣，圍著一條紅色圓點圍巾，副靈的外觀模組是大學的白、藍圓圈。

「跟我來。」她用很重的遠端月面口音大喊：「我帶妳到安全的地方。」

亞別娜握住對方伸來的手。對方握力很強，步伐堅定，帶著亞別娜突破酒吧內的對戰節奏，一下子從打鬥者間的空隙鑽過去，一下子又止步等某人翻跟頭飛過。她還突然一拉，使亞別娜閃過一張甩來的椅子，差點害她肩膀脫臼。女人回頭望向亞別娜，咧嘴笑。一個打鬥者盲目揮動桌子，朝女人的頭打去。亞別娜還沒發出警告，藍衣女子便轉身封住了對方的動作，使出過肩摔。對方頭下腳上地砸向牆面。這兩個女人和馬路間只剩兩個打鬥者，不過他們都看到鉚釘女工的行徑了。兩人抽刀，位置一高一低。女人放開亞別娜的手，翻身閃過低處那把刀，以迴旋踢掃下高處那把刀。兩名男子踉蹌後退，女子趁機將亞別娜推到空隙外。亞別娜踩著不穩的鞋跟，跌跌撞撞地摔到東五十三樓的護欄上。水瓶座方樓在她面前張開大口，一片綴滿光點的虛空。一隻手再次抓住她。

「妳穿著這個能跑嗎？」女人朝亞別娜的鞋跟撇了一下頭。亞別娜脫下鞋子，扔向閃刃中混戰的人群。火上加油。

「我現在可以跑了。」

「跑吧。」

她們一路跑進電梯，靠牆滑坐在地，氣喘吁吁。

「玩得開心嗎？」女人問。電梯朝泰勒斯可娃大道下降。亞別娜驚魂未定，一度感到被冒犯，接著她便供出事實，道出她倒扣酒杯在桌上、全酒吧的人都站起來時，她有什麼感受。

「我愛死了。」危險、血腥、駭人、愚蠢的每一秒，她都愛。

「我就知道妳愛。」女人說：「我叫蘿莎莉歐・薩爾加多・歐漢隆・迪・齊奧爾科夫斯基，沒有經紀人。」

「我說，打倒他的人可以得到這份差事。」

「我打倒他了。」女人說：「打架不是唯一的獲勝方式。」突米檢視蘿莎莉歐的副靈，亞別娜快速瀏覽她的個人檔案。確實是遠端大學的人，她的判斷正確。博士後研究員，研究主題是月球肥皂劇。

受訓中的勇士學者，難怪她做得出那些動作。

「妳為什麼不完成訓練？」亞別娜問。

「我的思想產生了轉折。」蘿莎莉歐說。

「肥皂劇。」亞別娜的語氣帶著輕蔑，而且不怕對方聽到。

「妳看肥皂劇嗎？」

「不看。」

「那妳就沒話可說。」蘿莎莉歐的語氣凶狠得很從容。「失去信仰的人是我，妳不用對我說三道四。我和我的老師走進一場會議，結果我看到彗星。彗星形成的雲，遙遠，冰冷，致命，在那一片空無之中。理論一個接一個，又接一個，再接一個，全都像肥皂劇那樣充滿虛構性。後設虛構，衍生物。理論的豐沛化永無止境。我謝過老師後就閃人了。」

「然後受雇當人家的扈衛。」突米又勘查了蘿莎莉歐的履歷。「沒戰鬥過，原來啊。」

「也沒輸過官司。和我的副靈簽約吧，拜託。」

電梯下降的期間，亞別娜觀察著她的新雇用人員。這個蘿莎莉歐像是繩子打結編成的，多肌腱，動作敏捷。尖牙利嘴，但在實戰（這次她無可避免）中，她揮刀能砍多深？艾芮兒．柯塔又會怎麼想？她會欣賞這人的自大和自信，挫敗和流亡的灰暗過去。那亞別娜．曼努．阿沙默會怎麼想？她的想法跟艾芮兒一樣。她想得更多。她愛冒險、危機，喜歡眾多世界在刀口上維持平衡、在這嬌小女性體內具現的感覺。她曾在喀巴遜研討班同學面前抨擊月球法律的野蠻。任何社會契約都應該要有民法和刑法。但在私下，她仰慕它的近暱。正義應該要觸碰得到，應該要付出代價去實現。正義應該要像刀子一樣，誤用它的人會遭到割傷。她（那是另一個亞別娜了，她偶爾會想）曾經給路卡辛侯一份禮物：阿沙默家的庇護權。當他將鉚釘刺入耳朵時，鮮血流了出來，而她舔了血。現在這個亞別娜在酒吧內製造爭端是為了向伊修拉．奧魯瓦費米表態，沒錯。她要證明自己是個角色，沒錯。不過她這麼做的主因，是她辦得到。因為這很刺激。拳腳相向，刀刃閃現，鬥毆者倒下，玻璃碎滿地的同時，她就不再是原本的自己了。世界上並沒有兩個亞別娜．曼努．阿沙默，只有一個。而她等不及要踏上克拉維斯法庭的圓形舞台了。

別讓她誘惑妳。她在喀巴遜研討班的朋友，曾在她接下艾芮兒文書助理職位、進月球開發法人工作時說：**她很迷人，很聰明，會把妳變成妳自己也不認得的人**。

狀況比那還要糟。現在亞別娜會這樣回他們：**她要把我變成她了**。

三輪摩托敞開了，亞別娜．曼努．阿沙默深呼吸，跨出車外，來到法庭廣場。攝影機蜂擁而至，大批記者擠了過來。人聲鼎沸，她的鞋跟在磨亮的燒結地上敲出劈劈啪啪，像是小小的射擊聲。

妳在摩托內放下翹起的那條腿時，審判就開始了，艾芮兒說。清晨五點，她的研討班同學開始幫她打扮，早上六點，她的髮型設計團隊帶著腳手架和機器前來，早上七點，美妝團隊接手，開始打點她出庭時的妝容。早上九點，她吃了一些水果（一些小莓果），不給自己飽脹感，也不讓完美的牙齒上出現渣滓。九點十五分，她和遠端月面的艾芮兒進行了最後一次線上會議。

我碰過更糟的法官，艾芮兒說，**瓦倫提娜．亞斯在頭十分鐘就會打定主意了，所以妳的攻勢要快。克維果．庫瑪會希望午餐前就搞定，他是一個誇張的手球狂熱者，每天下午都在球迷網站上跟人吵架，用的筆名是神之手。長井理惠子是我的老友，她引薦我加入白兔閣，她自己也是成員之一，還是我哥的顧問。偏見不會是法律問題，只要修正補償即可，但歧視就是個問題了。理惠子和瓦倫提娜**

總是不同意彼此，克維果知道這件事，所以別費心纏著他，別在檯面上那麼做。好好玩啊。

十點，她的扈衛到了。蘿莎莉歐衣著整齊，鉚釘工必備的工作服和頭巾使她顯得很專業。走上樓梯時，她緊跟在亞別娜肩後方。記者和八卦寫手大聲提問。

「阿沙默女士……」

「眾所矚目的官司……」

「年輕又缺乏經驗……」

「我剛剛逮到、擺平了相機陣中鎖定妳的五架無人機。」蘿莎莉歐低聲說：「可能沒什麼，也可能是刺客。謹慎為上，我想這件事應該要讓妳知道。」

亞別娜用手指沾了一下自己的後頸，這是忒的傳統施咒：撥掉殺人蜘蛛，阿南西的黑暗姊妹。她無法呼吸，無法跨出下一步。蘿莎莉歐推了她的手肘一下，力量又開始在她體內流動了。

「繼續走，保持微笑。」蘿莎莉歐說：「別擔心，就算他們攻破我的電子防線，我也準備好刺殺用毒藥的解藥了，排行榜上前五十強的都有。」

亞別娜認為這可能是扈衛的幽默發言，不過她因此振作了起來。

「陽家與柯塔家……」

「缺乏經驗……」

「年輕。」

「沒經驗。」

二號法庭是最古老的法庭之一——在場的陽家人果然跟亞別娜預期的一樣多。它是一個半圓柱形空間，材質是磨得很光滑的石頭，舒適又有威嚴。石頭法官席面對著五層旁聽席。席座與拱廊，柱子與靠背長椅。歌劇院式的法庭。在這舞台上，法律就跟一個吻一樣親密。亞別娜站到她的指定席去，蘿莎莉歐站在她下方的扈衛區。盧卡斯的團隊就位了，律師有三排。盧卡斯的法務長維果．奎若嘉向她點頭致意。亞別娜已徹查了他的背景，反之亦然。他們的扈衛是壯得像山的俄國人，康斯坦丁．帕夫柳琴科。他打得穿硬邦邦的石頭。

我幹得掉他，蘿莎莉歐說，**巨漢的動作充滿猶豫**。

陽家代表團還沒到，他們會在最後一刻進門。亞曼達．陽親自上場打官司，她將帶來一齣大戲。**亞曼達會叫代理人唱歌、辯護律師跳舞、法律顧問從屁股裡拉出漂亮的花**，艾芮兒說。**妳是一介女子，沒有靠山，說的是事實。這樣就夠了，太夠了。**

訊息：朋友、家人、研討班同學傳來的訊息。他們在上方幾層旁聽席找到了座位。**妳在哪？我們看不到妳？**

你們會看到的。

艾芮兒，馬尼奧宣告。

「起飛前最終檢測，親愛的。想上廁所嗎？別去。膀胱裡裝滿尿的時候，話術更有效，更充滿迫切感。好，我知道妳什麼都沒吃。如果妳帶了使人興奮或集中或專心或寬慰或放鬆的玩意兒，不要用。事實上，妳該拋開它們。克維果討厭強化性的藥物，虧他是手球迷，真諷刺。他在法院裡塞滿嗅探器，所以別用藥。有幾個最終手段。如果苗頭不對可以申請延期審理，必要時可以脫稿演出。無賴精神，精明作戰，是克拉維斯法庭的核心。但妳得巧妙運用，蹩腳的無賴精神不是無賴精神。跟我保持通話，寧可步步為營也不要事後悔恨。」

陽家人到場了。他們散發出優雅的貴族氣質，無懈可擊。亞別娜已記住了他們的名字與臉孔。亞曼達·陽坐到辯護席上，她接下亞別娜的瞪視，回以冰冷而憎惡的視線。陽家總是看不起阿沙默家。恆光宮來的隨行人員塞滿旁聽席。陽夫人也在，倚著一根枴杖。扶她坐到亞曼達與顧問團後方座位的那個年輕人是誰？

達瑞斯·馬肯齊—陽，突米說，**他母親是婕德·陽，他是羅伯特·馬肯齊最後一個孩子。降鐵後，他被帶回恆光宮，接受沙克爾頓老佛爺的庇護。他正在七鐘院修行，接受馬里亞諾·加百列·迪馬里亞的親自指導。**

領養繼承人，亞別娜若有所思地說，突米則在同一時間準備著達瑞斯·陽的完整簡報。同一招玩兩次，真是失策了。

她看著陽夫人拿起巧緻的瓷杯啜飲了一口飲料。最細、最硬的瓷是骨灰燒的。而月球上用的，是人骨。

庭吏發出呼喚，法庭內的眾人起身了。法官席的扈衛首先進場。克拉維斯法庭內的一切皆是審判對象，包括法官自己。他們在戰鬥區就位。接著法官進場了，他們的白袍在這個法庭競技場的強光下閃閃發光。瓦倫提娜·亞斯整頓法庭內的秩序，克維果·庫瑪念出演員清單，報出他們的背景，同意使用的法律架構，長井理惠子則念出官司內容。審訊開始了。

維果·奎若嘉搬出各種醫療細節，塞滿二號法庭，並打父親、家族牌，訴諸治療功效與整體性。盧卡斯·柯塔出現在預錄的影片中，表明他只要自己的兒子待在身邊，待在他的容身之處，接受親愛父親的照料。亞別娜注意到了，法官、所有民眾、記者、八卦寫手也都注意到了——盧卡斯·柯塔並未親自來到克拉維斯法庭表白他的父愛。

現在，亞曼達·陽踩上拋磨到發亮的D字形月石了。竊竊私語的交談聲在旁聽席間奔騰。她輪流盯著每一個法官，看了許久。

凹陷處的法官扈衛稍稍挪動了一下身體。

「我們的法律好就好在它禁止歧視，但認可偏見。我有偏見。我怎麼可能戴著有色眼鏡看這件事？我是一個母親，我要我的孩子在我身邊。僅僅如此。」

她接著將盧卡斯描述成一個壞父親，缺席的父親，魯莽的父親，最糟的是——一個危險的父親。鷹巢對一個小孩來說是什麼樣的地方？那裡的每個人手中都藏著刀，刺殺無人機會在你眨眼眨到一半、稍縱即逝的瞬間出擊。

他是一個妳試圖宰掉的父親，亞別娜心想。她瞥了一眼法官席，發現法官都對這件事心知肚明，也都聽過傳言：柯塔與馬肯齊的戰爭是陽家在背後搞的鬼。

「恆光宮強盛、安定，是一個安全的地方，我兒子可以在家人的守護下進行治療。家族是很重要的。大學有很多功能，但它不是一個家庭。在場者人人知曉的艾芮兒．柯塔宣稱她代表露娜．柯塔，打算取得路卡辛侯．柯塔的監護權。請問各位，艾芮兒什麼時候對她的姪子展現過任何興趣？更不用說姪女了。現下，他們的人身安全可以確保她自身的安全。但在這狀況形成之前，她什麼時候對他們感興趣過？是誰背叛家族，去追求自己身為名流律師的耀眼職涯？是艾芮兒．柯塔。路卡辛侯接受阿沙默家庇護時，艾芮兒．柯塔在哪？她唯一代理過的，真正代理過的人就只有她自己，她只維護自己的利益。各位看看大眾對本次開庭的關注程度——這還只是預審。艾芮兒．柯塔以為自己走了一步聰明的棋，以為把自己的姪女變成監護人，她就能免受監督，不過，庭上當然不會被這種馬腳全露的謀略欺騙。她打算把自己的姪女當成一把梯子，踩著她爬到社會階層的頂端。

「家人擺第一，規矩就是如此。不過讓我們來檢視這個家庭。一個缺席的父親，一個渴求名利的姑姑。我們陽家了解何謂家庭。我們歷史悠久，勢力浩大，團結一心。我們明白一個真理，那就是在最初與最後存在的，都只有個人與家族。家人擺第一，這是當然的。柯塔家不是一個家族，我們是。」

亞曼達．陽向法官席鞠躬，退回長椅上。

「露娜．柯塔的辯護人？」

亞別娜倒抽一口氣，胃縮得好緊。上場的時刻到了，而她準備好的陳述、論點、勸說之詞都從腦海中飛走了。

打給艾芮兒。

她想對突米發布的命令已來到唇上，但她又吞了回去。她不需要艾芮兒．柯塔。

出擊吧，贊果之斧頭，給我戰鬥的力量。

她踩上那顆發亮的石頭。

「我是代表露娜．柯塔的辯護人，她聲請維持現存的非正式監護契約……」

維果．奎若嘉和亞曼達．陽同時站了起來。

「庭上，說真的……」

「阿沙默女士沒有資格出庭。」

亞別娜用氣音對贊果說了一聲**謝謝你**，她的敵人落入她的陷阱了。

理惠子法官望向她。

「阿沙默女士？」

「艾芮兒．柯塔是露娜．柯塔的律師，而我是艾芮兒在近端月面的代理人。基於安全考量，艾芮兒選擇留在遠端月面。」

「柯塔小姐可透過網路進行陳述。」克維果・庫瑪說。

「如您所知，艾芮兒・柯塔總是喜歡實體勝過虛擬。」

長井理惠子聽了憋笑，真是大言不慚。

「妳是律師？」瓦倫提娜・亞斯問。

「我是喀巴遜研討班的學生，主修政治科學。」

「沒有法律相關資格。」庫瑪法官說。

「沒有，女士。我想我沒有任何資格。」

第二法庭的五排旁聽席都傳出吸氣聲，長井理惠子再度微笑。

「我們的法律以三足鼎立。」亞別娜說：「在克拉維斯法庭，任何事物，包括克拉維斯法庭本身，都能接受審判。一切事務皆有協商餘地，包括法律本身。而且，法律規定得越多越糟，這是我的論點。只准具備相關資格者出庭辯護，就是在建立出庭陳述權，而這個權利尚未經過協商。這會擴增法律，而非縮減，這點先前未曾受到挑戰。」

長井理惠子法官喝了一口水，掩飾她毫無保留的笑容。

「本法庭短暫休庭，之後我們再來審理阿沙默女士的資格。」亞斯法官說。

二號法庭爆出嘈雜的人聲。亞別娜滑到凹陷的扈衛區，落在蘿莎莉歐旁邊。

「妳還好嗎？」蘿莎莉歐問。亞別娜在發抖，說不出話。她點點頭。「妳樹立了一些敵人。」蘿莎莉歐接著說：「提醒妳一下，有些合約被中止了，不過別擔心，我們會買斷它們。就當作是一種專業的恭維吧。」

攝影無人機懸浮在她面前。突米說她有十幾個採訪邀約，二十個社交活動邀約；她身為金凳姪女時還是不得其門而入的那種。

閒聊硬生生中斷，像是被一刀切下。法官們回來了。

「阿沙默女士。」瓦倫提娜．亞斯向她點頭。亞別娜解讀他們的肢體語言，手腳的位置，臉的角度。她搞定了。

「我們接受妳的陳述。」理惠子法官說。法庭內充滿竊竊私語和咕噥。

「無賴精神。」克維果．庫瑪說：「好啦，我們浪費太多時間了。我希望午餐之前就能解決事情。」

「沒問題。」亞別娜說：「我只有一個看法要提出。」

突米和遠端月面連線，克拉維斯法庭的網路則將影像貼到第二法院的所有副靈上。低聲交談變成了驚呼。每個鏡片、每隻眼睛中都出現了路卡辛侯．柯塔的身影。他坐在醫療床的床緣，醫療機器人伸出的手臂彷彿成了他頭上的光環。他的胸口、臉頰凹陷，茫然的視線投向遠方。對亞別娜．阿沙默而言，他的顴骨就跟以往一樣美。他揮手了。

「嗨。」他說。

性質介於嘆息和哭泣的雜音傳遍了第二法庭的旁聽席。

「嗨，大家。」他說起話來痛苦又含糊，「爸，嗨。我愛你，現在沒辦法到場。我得變得更健康一點，想起更多事情。還得努力。我可以走路，你看！」他搖搖晃晃地從床上起身，蹣跚走向鏡頭。「還有……很長的路要走。我只是要說：露娜救過我一次，現在她又要再救我一次了。」

亞別娜切斷連線。

「血緣就是血緣，毋庸置疑，不過唯一該考慮的是路卡辛侯的福祉。」她說：「你們看看他康復了多少。不過就像他說的，還有很長的路要走。就算陽家和盧卡斯．柯塔都同意讓他留在遠端月面，也沒有人能保證他們會繼續遵守諾言。路卡辛侯必須遠離政治角力。為了他的健康著想，我提議法庭認可、延長、明訂既存的露娜．柯塔監護契約——她拯救路卡辛侯．柯塔，並帶他到博阿維斯塔時建立的契約。」

她向法官席鞠躬，回到座位上。法官彼此互望。

「我們做出判決了。」

三名辯護人站了起來。

「我們一致同意，延續露娜．柯塔的監護合約，其代理人為艾芮兒．柯塔。」理惠子法官說：「阿沙默女士，可以來辦公室一下嗎？」法官起身，列隊走下高台。

亞別娜聽說克拉維斯法庭的後方辦公室是出了名的窄，不過她在門口就已經吃了一驚。理惠子法官正在反列印她的法官袍，換上便服。

「艾芮兒給妳的指示很棒。本人親自現身，是她的點子？」

「是，不過三足鼎立的論點是我自己想出來的。」亞別娜說。激昂的心情帶給她觸電般的感覺。沒有任何事情比出庭更令她光彩煥發、呼吸困難，身體像燒起來一樣，就連交報告給月人社，甚至跟路卡辛侯做愛都沒得比。她現在懂了。她今晚要去派對大玩一場，有些男孩會嘗到甜頭的。

「幹得好，但在未來，妳堅守政治那塊就行了。」

她的激昂當場熄滅。

「世界上有一個艾芮兒．柯塔就夠多了。」

維迪亞．拉歐痛恨他們的笑話、挖苦、殘酷的奇想；他痛恨他們逼他玩的文字遊戲（以嚴格的詩歌體對句，只能用沒有字母a的句子回答），痛恨他們逼他扮演的角色（二〇四〇年代上海垃圾的收藏家，十八世紀的瓷器愛好者），痛恨他們建造並逼他居住的世界（藍白相間的西方瓷器柳樹圖案所組合的宇宙，以二十世紀晚期文學作品《愛麗絲夢遊仙境》為基底的虛擬現實）。他痛恨他們竄改自身的人格、記憶、身分，他們每次出現都會化為不同的生物。他痛恨他們的卑鄙、優越、自大，以及其他無法以人類情感語彙直譯的人格特質。

維迪亞．拉歐痛恨三皇。

要是他當初有更多時間和耐性，就能在研究的閒暇時間探索量子智能這個概念了。他將能了解它跟人類智能有多麼不同，了解它甚至不能被視為一種智能，了解最基本的量子性質可能會以超現實幽默感的形式顯露出來。不過自從維迪亞．拉歐從懷塔克里戈達德銀行的工作人員轉任為諮詢顧問後，他使用量子電腦時就會受到監控。他開始懷疑，他獲准連上量子電腦的原因只有一個，那就是三皇唯一願意溝通的人類是他。

他開始懷疑，懷塔克里．戈達德採取的政治立場跟他對立。不過他對王永晴那個月球交易所計畫抱持憂慮，因此不得不低調求援，悄悄要人還人情債，默默發出黑函。

他輸入程式碼，設好通訊協定，讓量子作業系統的異形結構與他的副靈連線。他嘆了一口氣。今天三皇將在一九五〇年代舊金山異國風情酒吧的擺設中化身為三名神仙招待他。烏克麗麗演奏的音樂，塑膠鸚鵡飛來飛去，雷聲隆隆。三皇等待著。

一抽，一痛，一個不和諧感，一個回音。

有其他人在這模擬場景中。

羅伯森・柯塔容光煥發，他的每一吋肌膚都輻射出能量。他聞得到自己的氣味：甜甜的，鹹鹹的，有點焦味。**你體內的維他命D含量過低**，鬼牌說，並幫他訂了俄式三溫暖的光浴房。羅伯森對維他命的看法就跟對數學的看法一樣：兩者都是肉眼看不見、抽象、但有用的事物。他確定的是，在陽光室裸體站了三十分鐘後，他覺得自己充飽了電，正發著光。

他一跳就上了門框頂端，旋即後翻，轉身抓住桁架，一盪，就進入西奧菲勒斯的上層結構之中了。他壓低身體奔跑，翻滾閃過建築橫梁，從通電的導管下方滑過，越過裂縫和整段交叉口，飛行在希帕提婭人頭上。他可以永遠這樣跑下去。華格納靠滿盈的地球光補充能量、化身成月狼後，感覺肯定就像他現在這樣。他感官捕捉到的任何事物、一切事物都是明亮的，萬事萬物都在他的掌握之中。身心自然合一，無關意識與意念。一切都在流動，刺激又駭人。

我要變成月狼了嗎？

情報不足，我無法做出診斷，鬼牌說。羅伯森不知道他把自己的想法默讀出來了。**不過我們應該要再來談談青春期了**。

「鬼牌！」羅伯森用氣音說。副靈沒有羞恥心。

他很希望華格納回來，很擔心在沙地上工作的他。我很快就回來了，小羅伯。他只要有機會上網就會這樣向羅伯森保證，還說他會在安妮麗絲離家巡迴前回來。但月亮就是月亮，它知道一千種絆倒你的方法。羅伯森還是很提防安妮麗絲。她說她在另一棟公寓租了一個房間練習西塔琴，但羅伯森懷疑她是想跟他保持距離。她同意參加巡迴演唱會，搞不好也是為了擺脫他。不過他獨自一人待在公寓內並不自在。羅伯森曾獨自過活，在華格納當玻璃工那陣子，還有他逃到比上城區還要高的地方時，那裡只有機器和風到得了。他每一秒都活在恐懼中，恐懼、孤單、寒冷、飢餓，不過他更怕去有活人的街上。

後來華格納來接他回家了，那個怕高的華格納。他橫越半個近端月面，穿過入侵攻勢、太空攻擊、機器人戰爭以及攻城。這次他也會來的。

羅伯森藏身高處，看著他的研討班同學在環區聚集，討論今天要去哪一家熱食店。不可能有人提議要去魔法貓，但他還是等到大家做出決定才離開。羅伯森想起自己曾在梅利迪安的狼聚會上，神不知鬼不覺地偷看華格納。他原本不懂華格納跟梅利迪安幫那隻狼之間的身體語言，現在他懂了。

也許鬼牌說得對。這陣子他每天都起得很早，渾身是汗，老二硬挺。他卵蛋的顏色變深了，其中一顆垂得低低的。

羅伯森打了個冷顫，過度強烈的自覺令他發寒。

不到一分鐘，他就來到了魔法貓，從上層結構落到熱食店門口。

烹飪台後方的江宇鞠躬並喝采。

「怎麼啦？」羅伯森．柯塔說。

其他沿著弧形吧台吃晚餐、喝茶的客人也都發出歡呼。

「我就說了，我就說了吧，我認得他的臉。」一個年輕人大喊。他是新來的常客，穿著短袖休閒衫，洪堡氈帽戴得很靠後腦勺。

「會痛嗎？」固定坐酒吧角落的麗格．珍問，接著突然又冒出了十來個問題，飛向羅伯森。

「什麼什麼什麼？」羅伯森問，但他心裡隱約有個底了。

「你就是那個從南后頂端掉下來的孩子。」江宇說。

「我就說我認得他的臉！」那個戴洪堡氈帽的人再度大喊，「我是看社群網站記住的。你就是那個柯塔，對吧？」

魔法貓陷入沉默。接著羅伯森看到海德了，他坐在雅座區，腳還是沒碰到地面，但沒有踢來踢去，全身上下都沒在動。他的臉色像聖灰一樣白。羅伯森大步走向他。

「你做了什麼？說了什麼？」

「我說了那個故事，我忍不住啊。」

「別在這談。」羅伯森迅速走向廁所，痛罵海德。

「你做了什麼？」

「對不起，我忍不住說了出來。戴帽子的人說他聽說從天空掉下來的孩子住在這裡，江宇說他不知道，我忍不住就說了。我說了整個經過。那是個很棒的故事，羅伯森。你不知道該怎麼好好講它，但我講得很好，他們都聽到不敢呼吸了。」

「真希望你沒說溜嘴。」

「不會怎樣的，對吧？」

「我不知道。」羅伯森說：「戴帽子的男人？他是誰？他可以相信嗎？他要是告訴別人怎麼辦？倘若風聲傳出去怎麼辦？如果我們不得不離開，又該怎麼辦？」

「會那樣嗎？」海德問。

「我不知道。我們還能去哪？待在哪裡會安全？」

羅伯森的憤怒退去，僅剩餘燼了。海德一時風光，以話語迷倒觀眾，但此刻他背負著罪惡感和羞愧，擔心羅伯森因他陷入險境，怕自己的行為會斷送兩人的友誼。

「對不起。」海德說。

「你說都說了。」羅伯森說：「我得告訴安妮麗絲，還有華格納。」他環顧四周，看看背後，也看了每個角落，站在西奧菲勒斯的走廊上再也不會是自在之事了。那股自在，永遠都是虛假的。是幻覺，是魔術效果。沒有哪個姓柯塔的可以安全度日。月球上唯一的護盾，就是你所愛之人的身體。

海德的臉抽動了一下。

「你在哭嗎？」

「如果我說是呢？」

「沒關係。」羅伯森輕輕捶他的肩膀一下，「你不會有事的。」

「我說得很好，他們都在聽我說話。我的才能就是這個，語言。」

「語言會傷人。」羅伯森．柯塔說。

14

「……這世界是個實驗室，人類在這裡進行文化、社會、哲學的實驗，任何新政治、新宗教，或是能撐到世界末日的新制度。地球正在瓦解，我親眼見證了。地球逐漸走向死亡和衰敗。所有人類文化都可能遭到新意識形態的洗劫、焚燒和搗毀，他們不尊敬自己的世界。」

盧卡斯．柯塔在這片灰色薄明中的某處。艾莉西亞謹慎地朝霧氣中推進，她看不到自己往前伸的手。她若看著霧走路，腳可能會被看不見的障礙物絆倒，她若看著腳走路，有可能會撞上牆壁，或工地機器，或跨入河中。她也可能已兜了個圈子，正在朝主氣閥移動。噪音逼近，漸強，忽近忽遠，接著回音也來了，方位一變，在她身後重新浮現。她聽到涓涓流水，愣住了。氣流擾動灰暗的空間，織出變幻精微的灰階色塊。一張臉浮現在她上方，壓在灰上的黑。接著她抓到透視了：那是巨大且遙遠的物體。露水沿著它的石頭面頰留下，像淚一樣。她迷失了方向。

「去他的。」她大剌剌地說。馬尼奧丟出紅外線影像與標籤。盧卡斯距離她不到十公尺。他心情極佳。

「很了不起，不是嗎？我們已經花了一個月的時間慢慢提高這裡的溫度了，結果突然間，妳看！五公里的霧。我可能會讓它一直維持下去。不對，這只是一個片刻性的階段。它是短暫性的存在，因此才美妙，就像音樂一樣。」盧卡斯和他的環境工程師穿著透明雨衣，艾莉西亞則穿著從聖奧爾嘉穿回來的溼透套裝，發抖著。「妳溼透了。來，艾莉西亞。」雨衣只把不適、潮溼、沾黏強化成沉重、摩擦的疼痛。「跟我走一段。」

各種特色裝置在霧中現形，盧卡斯開心地指著它們：河流上的石橋（小心走），突然冒出來的涼亭柱子，施工機器人莊重地滑行，手球網矗立在意外之處（別絆到了）。艾莉西亞讓盧卡斯引導她，這是玩起來相當不快的蒙眼抓人遊戲。露水沾溼的滑溜石階一段接一段，然後又連接到一段彎彎的樓梯，在兩道溼漉漉的石壁間上行。階梯轉彎，艾莉西亞來到了一個石頭淺碟上，眼前是翻騰的霧氣。她高踞在其中一尊奧里莎的臉上——伊安莎堅毅的五官聳立在她身後，黑暗而潮溼。

「我媽在興建博阿維斯塔時請人蓋了這個凸窗。」盧卡斯說：「這裡應是她自己的祕密之地，在這裡她看得到別人，但別人看不到她。沃隆佐夫派了多少帥哥美女糾纏妳？」

「三個。」

盧卡斯微笑。

「我以前就不常去聖奧爾嘉。拉法很愛憧憬那裡，但我比較喜歡頭上有堅硬的石頭。他們總愛別人把他們當成友好又豪爽的丑角。」

「他們不是。」

「哪個人讓妳上鉤了？」

「沒半個。」

「那是妳的想法。如果有哪個人成功勾引妳也沒差，他們很擅長這些。」

「我和艾琳娜會碰面，單純的朋友關係。」

「當然了。」

「我碰到鄧肯．馬肯齊了，在坩鍋外。」

「他在那裡做什麼？」

「艾琳娜不肯告訴我，不過我發現他也去見了沃隆佐夫一族。」

「真有趣。」盧卡斯的雙手都按在枴杖上。「艾夫根尼．沃隆佐夫希望我支持月港計畫，馬肯齊．金屬取消了新精煉機的訂單，反而跑去見VTO。陳述，協商。結盟，締約。」

霧氣旋繞，小水滴凝結成沉甸甸的水珠。

「鄧肯．馬肯齊說我們有更大的敵人。」艾莉西亞說。

現在下起雨來了，肥厚的水珠砸在塑膠雨衣上。霧氣逐漸稀薄，化為飾帶，然後是一縷縷輕煙，最後消散了。艾莉西亞站在伊安莎的下唇，眺望潮溼又開闊的博阿維斯塔。氣溫又升高了幾度，穿著塑膠雨衣的她開始流汗。

「看來，沃隆佐夫家公然造反了。」盧卡斯說：「VTO需要靠L1點的小行星定錨太空電梯，而地球人不會允許那玩意兒出現在他們的天空。我被迫選邊站。我不喜歡這狀況，一點也不喜歡。」

月球受託管理機構代表團瑟縮在雨中，雨衣淌著水。他們的西裝列印得醜陋又劣質，袖口和褲腳都浸溼了。

「柯塔先生，這造景真是厲害。」王永晴說：「不過我們可以到沒雨的地方繼續談嗎？」

「我很欣賞這奇觀。」盧卡斯說：「我還在考慮把它當作我的新設計賣點。我媽不信任氣候。」

地球人碎步移動，鞋子濺起剛形成的泥巴。

「我發現你最近花更多時間待在博阿維斯塔。」

「我們不喜歡千里迢迢跑來見你的感覺。」莫尼克．柏廷說。

「你們隨時都能透過托基尼奧聯絡我。」盧卡斯說。地球人跟盧卡斯都很清楚一點：博阿維斯塔的空域為柯塔家私有，月球受託管理機構的監控無人機無法進入。

「砸了大錢呢，看看這些。」安塞爾默．雷耶斯說。

「確實。」盧卡斯說：「謝謝你解凍柯塔氦氣的帳戶。」

「我擔心你離開梅利迪安一段時間後，某些小事可能會被你忽略，變得不再是小事。」王永晴說。

「從來沒有人逮到月之鷹偷懶。」盧卡斯說。

「那你會安排人馬掃蕩上城區的小偷和犯罪者吧，這些人的存在踐踏了月球受託管理機構的威嚴。」王永晴說。

「聽說他們打造了一個驚人的配水系統。」盧卡斯說。

「偷竊資源，會使道德淪喪。」莫尼克．柏廷說。

「不老實的人得到獎賞。」安塞爾默．雷耶斯說。

「這會種下不和諧的種子。」王永晴說。

「他們的防衛能力很強。」盧卡斯說：「我聽過刀子傑克這人，很響亮的名號。」

「小偷，殺人犯。」王永晴說：「契約傭兵。」

「你們之前送上去的傭兵全都粉身碎骨了。」盧卡斯說：「請原諒我如此使用譬喻意象。」

「雇用更厲害的傭兵。」莫尼克．柏廷說。

「我會這麼告知我的鐵手。」

「我們要求你親自處理。」王永晴說。

「我的鐵手已經在梅利迪安了。」盧卡斯說：「還有什麼事嗎？」

安塞爾默・雷耶斯準備開口時，盧卡斯轉過身去了。他的保全護送代表團回到氣閥去。雨勢變小了，急流減弱為暴雨，再減弱成輕柔飛濺的水滴。像博阿維斯塔這麼小的生態系統，能容納的水就只有這麼多。盧卡斯的臉仰向雨水，水滴沉重而飽滿。水流下他的臉、脖子、胸口。雨，多麼奇怪的事物。他很高興能和其他人共度這無法再現的一刻。

他恨死那些社交聚會了。每兩天就會有一個需要月之鷹到場的接待會、盛宴、派對或慶祝會，每兩天就會有一些貿易代表團、代理人、學術或社交界的大人物冒出來。他們總是在請命，在哄他，總是有求於他。大家的總是問個沒完沒了。

「話說是誰的派對？」盧卡斯問托基尼奧。

你的，托基尼奧回答。

「我生日嗎？」

不，是艾莉西亞的生日。

「我晚點向她道歉。」

盧卡斯的社交行程祕書已經預訂了獵戶座中心的一系列套房，房間連通迴廊與露台。開花的爬藤如幕，為賓客遮住令人暈眩的遠景，而有些賓客還比那片風景懾人。流水嘩啦嘩啦響，一組巴莎諾瓦三重奏演奏著輕柔的哀歌。盧卡斯望穿一層層社交名流、月球受託管理機構人員與商務人士，發現了艾莉西亞的蹤影。她邀了新朋友來，就是她在聖奧爾嘉認識的，有阿沙默和沃隆佐夫血統的女孩。她當然是個間諜，每個人都是間諜。兩人穿著幾乎可說是成對、但又不算真的成對的晚禮服，引來眾多目光和讚賞之詞。兩人手中拿著馬丁尼酒杯，藍月又欣然回歸了。喝它可以表達愛國心或諷刺。

「請原諒我。」

月之鷹來了，簇擁在艾莉西亞身旁的祝賀者、諂媚者和間諜讓出了一條路。

「恭喜妳。」

「你忘了，不是嗎？」艾莉西亞低聲說。

「我忘了。」

「順帶一提，我二十八了。」艾莉西亞說，盧卡斯在同一時間晃到下一個社交軌道上。有人碰了亞曼達．陽的手一下，她從她的小圈圈抽身。盧卡斯以枴杖撥開一片香甜的木槿，帶她來到露台。太陽線已變得昏暗，呈現靛藍色，每一道緩慢移動的光線都輕柔如飛塵。梅利迪安的黃昏。

「嗯，我們看起來像一對蠢蛋。」盧卡斯說。

「是我看起來像蠢蛋，你不在場。」

「維果．奎若嘉勸我不要去。」

「很好的建議。你妹電爆我了。」

「她電爆了我們兩個。聽說那個阿沙默小妹妹的扈衛擺平了妳的無人機。」

「她從來沒碰過真正的危險。」亞曼達．陽說：「只要她姑姑還是大酋長，那孩子就死不了。我們想知道她會如何反應。」

「看來反應還不錯。」

「聽說路卡辛侯從科里奧利傳來的助興影像沒提到妳。」盧卡斯說：「但他向我打了招呼。」

「確實。」亞曼達說：「但他並不在這，對吧？」

「那只是預審。」盧卡斯說：「我們要打長期戰。妳可以在梅利迪安待一陣子，我有事要請妳做。」

「請我幫忙嗎？盧卡斯。」

「並不是，柯塔不欠人情。我們或許可以談個生意。我需要一個程式設計師——現在還有人用『駭客』這個字嗎？」

「還有。」

「我媽曾經在坩鍋的鏡子控制系統內埋了一段程式碼，為存亡關頭預留一手。我要向她看齊。」

「你要怎麼做？」

「一萬五千具地球戰鬥機器人。」

亞曼達．陽微笑。

「這是結盟宣告嗎？盧卡斯。」

「我只是要提防逆境。」

「我不會免費幫你做工。」

「儘管開價。」

「我要見他，盧卡斯。」

「我無法阻止妳。」

「我要派家族裡的人住到科里奧利。」

「妳的大使？」

「一言為定？」

「一言為定。」

「那你的機器人也搞定了。」

他輕輕點頭，聚縮手指做出柯塔式的行禮，接著輪到公務和社交名流召喚月之鷹了。

「阿沙默女士。」

亞別娜向她的客人說聲失陪，盧卡斯帶著她到處繞，經過了那群音樂家。他搖頭晃腦，腳隨著細微的切分音擺動著。

「你喜歡這種音樂嗎？」亞別娜問。

「妳不喜歡嗎？」

「我認為喜歡自己不了解的事物很做作。」

「我就喜歡我不了解的爵士樂，那是對我全然陌生的音樂世界。我了解它的一小部分，跟我心愛的巴莎諾瓦有交集的那部分，但我同時也向自己承認，有些部分我並不理解。於是我決定教自己欣賞爵士樂——爵士樂的某個細小分支。在聖彼得與保羅號上的那十一個月，我只能學到一些皮毛。」

「值得嗎？」

「我又回頭嘍，回頭聽巴莎諾瓦。我的法務人員說妳有一些優秀律師的特質，妳影響法庭的方式很高明。」

亞別娜．阿沙默通情達理，知道這時該露出尷尬的表情。

「謝謝你，柯塔先生。」

「我因此非常想會一會妳，阿沙默小姐。」

「了解自己的敵人？」

「妳不是我的敵人。妳將來有可能會是，但那樣就太遺憾了。大家是怎麼形容我們家族的？」

「盧卡斯．柯塔不知道別人怎麼形容他的家族？」

「配合我一下，阿沙默小姐。」

「柯塔像刀一樣割人。」

「家務事最好由自家人處理。」

「柯塔先生。」亞別娜說話的同時，盧卡斯已聚縮手指，表示告辭。「請原諒我有話直說。只要你還是月之鷹，路卡辛侯永遠不會安全。」

盧卡斯繞著樂團走，暫停下來欣賞〈十字架前〉那令人心碎的一系列小七和弦，最後來到一群月球受託管理機構官員當中。那幾張臉他先前才在博阿維斯塔見過，罩著雨衣，表情陰鬱。今天一樣做窮酸的商務人士打扮。當中只有一個人在喝酒，一個法國女人。

「那是我發明的琴酒。」盧卡斯對莫尼克．柏廷說：「神之若望的酒譜，我請一個設計師重新調整比例。花香挺明顯的，後味極接近柏木。」

莫尼克．柏廷含糊地表示讚許。盧卡斯帶著王永晴到第二個露台去，更隱祕的一個。對地球人而言，梅利迪安的垂直面與景觀的透視很駭人，而根據盧卡斯的調查，王女士有懼高症。

「我們非常苦惱，柯塔先生。我們這次又花大錢雇傭兵，還派機器人支援，卻無法擺平刀子傑克那群暴民。」

「城市高層的每一個死角和裂縫，他們都摸得一清二楚。」

「有人向他們洩密。」王女士死命黏在露台後方，待在窗邊。盧卡斯坐在欄杆上。「是你辦公室的人？」

「組織忠誠對我們來說是陌生的概念。我們只把家人、契約、愛人放在心上。」

「是你嗎？」

盧卡斯冷冷地瞪著王永晴，直到她別開視線。

「妳知道這個刀子傑克是誰嗎？丹尼．馬肯齊。你認為我會幫助馬肯齊金屬的後裔？我會願意為他們動一根手指？」

「失去繼承權的那個兒子。」

「要對付丹尼．馬肯齊很容易，提高空氣價格就行了。我之前不知道在哪裡讀到一篇文章，說中國把強盛的帝國建立在獨占水資源上。呼吸是比飲水更為根本的動因。」

「關於中國的學問都是一種東方主義。」王永晴說：「不過當中的情操值得敬佩。」

盧卡斯叫了一個僕人過來，送上新鮮、冰涼的馬丁尼。王永晴揮手打發掉他。「我們同意立刻調高四大元素基本價格，希望上城區的問題能迎刃而解。」

王永晴朝門口以及同伴所在的安全之地走去，但盧卡斯賞了她回馬槍。

「聽說鄧肯．馬肯齊最近和VTO董事會頻繁接觸。」

「就我們所知，他們是要簽約買賣坩鍋的替代品。」王永晴說。

「妳的情報過時了，那筆訂單已取消。」

她很行。他剛剛等於在告訴她：你們器重的沃隆佐夫不值得信賴。她聽了卻沒表露出半點驚訝，沒洩漏任何情緒。不過她受到撼動了，去向妳的密友報告這個消息吧。

樂團休息了，盧卡斯跟著團長前往酒吧。

「你的和弦行進真是巧妙。」盧卡斯說。荷西倚著吧台，盧卡斯則背靠著它。兩人都把彼此放在自己的知覺邊緣，視線角落。「你簡化了我先前聽到的那個版本。」

「上次你聽我演奏時，你在俱樂部裡塞滿了柯塔家的傻子。」荷西說。

「這次還是一樣。」盧卡斯說，他切換成葡萄牙文，「我很希望你來。」

「傑米和莎賓娜要我拒絕你，我差點就照辦了。」

「但你還是來了。」

酒保放了一個酒杯到發光的吧台上，滑了過來。荷西看著它，彷彿那是一杯毒藥。

「我重新調整了卡夏莎的酒譜。」

「我要老實說……」

「你從來就不喜歡卡夏莎。」

「你不擅長調卡夏莎。」

酒保倒了一杯純琴酒。荷西啜飲一口，歪嘴微笑，他想起來了。

「不過你的琴酒很好。謝謝你注意到，我是說和弦行進的部分。我已經明白一個道理了，人要用『簡』來馭『繁』。我花了很長時間才明白這個道理，同時明白自己身為單身者，在吉他裡放入太多要素了。在這種關頭，人才會找到自己獨有的嗓音，獨有的吉他奏法。我一直在等你來找我。」

「我考慮過要去南后聽你演出。」

「結果你發出了國王詔令。你是這房間內唯一留意演出的人。你看起來糟透了，我的甜心。」

盧卡斯躍上一張酒吧凳。

「我每天都越來越好轉了，一點一點地好轉。我總是這樣告訴自己，但我在從地球升空的過程中受了一些身體損傷，不會痊癒的深層傷害。他們說地球會殺了我，沒錯，只是我不會當場死亡。」

鼓手和大提琴手回到樂器旁了，他們開始調音、演奏重複樂段，使彈跳的音符碰撞彼此。

「我得回去了。」荷西說。

「當然了，當然。荷西，你們收工後，你……」

「都結束了，盧卡斯。如果你記得，是你畫下句點的。」

「只是喝一杯，就這樣。找個安靜的地方，我能找到的最安靜的地方。」

樂手望過來了。

他再次露出痛苦的淺笑。

「好吧，就喝個一杯。」

「荷西，我想點歌。你們能不能演奏……」

「〈三月水〉？」

「是的。」亞德里安娜的最後，她曾在最後關頭說要聽它。播它，再播一次，盧卡斯。他轉身去拿她的咖啡（咖啡配巴莎諾瓦），然後她就走了。

「永遠樂意演奏〈三月水〉。」

盧卡斯坐在吧台邊聽荷西調音，聽他融入其他樂手的旋律中。頭一點，他們正式開始下半場了。

盧卡斯聽到複奏的段子，然後痛苦地把自己從凳子上拉起來，忙他在派對上該忙的事去了。

酒保調整酒吧照明，好讓盧卡斯和荷西在一圈柔和的金光中對飲。兩人坐在角落位置，各靠著一面牆。老闆就愛使這些戲劇性的小花招，服務生成了殺雞的牛刀，而且顯得忙亂。

「咖啡店還在。」盧卡斯說：「費尼希斯迪摩賴斯[7]街，四十九號，就在轉角。你可以付額外費用，坐到他寫出那首歌的窗邊桌。她去世很久了，不過據說她的家人還住在伊帕內瑪。」

「你進去了嗎？」

「沒有，我怕現實不如傳奇精彩。」盧卡斯說。

「我可以理解。」

「心中的巴西永遠比現實的那個完美。」

酒保送上兩杯剛調好的柯塔琴酒，冰涼的酒杯上方有煙霧繚繞。

「地球人來的時候，我恨死你了。」荷西說：「那些該死的機器人，盯著每個人的眼睛看，登入所有靈魂。南后從來就不是支持柯塔家的地方，現在它更是恨你了。」

「恨我很合理。」盧卡斯說：「我做了一些糟糕的事，荷西。醜惡的事。坩鍋……」

「大家都知道。」

「大家都懷疑。沒人知道，因為沒人想知道。做了這件事後，我希望的，我想獲取的，都離我更遠了。」

荷西握住盧卡斯發抖的手。酒吧的照明落在兩人交扣的手指間，鍍上一片光。

「我把他們全都帶到這裡來了，友軍、敵人、競爭對手、愛人。我們喝我們的琴酒，玩五龍的遊戲，沒有人抬頭看一眼天空，看是什麼遮蔽了天空。亞曼達問我們柯塔家要什麼，真正想要的是什麼。我說家人擺第一，家族永遠是最重要的，但她想問的不是這個。她問的是遠景。陽家有遠景，沃隆佐夫家有遠景，馬肯齊一直支持獨立運動。沒人知道阿沙默家想做什麼，但他們也有遠景。當時我無法回答亞曼達，我想我現在可以了。我媽和現主姊妹會走得非常近，她會去她們那裡雇用教母，還資助她們，她在哈德利和神之若望打造了修女之家。在她生命的最後幾個月，聖母奧敦拉成為她的告解對象。現主姊妹會在帶著路卡辛侯撤離神之若望的途中遭到殲滅了。」

「馬肯齊大屠殺。」荷西說。

「大家是這麼說的嗎？」

「南后人是這麼說的。」荷西伸出一根手指，表示他要再來一杯酒。

「我沒時間理睬他們的神祇，不過吸引我媽的東西往往也會吸引我。這世界是個實驗室，人類在這裡進行文化、社會、哲學的實驗，任何新政治、新宗教，或是能撐到世界末日的新制度。地球正在瓦解，我親眼見證了。地球逐漸走向死亡和衰敗。所有人類文化都可能遭到新意識形態的洗劫、焚燒和搗毀，他們不尊敬自己的世界。而我們，我們若犯下一個錯誤，月球夫人就會殺了我們。因此我們尊敬她。我們知道自己有多脆弱，沒道理無法在這個世界建立萬年盛世。這就是聖母奧敦拉的遠景：一個能夠存在萬年，不會分崩離析的社會，比任何人類文明長壽兩倍的社會。我死後，月球會是什麼樣子？我的第五百代子孫死後，月球會是什麼樣子？我不知道。但到時候會有某個制度存在，更大、更聰明、非常非常古老的制度。存續性，荷西。你明白嗎？

「我擔憂未來，荷西。我擔憂地球，現在我擔憂我們的世界。我擔心我兒子，每一天每一秒都擔心他。我發誓要保護他，但我怕我正在摧毀他。

「接著，我的敵人們對我說，我必須做決定。我必須選擇同盟。我很怕，因為我怕我會毀了一切。」

7　巴西國寶級巴莎諾瓦樂手。

「你有哪些選項？」

盧卡斯仰頭。

「沒人問過我這個問題。」

荷西握緊他的手。

「所以選項是什麼？」

「權力，我家人的安全，或一個新的月球。」

「聽起來彼此相斥。」荷西說。

「你恐怕說對了。」盧卡斯說。

「那就簡化問題。」荷西說：「選你有辦法實現的。」

「我知道我想要什麼。」盧卡斯說：「問題是，我想我得放棄一切才能得到它。」

「那就簡單了。」荷西鬆開盧卡斯的手，輕拍他的胸口，「聆聽你的心聲，我的甜心。」

「但我好害怕。」

「哎。」荷西說：「總是恐懼在礙事，四竄的恐懼。」

「我怕我離開鷹巢後，月球就會瓦解。」

盧卡斯舉起一根手指，向酒保打信號。

「盧卡斯，我得走了。我得回南后。」

「你沒必要走。」

「我知道我沒必要走，但我得走。」

「我需要你。」

他們的雙手在發光的吧台上相觸，手指交扣。

「我沒辦法奉陪，盧卡斯。你的人生會把我變成一個囚犯。保全人員緊跟在我身後，我永遠得擔心別人利用我愛的人對付我。你是個美男子，但你的世界有毒。」

「我沒辦法打電話……」

「不，我們之間不能有任何關係。這是我們相聚的第一晚，也是最後一晚。」

「那就吻我。」

「好。」荷西說：「好，我會的。」

之後他拿起吉他。兩個男人綁手綁腳地擁抱，都只用一隻手。

「盧卡斯，你的恐懼是這樣的。你怕，只是因為你以為自己孤立無援。」

最後只剩酒保以及盧卡斯．柯塔在發光的吧台邊了。更遠處還有他的保全，像天使一樣行蹤隱匿，無所不在。

房間很溫暖，米色家具擺得很舒適，牆上還掛著裱框的複製畫。這是個死亡陷阱。中性人維迪亞．拉歐氣喘吁吁地坐在上等軟墊椅上，眨眼，目眩，恐慌。他得跑掉，得逃走，非得採取一些行動不可。上千個想望和念頭像昆蟲一樣成群飛行，但他卻動彈不得。

不久前，拉歐深入三皇的超現實網路中，疲憊地背負著他們想像出的可能未來，並小心翼翼地鑿挖出一些鑲嵌物，這些蛛絲馬跡可能會是顯影出他先前沒看過的馬賽克圖案。有線索應該就夠了，但對維迪亞．拉歐來說並不夠，永遠不夠。他一再反覆連上三皇：一九五〇年代古奇峰的飛碟餐廳，所有人都是穿溜冰鞋的火星人；惡魔造型嘉年華會氣球組成的宇宙；二〇二〇年代的黃金海岸日出派對；只用抑揚格押韻對句說話的印度眾神。他每次都會發現更多馬賽克圖案的碎片。讚嘆轉為恐懼，轉為驚駭。他得看更多，得知道更多。最後他感覺到一股震動，神經的觸動，極細微的警報響起了，只有在三皇翻攪的現實萬花筒中待上好幾天的人才會注意到。保全系統啟動了，懷塔克里．戈達德知道他看到什麼了。

懷塔克里．戈達德知情後，地球人也會知情。

他得離開。離開這房間，離開梅利迪安的月人社據點。

他站在露台，胸口激烈起伏，一個身穿紗麗服的臃腫中性人。他必須動作快，但他從來不知道該如何辦到。

別往那，有個聲音在拉歐耳中說，鏡片中的某個維修出口亮起了。**這裡**。

他重重甩上維修通道門。下樓下到一半，他為俱樂部內傳出的激烈金屬碰撞聲停下腳步。又來了，這次更近，然後又來了。他從未聽過那樣的聲音。

無人機發射的小鋼矛，那聲音說，**無人機還在建築物內**。

持續不斷的、流星般的碰撞聲。

標準配置是四發。

維迪亞．拉歐痛苦又蹣跚地前進，來到通往維修人員專用小巷的門邊。

一輛三輪摩托將在四十秒後到達。

「你是誰？」維迪亞．拉歐拉開門時說：「你不是我的副靈，我沒叫三輪摩托。」他走進巷子，原始岩層開鑿出的黑暗洞穴。

回到大樓裡。

「告訴我你是誰。」維迪亞．拉歐命令對方。

立刻退回去！

維迪亞．拉歐看到光、動作、質量，踉蹌地尋求掩護。三輪摩托加速撞入維修通道的後牆，被衝擊力彈飛的他滾了好幾圈。

三輪摩托被駭了。

維迪亞．拉歐麻木地盯著車子的殘骸。路被封死了。拉歐想像自己爬過碎裂的鋁和碳。回頭，走。他在樓梯的第三個轉角氣喘吁吁。

「啟動懷塔克里．戈達德個人保安協定。」

試圖殺你的懷塔克里．戈達德，那聲音說。

維迪亞．拉歐扭開維修通道門。月人社的上一樓是超現實的噩夢，地板到處插滿毒箭。上萬支尖刺的死刑。樓梯口有一具屍體，維迪亞．拉歐壓下暈眩感，從壯烈身亡的屍體旁擠過去，小心不去碰到布滿釘子的牆壁。

「你就是他們，對吧？」維迪亞．拉歐在綿延不斷的樓梯上挺進，同時問。月人社成了破碎的殘骸，桌椅翻覆，匆忙逃亡者丟下飲料和手提包。一隻高跟鞋掉在大廳中央。

我是三皇的其中一個面向，那聲音說，**我代表太陽企業**。

「我的感覺果然沒錯，介面裡另有其他人在。」維迪亞．拉歐跌跌撞撞地來到街上，救護無人機從陸路和空路抵達，他穿梭其中，並不斷向圍觀者道歉借過。

我一直在監控你在介面中的活動，那聲音說，**我們也對一件事感興趣……那就是懷塔克里．戈達德和地球人都試圖殺你。趴下！**

維迪亞・拉歐死命往前仆。碎片喀啦響，肌肉撕裂。一道陰影落在拉歐身上，突然的強風轟來。一道金光閃過，爆音灌滿他的耳朵。一雙雙手攙扶維迪亞・拉歐起身，他吸的每口氣都像攙著玻璃。獵戶座方樓深淵之上，巨大的翅膀搏動著。他轉向一旁再度和飛行者擦肩而過，對方的面罩閃過一道光。兩隻手都握著長刀：翅膀尖端的骨頭。

你現在是太陽企業的庇護對象，保全人員大約在二十秒後抵達，那聲音說。

飛行者收起翅膀，做出殺意十足的俯衝，突然又飛高了。她四周的空氣彷彿在沸騰。她奮力振翅蛇行，想避開灼熱的空氣，但那空氣不斷跟著她，宛如一窩吸血的黑色灰塵。維迪亞・拉歐在她臉上看到恐懼。下一刻，她的翅膀解體，化為一堆擺振的薄膜了。骨刀劃過空氣，她絕望、無助地試圖以爪子抓握東西。街上傳來尖叫和驚呼。女人的手腳像風車一樣轉著，身體落向加格林大道。沸騰的空氣像雲朵般橫過街道上空，停在維迪亞・拉歐頭上，儼然是個冒煙的光圈。

保全就位了，那聲音說，**你可以叫我陽女士**。

「請退後。」維迪亞・拉歐對觀望者大喊，「我的保全雲會攻擊任何它無法辨識的人員。」群眾不需要警告就閃得遠遠的了。一輛三輪摩托到場，敞開了，微型無人機湧入其中。

這輛車沒問題，陽女士說。車子全速駛離，加速度把維迪亞・拉歐甩到座位上。他瞥了一眼身後，懷疑獲得了印證——另一輛三輪摩托跟在後頭，閃避、穿梭的動作跟他的交通工具完全同步。

懷塔克里・戈達德正利用系統預測你的動作，陽女士說，**它的預測正確度有百分之五十，而且最多可預視你三分鐘後的未來。那大大擴充了他們的「現在」之範圍。一分鐘後的精準度為百分之六十，三十秒後的精準度為百分之九十。**

「但你們是同樣的系統。」維迪亞・拉歐說。

我是太陽企業在三皇系統開的後門程式介面上的次要人工智慧，陽女士說，我用來進行預測模擬的容量是有限的。

「你是陽夫人本人嗎？」維迪亞．拉歐問。

當然不是。

「你很像她。」

謝謝你。陽夫人是太陽介面的主要使用者，因此我以她為模擬對象。

「說你像可不一定是恭維。」

我知道。小心緊急煞車。三輪摩托猛力煞車，維迪亞．拉歐往前滾。保全機器人像油一樣洶湧地冒了出來。三輪摩托一百八十度掉頭，維迪亞．拉歐被甩向一旁。它閃過了追兵，迫使對方煞車、轉向，不過維迪亞．拉歐的手伸向握把時，摩托再度轉向開上五十三樓北橋。

五十一樓下坡有個路障，陽女士說。五十三樓北橋不是為車輛設計的。三輪摩托飛馳在狹窄的施工碳片上，距離扶手只有幾毫米。任何走在橋上的人都只有死路一條。維迪亞．拉歐往下看，是燈火，滿布燈火的虛空。樹木頂端和加格林大道上的明亮棚子都像夢境一樣，遙遠而致命。

「我看到東邊有機器逼近中。」維迪亞．拉歐說。

他們無法及時趕上，我的信心率是百分之六十，陽女士說。三輛遭駭的三輪摩托加入追逐戰了，維迪亞．拉歐回頭望了好一段時間。其中兩輛是空的，從原本的停車處開過來，不過駭客困住了第三輛車裡的一群小孩。

繞道前往五十樓南貨梯，陽女士說話的同時轉彎下坡，連下三層樓。遭駭的車輛守在通往加格林大道的主要下坡出口前。

追兵消失了，維迪亞·拉歐祈禱孩子們平安無事。

電梯的速度使維迪亞·拉歐閉上眼睛。他感覺到微小的垂直移動時睜開眼，三輪摩托沿著獵戶座方樓東牆平順地下降。

懷塔克里·戈達德在三分鐘內發現我連上你副靈的可能性高達百分之七十二，陽女士說。**無可避免地，我們彼此都會試圖完全預測對方的行動。**

預言家追殺預言家，穿過一系列瞬息萬變、名為「可能很快就會」的迴廊。

一個黑色物體突然冒出，逼近。接著是可怕的撞擊，晃動。一輛送貨板車從上升平台落向下降平台，在平台允許範圍內退後幾公分，再衝撞三輪摩托。塑料碎裂，飛濺。維迪亞·拉歐叫出聲來。板車再度倒退，撞過來，一公分又一公分地將摩托推向深淵。

我無法避開駭客的追擊，陽女士說。對方又撞了一次，摩托又朝高空墜落的命運移動了幾根頭髮的距離。**我打算在下一層樓駛離，但是……**

「地球人已經預測到了。」

對，已經有人馬去封鎖出口了。

顫抖。啪啦，嘎吱。

「開門，陽女士。」

又一次撞擊。球形的塑膠座艙布滿裂痕，宛如碎冰。

我不建議……

「開一小縫就好。」

花瓣綻開了。維迪亞·拉歐的保全機器人像液體般灌出細縫，化為繚繞的煙霧，然後圈住狂爆的板車，攻擊它的接縫和嵌板。電線斷裂，接合點噴出液壓系統的液體。板車萎縮，試圖前進，繞圈，接著就不再動了。保全無人機從它的內腔和裂縫竄出，宛如黑沙，接著又從電梯平台的金屬網目間瀉下。

保全雲沒電了，陽女士說，**我已簽約雇了傭兵，他們會在第十五樓跟我們會合，護送我們前往獵戶座中心。**

「車站有敵方人馬？」

彈運站也有。我們都不會去搭。

維迪亞．拉歐往下瞄，看到幾個穿戰鬥裝甲的人影守在坡道，是傭兵。電梯通過十五樓時，戰士們毫不費力地盪到電梯平台上。

「你還好嗎？」其中一個人用澳洲腔地語對著半開的球形座艙呼喊。

「我很好。」維迪亞．拉歐說。他不認得面罩後方所有特徵：五官，嗓音。

「我們來了。」傭兵說：「希望你的胃夠耐操，過程會很折磨。」

「接下來要做什麼？」

「你要搭月環移動。」

如果他往左移動一公分，鐘就會響。迷宮一片黑暗，他什麼都看不見，但全身上下的細胞都知道鐘有可能會響。

從自己的身體探出去，他們對他說。**你身體的盡頭在哪裡？最外層皮膚？毛髮尖端？擾動毛髮尖端的氣流？讓你的身體大於自身，讓你的感官擴充自己，你就會在鐘響前聽到聲音，在觸及它前感受**

到它。

他感覺到第三個鐘了。

他從未如此深入迷宮。它的每道關卡都變得越來越窄、越來越繞，而且挑戰者失敗後，馬里亞諾．加百列．迪馬里亞就會重新調整鐘的位置。

達瑞斯滑步繞過鐘，有東西碰到了他的皮膚。輕巧、細微至極的叮一聲響起了。

「靠，靠，靠。」

燈亮了。達瑞斯站在一塊工業嵌板形成的髮夾彎上，有顆鐘和他的右肩只有間髮之距，另一顆觸碰到他的左肩。

通過迷宮不只要靠感官，還得靠推論能力，也會牽扯到情緒，洞察力。如果你最倔強的學徒在第三個鐘失敗過五次，你會把第四個設在哪裡？第三個旁邊。

達瑞斯折返迷宮入口時敲響了每一個鐘。

「好，出來吧。陽夫人想見你。」

「不公平。」

馬里亞諾．加百列．迪馬里亞朝他扔了一包衣物。

「公平，不公平。想這些就是軟弱，月球不講求公平。」

「你那樣擺鐘，根本不可能閃過去。」

「我規定你要用閃的嗎？我說過這種話嗎？我唯一的指示是，不許讓鐘響。你可以鑽過鐘，可以綁住細繩，可以割斷細繩，可以偷走鐘錘。你要是偷了就會成為一個大盜，不過閃避方法總是存在的。現在穿上衣服吧。」

達瑞斯看了一眼袋子。

「手球裝備？」

「你要去參加一場球賽。」

交通工具在石壁的壁架上等著載他。不是平常載達瑞斯來七鐘院上課的摩托，而是太陽企業的懸浮車。嘉拿多的手球賽有這麼重要？重要到得派主管級交通工具來？達瑞斯爬上階梯，進入車廂。渦輪風扇開始旋轉，升空，從尖茂塔高處的平台往下飛。車子從太陽企業自動化裝置與第一塔之間呼嘯而過，達瑞斯發出歡呼。接著懸浮車拉成水平飛行，再傾斜機身繞過皇家堡壘，沿著皇后大道筆直飛向六座塔簇擁的后冠，那像是一顆粉蠟筆畫的蛋。

「我們可以再繞一圈嗎？」

我接到的指令是即刻帶你到老佛爺那裡，懸浮車說。不過它停到售票亭外的整齊草地時，吸引了許多目擊者的眼光。陽夫人派了兩個體面的隨從帶著達瑞斯快速穿過每一支隊伍、每一個旋轉門、踏上每一階樓梯、穿過每一群人，來到只為自家人敞開的門前，裡頭是家族包廂：在球場中層，高到所有動靜都不會漏看，但又不會高過頭，導致陽家人無法拋球開場。

陽知遠，陽黨信，傑登·溫·陽，陽立秋和陽將贏。陽夫人也在，痛恨手球的陽夫人。

「他來這做什麼？」陽立秋問。

「該讓他見識我們是怎麼做生意的，這很重要。」陽夫人說。

「他不是……」陽將贏說。

「基因學會否定你的看法。」陽夫人說。

「衣服很棒。」傑登·溫·陽說。達瑞斯尷尬地拉了一下太陽虎隊新球季球衣的下襬。「我們可以繼續了嗎？我還有球賽。」

「公司正面臨威脅。」陽夫人說：「我最近向三皇請益。」

「巫毒。」陽立秋說。

「沒想到我在那裡遇到了維迪亞．拉歐。」

「經濟學家，懷塔克里戈達德銀行顧問，月人社和白兔閣的成員。」陽知遠向達瑞斯解釋。「同時也是交易所的倡議者。」

陽夫人說：「地球人為此砸了大把鈔票。我對維迪亞．拉歐注意到的事也很感興趣。」

「維迪亞．拉歐搭月環逃離了梅利迪安。」傑登．陽說：「過程還挺精彩的。無人機，三輪摩托追逐戰，有的沒的。還有一個飛天刺客。」

「我知道。」陽夫人說：「我幫了他一把。」

嘉拿多的球團主包廂裡的所有人陷入困惑。

「他發現了什麼？」陽黨信問。

「我不知道，我只知道他花了很多時間跟三皇耗。」陽夫人說。

「他們告訴他什麼，導致地球人試圖在梅利迪安的大街上刺殺他？」陽將贏問。

「我們要是問三皇，懷塔克里．戈達德就會發現我們的行蹤，地球人也會知情。不可能避免。不過我問了三皇另一個問題：月球交易所對太陽企業有什麼潛在威脅？他們要太陽環。根據三皇的預測，地球在十八個月內掌控太陽環，用以支撐他們金融市場的機率高達百分之八十七。」

嘉拿多球團主包廂內的所有人都震驚了。

「如果我們在地球人開始營運交易所前傳輸電力……」陽知遠說。

「我們就能獲得市場。」陽黨信說：「一個獨立的市場。」

「我們實際上可以提供一年免費的電力。」知遠說。

「海洛因藥頭的戰略。」陽黨信說。

「有個問題。」傑登．陽指著上方，嘉拿多的圓頂之上，南后的屋頂之上。「我們需要傳輸衛星。」

「我來跟艾夫根尼．沃隆佐夫談談。」知遠說。「我同時要求即刻啟動太陽環，讓地球人知道我們已準備好做生意。」

「這是董事會決議。」陽夫人說。

「這房間裡的人未達法定最低出席人數。」陽黨信說。

「年長者特權是有益處的。」陽夫人說：「金融、政治、社會危機發生，威脅太陽企業之存續時，資深董事有權指派董事會成員。我提名達瑞斯．馬肯齊—陽為太陽董事會成員。」

眾人面面相覷，緩緩點頭。包廂外，球場主持人正以連珠炮式的呼叫和觀眾互動，炒熱氣氛。音樂震耳欲聾，場內響起一大片歡呼。

「我作證。」傑登．溫．陽說。

外頭的觀眾掀起一波波歡呼聲，席捲每一排座位。

「我附議。」知遠說。

「我作證。」黨信說。

「那麼，包廂裡的人就達到最低法定人數了。」陽夫人說：「我提議立刻啟動太陽環，與VTO和地球能源供應商展開公開協商。同意者請舉手。」

手舉了起來，還有含糊不清的「贊成」。

「那就通過了。」知遠說：「太陽企業決議啟動太陽環，與地球協議簽定能源供給合約。」

「嗯，如果事情搞定了，」傑登·陽說：「那我們就可以打手球了。達瑞斯，你身為新任董事，有資格開球。」

在賽事主持人的挑逗下，主場和客場球迷越來越激動。觀眾準備好了，球評準備好了，得分板、螢幕、包圍全場的無人機都準備好了。球員準備好了。傑登把球交給達瑞斯。球比他想的還小、還重，貼合他的手，他掂掂它。

「丟出去，像陽家人那樣丟。」陽夫人說。

「看著。」達瑞斯走下樓梯，來到站台。他舉起手，嘉拿多球場那一排排座位傳來的聲音淹沒了他。他伸展他的感官和肌腱。身體的盡頭在哪？握住球的手，手指的尖端，球本身的表皮，塞滿狹長橢圓形球場的三千名手球迷的皮膚。達瑞斯扔出球了，它筆直飛出去，又高又準。球員們跳起來，化為低重力下的雕像。觀眾起身，歡聲雷動。

那兩個男孩站在西奧菲勒斯的小月台上，正經又嚴肅，安妮麗絲·馬肯齊拚命忍耐，就快爆笑出聲了。

「東西都帶了嗎？」羅伯森問。

她拿起裝西塔琴的長琴盒。

「到了之後通知我們一聲。」羅伯森說。

「不只到了之後通知。」海德說：「妳在希帕提婭完成轉車後就告訴我們一聲，希帕提婭很複雜。」

「每次樂團集合時，我都會在希帕提婭轉車。」安妮麗絲說。西奧菲勒斯幾乎只等於一個大一點的氣閥，負責把列車送往主線。

「這不一樣。」羅伯森莊重地說：「你們是要去巡迴。」

他說得對。這是巡迴，不一樣。過十夜，八天演出，從梅利迪安到哈德利，從羅茲德斯文斯基到南后。她不會擔心放羅伯森一個人在家，因為他會找海德過來住，兩人會把家裡打點得很好。她是擔心華格納。他剛結束最近一次檢查任務回到家中，扒了幾口飯就滾上床了。他累癱了，說寧靜海南段很煎熬。安妮麗絲沒被騙倒。她知道他吃了藥才置身在璀璨的天空下，那熟悉的黑暗人格就要回來了。

她早起梳洗，小心翼翼打包她的西塔琴，彷彿那是一件宗教聖物。他還在睡，口齒不清地說著她和她的副靈都無法辨識的語言。狼語。他好俊美，好憔悴，好脆弱。她輕觸他，而他翻身。

「我要走了，我的甜心。」他喜歡她用葡萄牙語彙。「你繼續睡吧，你需要睡覺。我到梅利迪安時會打給你。」

他含糊地說了些什麼，睜開眼，看見她，露出微笑。她吻了他。

他身上散發出人格改變期特有的氣味。香甜，近似麝香。

她外出巡演這十天，兩個男孩會照顧他。

平滑的鋪石傳來震動，機械裝置齧合，喀，還有氣壓平衡程序的咻咻聲。接駁列車抵達了，氣閥敞開。

「你們想聽演出的話可以聽。」安妮麗絲說：「梅利迪安那場會直播。」

羅伯森和海德露出驚恐的表情。她一度考慮擁抱羅伯森，但那等於在她放下的大罪上再加上一條小罪。

外氣閥開啟了，是華格納。短褲，短袖上衣，拖鞋。一頭亂髮，眼神矇矓，看起來像昏迷的人在走路。他的人格在黑暗與光明間切換，整個人美極了。

「妳要走了。」他結巴地說：「我忘了，抱歉。」

她放下西塔琴，撲到他身上。

「你聞起來真棒。」

她咬他的耳朵，他發出咆哮。這是她記憶中的華格納．柯塔。半人半獸總比試圖不靠藥物過活、但病態如鬼魂的華格納．柯塔來得好。

安妮麗絲拿起樂器。

「好好照顧他。」

「我會的。」華格納說。

「我不是在對你說話。」

他從來不曾如此畏懼。

他很快就會到達那扇門前，而他兒子就在另一頭。他握著枴杖頭的手在發抖。

「他醒著，而且迫不及待要見你，柯塔先生。」格布雷西拉西耶醫師說。

誰醒著？誰迫不及待？醫生說的是盧卡斯．柯塔二世，路卡辛侯嗎？盧卡斯回溯記憶好一大段，才想起他最後一次見到兒子時的情景。二十個月前，在如家酒店的大廳，世紀婚禮的前一夜。臨別前他說的話：別喝醉，別嗑到茫，別搞砸。他順了順路卡辛侯西裝外套的翻領，掩飾自己的哽咽。他從來就不希望路卡辛侯和丹尼．馬肯齊結婚。強納森．阿猶德以這段王朝聯姻為傲，認為這能為長達半世紀的世仇畫下句點。耀眼的男孩！強納森始終是馬肯齊金屬的玩物。月之鷹尖叫而亡，在兩公里空域灑下他的屎尿，但阿德里安死時雙手都拿著染血的刀。沒人可以衝著姓馬肯齊的人叫「懦夫」。

於是耀眼男孩們走到了這一步：其中一個不怕死的叛逆小子在世界屋頂盪來盪去，令一個化為真空吸乾的空殼，靠注射記憶來重建記憶。

所有想法同時湧上，使他的手遲疑地懸在門把上方。回憶流動的速度有多快？

「妳在瞪什麼？」他對一旁的露娜說。她皺著眉頭，表情凶惡。她那張白色臉孔的駭人程度不及她肉色那張的一半。**路卡辛侯都是為了你才採取那些行動，我不原諒你。原諒是基督徒的概念，我不是基督徒。**「妳待在這。」

「不要試探他。」露娜下令。

盧卡斯走進房間。

這是繼他吸入真空以來，盧卡斯第二次在醫院和他碰面。盧卡斯為此想了一句俏皮話，但它蒸發了。盧卡斯．柯塔欣喜若狂，盧卡斯．柯塔嚇破了膽子。躺在床上的男孩好小，好枯瘦。不過他的骨架很棒，總是很棒。他看見他了嗎？他有視力嗎？長著他半張嘴、半隻眼睛、半張臉的小盧卡斯。

「對不起。」路卡辛侯說。

盧卡斯．柯塔勉強走到椅子那裡，握住兒子的手，癱坐下來。他胸口激烈起伏，呼吸急促無力，不敢開口，因為一個字的重量就足以壓碎一切，吞下苦楚、嚴以律己、抑制、操控自我的這段歲月將會粉碎他。

拉法是金童，盧卡斯是暗影，心中有愛、有謀略，是健談者，是鬥士。也是狼。

「別這樣……」

盧卡斯緊緊抓著兒子的手，幾乎使人疼痛。

「對不起。」

我們正透過其他人的記憶重建他的自我，格布雷西拉西耶醫師說。網路，家人，朋友，愛人。

「你知道我是誰嗎？」盧卡斯說。

「你是盧卡斯．柯塔，我爸。我媽是亞曼達．陽，我的教母是弗拉維亞。」路卡辛侯說得很慢，費盡全身的力氣。「亞曼達來見我了，所以你也來了？」

盧卡斯岔開話題，不去談他的前妻以及他們兩人達成的協議。程式已經寫好了，接下來只剩感染、擴散，在一部又一部機器人之間傳開。傳遍一萬五千部機器人所需時間應該不到三十秒。

把注意力放在現下，否則你根本不算是為他而來的。搭五個小時的列車繞過月球的腰，你還在評估交易、擬定策略，判斷誰能信任、誰信不得。「你還記得自己以前住哪嗎？」盧卡斯說。

「有很多大臉的地方，水氣潮溼，有綠意，很溫暖。博阿維斯塔。」

「你還記得我不常待在博阿維斯塔嗎？我住在神之若望，那是我們的另一個據點。」

「神之若望。」盧卡斯看得出來，他兒子正拚命將那名字跟它代表的細節連結起來。路卡辛侯露出喜色，「很臭的地方！」盧卡斯大笑。

「對，很臭！但我接下來得回博阿維斯塔，我有工作要做。我要在裡頭放一大堆生物。等你準備好之後，你也可以住在那裡。」

盧卡斯知道旁人在看，隔牆有耳。路卡辛侯的醫療團隊，本設施的人，懷著鬼胎的大學，還有勇士學者守在這裡。他妹，在一段距離外盯著。**幫助他回想過去，他們這樣對盧卡斯說，不要帶他前進，不要給他什麼保證。**

如今盧卡斯見證了療程，明白兒子身上發生了什麼事，而理解又催生了疑慮。誰控制記憶？誰決定讓某記憶進入前景、將某記憶壓回深淵？注入路卡辛侯大腦的又到底是什麼？除了糟糕的空氣品質，路卡辛侯想不起神之若望的其他細節。盧卡斯是個缺席的父親，和他距離遙遠。構成他童年的記憶來自教母，柯塔式的做法。盧卡斯不時會想到艾莉西亞，想到她在充滿糾葛又破爛的生活環境中成長，受他者包圍。現在他想到自己的兒子，他在石像臉孔下度過的孤寂童年。難怪他會想品嘗世界以及他人所能提供的一切，難怪他一有機會就要逃到耀眼的光線下。

男孩很快就累了。他的注意力下降，運動控制鬆懈了。他的話語糊成一團，視線無法聚焦。該走了。

「兒子。」

盧卡斯擁抱這具皮囊和肋骨組成的風箏。他打開病房門的同時，機械的治癒之手從地板、牆面、天花板伸了出來，擁抱路卡辛侯，觸碰他，照料他。改寫他的生命。

地球蔚藍，朝風暴洋灑下大片柔和光芒。月球夜，城市的萬家燈火閃耀著，還有火花閃過高空的黑暗——是月環乘客艙、彈運艙、稀有而珍貴的太空船。一把光矛一閃而過，是駛向世界遠端的特快車，列車兩側各有一條比鐵軌還寬的光滑帶子，純黑色的，是太陽企業工程師燒結、加味、埋下的月壤。這太陽環的長度已達月球赤道的八成，機器與玻璃工不分日夜地工作，拓展這條黑色的帶子，使其橫越遠端月面綿延不斷的山脈與隕石坑。太陽企業法律團隊則與大學協商簽訂通過合約，後者並不希望他們研究的原始月球地景遭受工業與利益的掠奪。

如今坩鍋已成為風暴洋上的爐渣，因此太陽環成了地月兩界最大的人造物。它是太陽能電池拼成的一條緞帶，寬一百公里，長九千公里，在夜晚蔚為奇觀：它倒映天空，宛如綴滿星子的黑色深淵。星星，還有遠方的藍色地球。太陽環實在太巨大了，就連黯淡的地球光都能產生一百兆瓦的電力。在陽光下，太陽環會甦醒過來。它在地球上可用肉眼觀測。這條黑色帶子隔開月球，彷彿區分出兩個大腦半球。它已沉睡了兩年，如今恆光宮傳來指令。埋在地底的處理晶片發熱，開始執行開機程序。一排排太陽能電池啟動了，月球規模的能源輸送網一區、一區地甦醒過來。太陽企業的變電所測量並變換電壓。七十艾焦的電力灌入太陽企業的網絡，太陽環活過來了。月球天空中的太陽永遠不會移動，不過新能源迎來了日出。

15

「我看到一個奇蹟，接著看到一個恐怖的可能性。我以為我認識眼前這個人，但我其實不認識。我以為他們正在拼湊他，將一塊一塊記憶連結起來，但那些不是他的記憶。是他人的記憶，他在社群網站上的人格，他交給機器的部分記憶。我們是這些東西的總和嗎？是別人記憶中的我們的總和嗎？」

「你遲到了，」克林馨對芬恩．華恩說：「他很火大。」

克林馨對馬肯齊氨氣第一刃衛說過的話不多，這差不多就是全部了。

布萊斯．馬肯齊站在窗邊，只穿著一件三角褲，沐浴在雷射光中。閃爍的紅色光束蓋在他一層又一層的肉上，脂肪彷彿像岩漿一樣從他的毛孔中噴發而出；下垂的脂肪組織聚攏他的大腿，以及鬆垂、沉甸甸的胸部。

「你遲到了。」布萊斯．馬肯齊說。

「我知道他們在做什麼。」芬恩．華恩說。他張望房間內其他董事：賈米．赫南德茲—馬肯齊，羅文．佐法伊格—馬肯齊，再到阿馮索．佩瑞茲特喬。自從太陽企業啟動太陽環後，政治謠言就像瘟疫一樣在月球上傳開。陽家只會在受到逼迫時草率啟動一項計畫。「我在恆光宮裡有些人馬。」

「誰？」布萊斯聳肩，肉像液體般波動。穿三角褲一點必要也沒有，他的生殖器官幾乎都被一片片肉蓋住了。雷射光熄滅，機器人回到儲放處。

「我若報上他們的名字，他們會有危險。」芬恩．華恩說：「他們跟董事走得很近。他們說太陽的地球業務已經開始和地球能源公司安排會議了，尤其鎖定在月球受託管理機構中沒有席次的國家。」

布萊斯瞪大眼睛，他懂了。

「聰明的混帳，賊死了。」

「他們不可能走太陽能發電這條路，他們沒有傳輸衛星。」營運主管賈米．赫南德茲—馬肯齊說。他永遠像個老羊夫——瀟灑，驕傲，值得信任。

「陽知遠正和一整票巡迴雜耍團前往聖奧爾嘉。」芬恩．華恩說：「我叫幾個工程師進行了模擬，結果顯示，太陽企業有可能在六個月內靠太陽能衛星傳輸電力到地球的微波陣列去。」

「他們正在接受預訂。」馬肯齊氦氣的分析師羅文．佐法伊格—馬肯齊說。

「他們會免費供電。」布萊斯．馬肯齊說：「第一名客戶總是可以享有免費專案。而我們得把氦氣賣給小孩灌氣球了。」

「為什麼現在就啟動？」阿馮索．佩瑞茲特喬說：「他們根本就還沒準備好，差得遠了。他們還在跟大學協商鋪玻璃的權限。還有，就像你說的，他們沒辦法把電輸到地球去。」

「他們有電腦可以預測未來。」芬恩．華恩說：「搞不好他們觀測接下來的情勢，發現令他們害怕的狀況？徹底嚇壞他們的狀況。」

「嚇壞陽家？」賈米說。

隨從來了，剛列印好的衣服披在他們手上。他們在布萊斯身邊東忙西忙，試圖把衣服套上去，披上去，打點造型。

「不僅如此。」芬恩．華恩說：「我跟其他消息來源談過了，聽說艾夫根尼和他背後的傀儡之手，和鄧肯進行了一場高層級的會談，同意合作進行一項投資。太空採礦。馬肯齊金屬打算朝月球外發展。」

「他們談妥了嗎？」布萊斯問。著衣者為他調整褲子的位置，西裝外套的高度，把鞋子套到他的小腳上。

「法務人員在起草契約了。」芬恩·華恩說：「月底就會簽約定案。」

「你有什麼看法？」賈米問。

「我們要採取好企業的做法。」布萊斯衣衫筆挺地對董事說：「多樣化經營，而且是要狠狠地多樣化。」

今天她不穿衣服。

這是艾莉西亞·柯塔在融入月球文化之路上的一次躍進。她原本對俄式三溫暖敬謝不敏，公共衛生對她而言是個陌生的概念。盥洗、滌淨、沐浴是私密的、定量配給的，是利用自己打出來的定量用水來沐浴。後來她發現城市表面下鑿刻出的天然岩石洞穴中，有些美妙的設施：隱藏的水池，蒸氣室，泡泡浴，和溫暖光滑的月石板，她可懶洋洋地躺在上頭流汗。熱度逐漸加強的按摩浴缸由天花板低矮的隧道串連在一起，宛如神經節。她可以躺在馨香的水中，沐浴在環境光與彷彿使人回到羊水中的環繞聲響中，據說那聲音是飛行探測器深入木星風暴系統兩公里後回傳的。她後來每天都會上一次三溫暖，但依然畏懼公然裸露。這不是義務性的（這世界沒有任何事是義務性的），卻是一個傳統，而她深受罪惡感所苦，夾在「個人的不快」與「造成他人不快」之間。

今天早上，她命令馬尼奧讓她看自己的模樣。皮膚，披散的頭髮。她皺眉，別過頭去，再看一次。巴西是一個對身體如此開放的社會，生活其中卻在意他人對自己身體的觀感是多麼諷刺的事，她自己也很清楚。不過柯塔家的說法一直沒變——我們是工人，不是成天盯著別人看的人。她總是擔心自己的屁股太寬、太大，胸部太小。學校的漂亮妹子在下課後罩著萊卡材質的三塊三角布料，蹦蹦跳跳地去海灘，她則去喝咖啡，挑張背對大海的桌子。她多麼想成為那個陽光下的女孩。月球給了她不一樣的領悟。月球給她電影明星的禮服，她在聖奧爾嘉受到追捧和讚嘆。泡在俄式三溫暖的身體有老有少，有大有小，她從它們身上學到一件事：沒人在品頭論足。

她看著鏡片上的自己。不差，很好，這就是她。去他的。

她幫自己的私密處預約了國家經典級的修毛，把胸罩和短褲掛到衣櫃內，穿上哈瓦仕拖鞋，毛巾甩到肩膀上，搖散頭髮，大步走向蒸氣室。

她在浴場裡頭接到電話，是艾琳娜。

「妳好。」

她看起來很苦惱，很憂傷。淚汪汪的。她現在在哪？在梅利迪安。她需要她。

「我在桑都尼俄式三溫暖，我會訂一個私人套房。」

溫水、散發著杜松味的空氣、環境光和受保護的隱私，帶來安全感、穩定感和療癒感。艾琳娜．埃富．沃隆佐夫—阿沙默甚至沒等水、溫暖、密閉空間就位，便開始發威了。

「他們要我結婚！」她哭喊。

當你裸體泡在緩緩冒泡的水中，只有頭露在水面上時，你很難即刻給什麼回應。

「科米—莉．馬肯齊！」

當她交代完來龍去脈時，兩人已經從溫水池移動到冷水池，再到桑拿，再到蒸氣室，再到冷水池，然後又回到溫水池了。艾莉西亞的皮膚感覺大了三倍，不過她能體會艾琳娜的痛苦。

那是一場交易，馬肯齊的交易。契約以一系列王朝聯姻為成交條件。艾琳娜被許配給科米─莉，卡塔琳娜．馬肯齊的孫女，羅伯特的曾孫。公開這樁婚事，是馬肯齊金屬與VTO宣告締約的行動之一。婚禮在十天後舉行，地點在哈德利。

「等一下，等一下。結婚？無視妳的意願？」

「這是合約的一部分。」

「但妳表示同意？」

「重要嗎？」

「如果那等於是強暴妳的合約，妳的意願就很重要。」

「我簽了尼卡赫草約。」

「但妳不想簽。」艾莉西亞抗議。她得知月球生活的一個面向，接受它，接著又碰上陌生、殘酷、嚴峻的狀況。

「我不想，但我非簽不可。我要怎麼說不？這是家族大事，妳不知道在家族裡生活是什麼感覺。」

「我確實不知道。」艾莉西亞說：「那她呢？那個科米什麼的？」

「科米─莉，K─L。她也不想要，但她是馬肯齊家的人，我是沃隆佐夫─阿沙默……」

「妳認識她嗎？妳甚至可能沒見過她？」

「她十六歲，是梅利迪安三重天研討班的學生，似乎是個好孩子。但要她當我的歐科？我的歐科？期限五年，五年！」

艾莉西亞差點大笑。

「才五年！」

艾琳娜露出驚駭的表情。

「合約到期時我已經……二十二歲了！」

「五年內可能有很多事會發生。她可能會死，妳可能會死。交易可能會失敗，合約可能會被廢除。妳可能會變節，成為兩家人眼中的叛徒，妳也可能會愛上她。我要說的是，五年沒什麼。」

艾琳娜露出惱怒的表情，接著朝艾莉西亞的臉潑水。艾莉西亞火大了，連續潑了好幾次水弄溼艾琳娜。她尖叫，接著兩個女人又叫又笑，不斷朝彼此潑水，直到她們無法呼吸。

「妳的髮型，」艾莉西亞氣喘吁吁，「看起來像一團屎，而我在那邊嘟嘴，像個老修女。我想說的是，是，去找個他媽的婚姻律師，我們去喝一杯吧。」

她們跑了三間酒吧後，艾琳娜還是在她身邊。她去吃衣索比亞料理時，艾琳娜還是在。到了早上也沒走，縮在艾莉西亞的床尾，像個小妹妹，或是來過夜玩耍的表妹。而盧卡斯打電話來，送上恆光宮日蝕派對的邀請函時，她也還在，眨著大眼睛，處於宿醉狀態。

露娜猜想，如果她伸出右手，往右翻身，再往這邊彎，也許就能繞過轉角，來到醫療中心休息室天花板上的絕佳窺孔前。她扭動手臂往上抬、往外繞，手肘一度卡在連通隧道的屋頂。接著她咬緊牙根，把身體重心放到身體左側，手就滑到爬行位置上了。翻滾，屈身，踢個幾下，她抵達了另一頭的導管。她從沒想到自己可能會卡住，副靈露娜到時候就得打電話求救，機器人和工程師可能得拆開半個科里奧利才能救她脫身。她也沒想到打電話完全沒人來的可能性。

再往前幾公尺，爬行空間就會變得比較寬敞，她可以把手收回身體側邊，透過金屬網目偷窺休息室。泡茶機，食物機，飲水機，座位與空位。幾個人坐在那裡，眼神透露著成人專注使用副靈而非與身邊友人互動特有的茫然。氣流撩撥她的頭髮，吹得她的洋裝沙沙響。今天誰在休息室？格布雷西拉西耶醫師剛離開。某某醫師和雷醫師剛進門，正在泡茶機旁邊講話。還有一群研究者在，他們不怎麼有趣。阿瑪利亞．陽也在，她跟亞曼達嬸嬸一起來探望過路卡辛侯。她似乎是個乏味、沉悶的女性，一個人坐在旁邊，面前有杯茶，此刻正專心操作著副靈。

要跟蹤誰？露娜在博阿維斯塔的低矮空間和導管內發明了這個遊戲，不過在這裡玩起來有趣多了。她可以偷偷跟蹤的人有好多，不用只是追著無聊的親戚或保全人員跑。一想到自己人在這上頭看著，下面的人卻渾然不覺，她就咯咯咯笑了起來。

露娜先前緊跟著亞曼達嬸嬸走，結果連她的保全都沒發現。

好啦，今天要追誰？阿瑪利亞．陽是露娜的最新發現，但她就只是一直、一直坐在那裡，忙著操作副靈。研究者喝完茶了，露娜挑一個看起來最不乏味的，跟著她進入主環狀建築，下兩樓來到神經元實驗室（跳下一段維修豎井，洋裝如氣球般鼓漲，減緩她的下墜速度），來到實驗辦公室，接著又急轉彎，不過這段路沒有掃描室到休息室那麼窄。露娜的洋裝勾到一塊沒疊好的板子，扯破了。她惱怒地用氣音說。

「都是妳害的啦！」她怒罵那個研究者。

愛麗絲教母拿起洋裝，它從腋窩裂到腰。

「到處亂爬。」

「是探險。」露娜說。

「妳又搞得灰頭土臉了。」愛麗絲教母說。露娜穿著短褲和T恤，不屑地站在那裡。「去沖個澡，妳這臭女孩。還有……」

「要把我臉上那玩意兒洗掉？」露娜咧嘴笑，「我每次都會洗啊，教母。」

「洗完又馬上畫回去。」

露娜蹦蹦跳跳地前往淋浴間。「我要妳幫我重新列印好，我才能穿著去見路卡辛侯。」

愛麗絲教母翻了個白眼，將撕裂的洋裝丟進反列印機。

「你好，路卡。」

路卡辛侯今天坐在椅子上，他的微笑是喜悅和光芒。露娜喜歡用葡萄牙文跟他聊天，似乎可讓記憶產生新的連結方式，賦予他談論自己的新詞彙。

「早安，露娜！」

「今天又走路了？」露娜用葡萄牙文說。路卡辛侯點點頭，現在他不需要枴杖也能走路了，他喜歡測試自己身體的極限。醫療中心內有個小公園，路卡辛侯會沿著它的圓形路徑走好幾圈。裡頭有高大的竹子，葉片蓋頂，樹枝低垂，你幾乎會以為自己不在一個天花板低矮的房間內。

「妳看魚！」路卡辛侯說。兩人走向電梯時，露娜牽著他的手。

「餵魚！」露娜說，並從灰色洋裝的口袋取出一個小玻璃瓶，裡頭裝著蛋白質片。路卡辛侯開心地拍手。

露娜和路卡辛侯手牽手在燒結石徑上溜達，迎面而來的醫生、學者、研究者都向他們問好。

「七棵樹？」露娜說。他們把一棵觀賞用的日本楓樹當作指標，經過它就是走了一圈。路卡辛侯露出猶豫的表情，他很容易累。動腦是最辛苦的。「七棵樹，然後我們就去餵魚。」

「好。」

路卡辛侯止步了，他每天都會停在這裡，輕柔搖曳的樹葉篩下光線之地。他抬頭看著那片光之斑紋，讓它溫暖自己的臉。他閉上雙眼。

「你看起來像個奧里莎。」露娜說。

「哪一個？」

「奧索希。」露娜說。

「獵人。」路卡辛侯說：「知識主宰。」他集中精神，板起面孔，「我在試著回想。那些臉彼此相對，從機動車的車站延伸到主氣閥。奧亞和贊果，奧旬和奧貢，奧薩拉和娜娜，然後是奧索希和葉瑪亞，最後是奧莫露和伊貝基。在這裡很容易回想起博阿維斯塔的樣子，所以妳才帶我來嗎？」

「而且我喜歡魚。」露娜說。他們繼續走，微笑，用地語問候那些鼓勵路卡辛侯的人。

「我也開始想起恆光宮了。」路卡辛侯說。四棵樹。「那裡有很多光和影子，巨大的影子，亮到不行的光，亮到妳會覺得——那是真的嗎？堅硬的材質。空盪盪的巨大空間，回音。真的真的很小的人，但是是巨石讓他們顯得很小。到處都是有軌機動車。我想起機動車窗外的風景了。另一個城市的名字是什麼？比較老的那個？」

「南后？」露娜說。

「就是那裡。我曾經搭過那裡的機動車，和我媽一起。」

「亞曼達．陽。」

「媽。」路卡辛侯堅定地說：「我搭上機動車離開南后，我們在這巨大的隕石坑內來來去去，到處都是光和影子，像是切出來的。」他的手劃過空中。「就是那麼銳利，光和影子。媽說那些影子，永遠不會消失。我記得自己很害怕，不過媽單手抱住我，說：你看，陰影中有那麼多光，那就是我們的城市。陰影中的光。」

六棵樹。路卡辛侯腳步輕盈，嗓音篤定。露娜得小跑步才能跟上他。

「我想起來了！還有另一次。有個房間蓋滿漂亮的布，還有小小的窗戶。從窗戶照進來的光使所有的布顯得遜色。有個老太太在微笑，牽起我的手，媽說：『路卡，這是你外婆。』」

「那個老太太是陽夫人。」露娜說：「那是什麼時候的事？我不記得你見過陽夫人。」

「我不知道，應該是我在這裡住之前的事。七棵樹！我們可以去餵魚了嗎？」

「路卡。」露娜說：「你從來沒在恆光宮住過。」

「這行不通的。」盧卡斯．柯塔說。

「我穿它迷倒了聖奧爾嘉。」艾莉西亞說。她穿著曾經誘惑沃隆佐夫一族的晚禮服，剛列印好的，還帶著列印機液體蒸發的氣味。

「迷倒聖奧爾嘉的衣服會在恆光宮引來白眼。」盧卡斯說，他穿著隱約帶著虹光的淺灰色西裝，近看會發現是微噴的錦緞。淡黃色領帶是絲質的，帽子上的飾帶也是。「陽家自有標準。」

「話說這次到底是要做什麼？」艾莉西亞回頭去脫衣服時喊道。她反列印禮服，印出她心目中排行第二的款式。

「陽家會在恆光宮舉辦日蝕派對。黑暗只會在日蝕的時候降臨恆光宮，因此他們認為值得慶祝。每個月都有日蝕，因此大家不斷被邀請到恆光宮作客。地球受託管理機構人員，貿易代表團，社會上的有力人士，社交界首度露面的年輕男女，學者。遊客。所有人都會到場，可見太陽企業有事想要宣布。」

「所有人？」艾莉西亞扭動身體，鑽進新衣中。

「五……四龍的領袖。」盧卡斯說：「還有月之鷹和他的鐵手。」

「跟太陽環啟動有關嗎？」艾莉西亞說。套上右腳的鞋子，接著是左邊。著裝是有魔術性和儀式性的。

「絕對有關。」

艾莉西亞走出更衣室，下了兩個台階。長長的縐織褶邊，羊腿袖，腰部剪裁緊束。

「看這肩膀剪裁，上頭都可以停月球飛船了。」

盧卡斯微笑。

「樸素但能夠壓倒全場。陽家人會很讚嘆的。」

「我從來沒去過恆光宮。」艾莉西亞說。此時有軌機動車正沿著越極主線南段移動，越過高架橋，穿過拉卡耶隕石坑平原上的路塹。「妳會大大吃驚的，它就是為了嚇人才建成那樣。那是一個非常沉著、非常安靜、非常禁欲的地方。那裡的人成天擔心受怕。」

「他還好嗎？」艾莉西亞問。

「我本來考慮轉頭就走。」

「盧卡斯，我不是要問那個。」

他往外看，看外頭的銀黑色荒蕪。

「我看到一個奇蹟，接著看到一個恐怖的可能性。我以為我認識眼前這個人，但我其實不認識。我以為他們正在拼湊他，將一塊一塊記憶連結起來，但那些不是他的記憶。是他人的記憶，他在社群網站上的人格，他交給機器的部分記憶。我們是這些東西的總和嗎？是別人記憶中的我們的總和嗎？他還是很英俊，莉。」

「我回到科帕皇宮飯店的時候，你讓我看過他的照片。」

「然後我邀妳上月球。他看起來沒變，莉，但他不一樣了。他還是同一個人嗎？這疑慮會永遠揮之不去嗎？我會一直懷疑他們打造的，不是我的盧卡斯・柯塔二世嗎？」

「盧卡斯，等我回到地球之後就不會是同一個人了。差點死在科帕皇宮飯店的那個我的每一個部分都會被留在月球上，而我會懷著月球回去。每根頭髮、骨頭，每個細胞都來自月球。」

「妳要回去？」

「我的意思是，如果我回去，如果。盧卡斯，我還有一個問題。荷西・納德斯是誰？」

那個可疑的微笑又浮現了。艾莉西亞看到他十五歲、十歲、五歲時的模樣，永遠自認聰明、機警、形跡隱匿的小男孩。

「妳監視我？」

「我在保護你。接待宴會結束後，你沒離開。」

「荷西・納德斯是我的歌，我的理智，我的靈魂。我對他訴說的某些事情，從來不曾透露給妳，鐵手。我願意跟他度過一生，但他很聰明，不接受我的追求。」

巴莎諾瓦吉他聲迴盪在車廂中，歌詞的細語帶著祈求。

「『單音森巴』。」盧卡斯說：「荷西的樂團。」他準備了馬丁尼，口感澀又冰涼到極點的那種。艾莉西亞還是無法喜歡上琴酒或巴莎諾瓦，不過她照樣啜飲了一口。南方隕石坑平原閃過窗外，她對盧卡斯・柯塔心中那高聳、駭人的孤寂有了幾分了解。

他們在南后轉搭沙克爾頓線。艾莉西亞注意到私人月台上的有軌機動車了：VTO的紅白雙色列車，AKA的黑白圖案列車，馬肯齊金屬的銀綠雙色列車。機動車安靜地載著她和盧卡斯，從南后艾托肯盆地下方的巨大熔岩管底部鑽過，然後駛上沙克爾頓隕石坑內牆開鑿出的軌道。燈火在深沉的黑暗中燃燒著，刺眼的日光與黑暗形成的交界利如刀刃。白與黑，冰與火。陽家從未接觸過沙克爾頓的陰影深處；自從太陽系誕生以來，那些原始冰層就一直鋪在那裡了，陽家和馬肯齊在月世界的第一步就是以它們為燃料。月世界歷史只有八十年，不過它充滿熱情、血腥、壯闊。

艾莉西亞試圖在刺眼的光線中尋找恆光閣的蹤跡，她的鏡片便產生了偏光效果。她花了一些時間才理解永晝峰的法則。月球實質上並沒有轉軸傾角，因此極地沒有四季，沒有長達數月的日夜。位於極地且高度足夠的山峰會永遠沐浴在日光之下。水，和永久的太陽能：有願景和志氣的人類可以靠這些打造一個世界。瑪拉柏特山並沒有成為永晝峰，距離只差幾百公尺，不過如果在上頭蓋一座塔……艾莉西亞看到它了，她的內心抵抗瓦解了。敬畏油然而生。一道灼燒的光柱升入黑影之中，頂端鑲嵌著一顆耀眼的鑽石。那是一把長矛，挑戰宇宙的長矛。地球和太陽都在遠端隕石坑壁的下方，映不進眼簾。艾莉西亞試著想像黑暗湮滅矛尖，沿著握柄往下擴張。

機動車駛入另一個隧道，不久後進入了一個玻璃密室。氣閥密封，月之鷹的保全拉出一條防線。

「你的前妻在這。」艾莉西亞低聲說。她微調禮服的下襬，以及肩墊的位置。複雜的打扮就是這麼蠢。

亞曼達．陽以精準的吻問候盧卡斯，她穿著一襲合身的新容貌牌套裝，盛氣凌人。

「我認為，路卡辛侯看起來挺不賴的。」亞曼達．陽領著盧卡斯穿過太陽企業大廳，那個令靈魂萎縮的空間。艾莉西亞的鞋跟敲在光滑的石子上，宛如槍響。她想像自己的身後拖著一條火花。

「我認為他看起來累壞了。」盧卡斯說：「渾身無力，只有本能的反應。不過話說回來，我比妳了解他。」

光束斜照在大廳地板上，燦亮到彷彿會發出燃燒的嘶嘶聲。

「柯塔小姐。」陽知遠問候賓客，「柯塔先生，我們歡迎兩位大駕光臨。」

艾莉西亞想起她上次和陽家人會面的情況。他們來向新任月之鷹鞠躬哈腰兼問卜，看他們能獲得什麼好處，又可能被拒於哪幾道門外。她原本試圖擋下陽夫人，因為沙克爾頓的老佛爺並不在名單上。那是個失誤，她當時缺乏經驗。陽家不會忘記這件事，也不會原諒他們。來了，那個老巫婆。她總是做一九四〇年代風格的打扮，全月世界的人都繞過來拜訪她了。她旁邊那個西裝英挺的娘娘腔肯定就是達瑞斯・馬肯齊—陽了。艾莉西亞望向大廳內的其他人，考驗自己的記憶力。旁邊跟著動物隨從的露西卡・阿沙默和AKA主管都披著美麗的肯特布，她之前在忒的巨樹下就欣賞過了，印象深刻。羅伯特・馬肯齊是那幫醒目家臣當中的一顆黑星。一大票衣著浮誇的沃隆佐夫為艾莉西亞歡呼，彷彿她是個失散的姊妹。

沒看到布萊斯，艾莉西亞輕聲對房間另一頭的盧卡斯說。

他應該會收到邀請，盧卡斯說，**恆光宮對這種事很講究**。

陽知遠舉起雙手，宴會上的人陷入沉默。

「燈室空間有限，因此我們會為大家分組，一組一組輪流上去。」他宣布，「不過請大家放心，每個人都有欣賞日蝕全貌的機會。」

「我拚命把自己塞進這件禮服，為的就是這個？」艾莉西亞說。她巡視房間一圈，最後回到盧卡斯身旁。

「我們不是為了這個來的。」盧卡斯說。

「雖然各位嘉賓都是大忙人，但您若能留下來參加會後派對，我們會感到萬分欣喜。」知遠接著說。

「我們是為了這個來的。」盧卡斯說，艾夫根尼．沃隆佐夫擠過人群，向盧卡斯施壓，問他什麼時候才要在月球受託管理機構表決**那檔事**。

「我還在思考怎麼做比較好，該在你和鄧肯．馬肯齊宣布宇宙投資前，還是之後進行提案表決呢？」盧卡斯說。艾夫根尼還來不及激動炮轟，完美無瑕、雌雄莫辨的太陽企業員工便將分派給他們的客人趕上瑪拉柏特山的接駁車了。

在機動車駛入隧道，前往電梯大廳前，恆光閣一度清晰地映入艾莉西亞的眼簾。那比她想像的大得多，由圓杆與建築橫梁構築而成，像是巨大的艾菲爾鐵塔，盤據著瑪拉柏特山的山頂，一半埋在陰影中，一半在日光中發光。神之矛。

機動車抵達電梯大廳了，年輕的陽家人以微笑和輕巧的肢體接觸引導賓客。

「阿沙默大酋長？」一個陽家護衛說，並指著一部待命的電梯給露西卡．阿沙默看。

「她要帶她的動物一起上去嗎？」艾莉西亞低聲說。露西卡舉起一根手指，浣熊便縮起身體，鸚鵡將頭埋到羽毛下方，蜘蛛化為鐵絲與毒液之球，蜂群消散。

「下一部，有請馬肯齊家的朋友。」

鄧肯．馬肯齊率領他那些年輕、搶眼的澳洲佬穿過剛抵達的第二部電梯。

「每個陽家人小時候都曾被帶上去，感受太陽的威力，理解他們的權力來源。」盧卡斯對艾莉西亞說。

「柯塔家？」一名微笑、無性別的職員說。電梯門關上了。

「我好興奮啊。」艾莉西亞在電梯上升時說。她望穿蛛網般的網格結構，看著沙克爾頓隕石坑逐漸浮現。它的深淵埋在一片黑暗中，坑壁承受著耀眼光芒。電梯繼續往上，南后地表的設備也浮現了：通訊塔，彈運站，電廠，太空港，地表氣閥的長護牆。現在她漸漸看得到艾托肯盆地中彼此連貫的隕石坑風光了。

上方一陣劇烈爆炸，電梯彷彿受到一只拳頭的搖晃。艾莉西亞被甩了出去，撞上太陽企業的員工，接著進入無重力狀態。燈光熄滅了，電梯自由落體。緊急煞車啟動，艾莉西亞撞上天花板，接著撞向地板。盧卡斯壓在她身上，太陽的小鬼倒在角落，手腳打結似的。她聽得到緊急煞車的尖鳴：金屬直接刮磨金屬，沒有緩衝。撞擊聲大如槍響，裂縫，一串重擊同時落在電梯頂端，電梯顛簸晃動著。艾莉西亞以手肘撐起身體，看到電梯玻璃布滿裂縫，不知道它們為何還固定在一起。艾莉西亞望出蛛網般的裂痕，看到墜落的火花拖著一片耀眼的煙霧，劃過瑪拉柏特山腳的小丘上空。

什麼？

網路斷線了。電梯爬向電梯大廳，速度好慢，慢得要命。如果這碎玻璃爆開，她就會和其他閃亮的玩意兒一起飛向沙克爾頓隕石坑。

「塔頂。」盧卡斯說。

艾莉西亞倚著堅硬的電梯外框，仰頭望向糾結、彎折、扭曲的網狀結構。那顆璀璨的鑽石，那個燈室，不見了。為什麼她看不見它？

「它不見了。」盧卡斯說，棕色臉皮失去了血色。他慌忙伸手想撈楞杖，想撈任何可以帶給他安全感的物體。結果這裡沒有安全感，沒有他可以依附的物體。

「誰在上面？」艾莉西亞問。

「鄧肯・馬肯齊，露西卡・阿沙默。」陽家的年輕人說。

艾莉西亞用葡萄牙文罵了一句髒話。電梯搖搖晃晃地進站，氣閥密封後平衡氣壓的時間彷彿有一百萬年那麼久。艾莉西亞、盧卡斯和陽家護衛踉蹌跨入車站大廳的同時，電梯如水晶獎盃般碎成了幾百萬個晶亮的屑塊。醫療人員與機器人衝過來提供醫療服務和氧氣。艾莉西亞試圖揮手打發掉氧氣面罩和鎮靜劑注射，但機器人非常堅持。她和盧卡斯對上眼，他眼睛下方也罩著氧氣面罩。看。露西卡・阿沙默坐在上下顛倒的醫療用硬甲上，她的面罩升騰出白煙，眼睛因震驚而瞪大。她的動物隨從窩在身後，惶惶不安。她成功下來了。

龍的保全人員抵達現場，從有軌機動車湧出，和陽家的武士擠成一團。聶爾森・米德羅斯和他的保全團團圍住盧卡斯，查看他是否對醫療處置感到不適。電梯大廳的吼叫聲如雷貫耳，結果一個尖鳴刺入所有副靈。網路又恢復正常了，它命令所有人安靜下來。陽知遠舉高一隻手，站在眾人面前。

「拜託各位，請注意我這裡。本空間的完整性剛剛遭受嚴重損害，燈室……燈室遭到摧毀了。我們還不知詳情，但我們可以確定有人失蹤了。」

大家開始七嘴八舌，陽知遠再度舉起他的手，沒人希望自己的義耳又收到尖鳴。

「VTO已從南后派遣一艘月球飛船到現場，我們也派了探測車隊過去。但該地形……該地形非常棘手。」他結結巴巴，而且旁人都看得出他在流汗。艾莉西亞從未見過心慌意亂的陽家人。「我們將運送您與您的隨從回到恆光宮，如果您需要醫療協助，請知會我們的工作人員，無需猶豫。我們會隨時為各位更新搜救消息。目前，本區域的結構並不穩定，因此請各位接受我們的協助，回到恆光宮。」

他們現在就已經掌握情報了，盧卡斯用私頻說。**他們只是在試圖思考應對方法**。

「炸彈？」艾莉西亞在機動車門關閉時問，用只有柯塔家人馬以及保全聽得到的音量。

「我覺得不是。」盧卡斯說。聶爾森．米德羅斯點點頭。
「是衝擊器。」聶爾森．米德羅斯說：「不是炸彈，是彈藥。」
「誰有那種武器？」艾莉西亞問。
「我最先想到的是，握有大把太空槍的人。」
「沃隆佐夫？」艾莉西亞不敢置信。
列車駛出隧道，艾莉西亞再度仰頭。恆光閣爆開了，上方三分之一消失無蹤，電梯井成了斷裂鋼梁與扭曲網狀結構的殘株，僵硬地杵在復活的光線中。
「他們為什麼要殺你？」列車重返隧道，艾莉西亞接著問：「他們需要你來執行月港計畫呀。」
盧卡斯和聶爾森．米德羅斯對看了一眼。
「目標不是盧卡斯。」聶爾森．米德羅斯說。
「不然是誰？鄧肯．馬肯齊？」
他點頭。
「但誰會……幹。」
「真的只有『幹』可以形容。」盧卡斯說，機動車滑行進站。太陽企業大廳人滿為患，所有人七嘴八舌，急得像熱鍋上的螞蟻。十幾個保全小隊，陽家僕役，還有記者和專欄寫手，他們想剝開陽家官方說詞的溫和外衣，律師飢渴盤算著鉅額賠償金，四處兜圈、叫嚷。龍，和主管階層。緩慢而沉重的流量壓得網路喘不過氣。公頻傳來叮一聲，所有人都伸手掩耳。陽知遠有話要說，所有人都圍向他。
「各位貴賓，」他說：「我有事稟報。我們已確認恆光閣燈室的毀損原因是不明人士的鎖定攻擊。我們還在檢視證據，不過我們已知恆光閣在下午四點零五分遭到彈道拋射物攻擊。至少有七人喪生，鄧肯．馬肯齊也在其中。我們的搜救小隊已在散布殘骸的地表上找到幾具遺體，不可能有人生還。我們在此向馬肯齊金屬表示我們的哀悼，貴公司失去了總裁與才華洋溢的年輕一代，我們感到萬分遺憾。有軌機動車將前來接送各位回到南后。恆光宮現在已成為重大事故現場，還請各位盡速撤離。對我們和馬肯齊金屬而言，這都是一場悲劇。感謝各位配合。」

亞曼達．陽現身了，她的手搭上他的後腰，引導他前進。

「盧卡斯，我好怕。」她帶他走向氣閥。穿著瀟灑西裝的武士慎重地在一段距離外待命。「聽說你沒事，我鬆了好大一口氣。喔，看看你。真希望我能幫你找個地方清清灰塵。還有妳，艾莉西亞，妳的美衣裳。」艾莉西亞的腳和衣襬纏在一起，討人厭的連衣裙就這麼裂開了，腰與裙襬間那條可笑的繫帶被扯斷，縫線散開。月塵會從真空中滲入月球上每一個人類的生活空間，因此她乳白色的衣物纖維也沾染上了黑色塵土。她的頭髮一團亂。

「我們的有軌機動車上有更衣室。」盧卡斯說。

艾莉西亞試圖放慢腳步。她發現陽夫人和她的隨從正接受一群西裝筆挺的人員護送，逆著人群移動。他們動作很快，很堅定，不容許任何阻礙。護送她前往機動車氣閥的太陽企業工作人員也持相同態度，禮貌而堅決。陽家保全隔出一個空間，讓聶爾森．米德羅斯送月之鷹和他的鐵手上車。

「再讓我問一次。」機動車沿著沙克爾頓隕石坑中段的弧面繞行，黑色天空布滿游移的光線，那是月球飛船，引擎正在進行降落噴火。盧卡斯數了一下飛船數量，得知沃隆佐夫在月球上的所有飛船都來到恆光宮了。「誰沒來參加宴會？」

最後，她決定帶昆蟲。

艾莉西亞拒絕找保鑣同行時，保全們顯然都鬆了一口氣。他們不想面對刀子傑克。**妳總得有所準備，**聶爾森．米德羅斯說，並將外盒固定在她前臂上。**它們會攻擊妳之外的任何人，每隻都只有單發攻擊，但夠妳脫身了。它們只要一秒就能輸入妳的體味。**

電梯朝上城區移動的途中，艾莉西亞想像自己感受到戰鬥昆蟲在她皮膚附近振翅，中間只隔著一個容器殼。她是電梯裡唯一的一個乘客：鐵手有特權。

「我沒事。」

妳的心跳加速了，馬尼奧說，**妳的血壓很高，種種症狀顯示妳心裡壓力很大。**

並不是那樣，艾莉西亞。五十六樓有一個公共列印機，我可以預訂一些藥物。

「帶我直接到上面。」

如妳所願。

鞋跟踩在金屬網格地面的嗡嗡回音，熟悉得令她心痛。她爬樓梯時碰了一下白色水管，冰冰的，水流使它震顫著。她循著水管來到分岔、三岔點，最後它像樹枝那樣岔出一大片水管。這是她生涯最佳傑作，世界屋頂的供水網絡。

他們在突窗上，窩在階梯上，趴在欄杆上，蹲在導管上。在往上兩層樓的平台處，有人以弓箭瞄準她。

他做出招牌的進場動作，從高處降落到金屬網格上，生猛又陽剛。他靈巧輕盈地坐到一個台階上。揭開他身分，了解那金牙和使刀之手的疤痕由來後，他在她眼中更為俊美、殘破了。

「它們幹得掉我們所有人嗎？」丹尼用拇指指了一下綁在他手上的火箭發射器。

「也許沒辦法。」

「妳的不信任傷害了我。」

「我知道你是誰。」

「我也知道妳是誰，茂．迪．費洛。我又欠了柯塔家的人一次人情，妳知道這有多不利於我嗎？我沒辦法好好進行復仇。」他的拇指指向水管樹。「這是非常驚人的工程，上千人靠它維生。身為馬肯齊家的人，我欠妳一次。」

「我是來這裡警告你的。」艾莉西亞說：「月球受託管理機構準備送鬥士上來破壞它，淨空上城區。」

「我們會擊退他們的，就像過去那樣。」

「他們會帶重裝武力上來。專家，不是搞回收的查巴林雇得起的那種。戰鬥機器人，而且會有無人機的支援。」

「我們會跟他們打！」有個女人從上方導管發出大喊，「我們會讓它們知道上城區誰是老大。」眾人發出嘶啞的、猶豫的、上氣不接下氣的歡呼。

「繼續說吧，茂．迪．費洛。」丹尼．馬肯齊說。

「我還不知道細節，不過他們已經簽訂合約了。」

「合約是誰起草的？」

「月之鷹。」

「而妳背叛了妳的雇主嗎？茂．迪．費洛。」

「你們得走！」艾莉西亞挫敗地大吼。「關閉供水網絡，拆開它，帶著零件離開，遠離這裡。我的計畫在此。我知道你們不能使用網路。」她將一張老舊的記憶卡放到金屬網格上，輕輕一碰，它就會穿過網格往下掉，落入遙遠下方那不斷脈動著的空氣製造機組。丹尼．馬肯齊流暢地將它撈起來，完全沒有一絲猶疑。

「謝謝妳。」

「丹尼，我可以放下這個了嗎？」弓和箭搖晃著，「我的手好痛。」

丹尼．馬肯齊舉起一隻手，眾人的手指便從衣服掩蓋下的刀柄、泰瑟槍移開。

「我見了你爸，在坩鍋。」

空氣再度凝結，但她非說不可。

「他說我們的世仇得畫下句點才行。我們有更大的敵人。」

丹尼．馬肯齊沒說話。

「那是去他媽的陷阱！」某個不見蹤影的男人在高處的機器上吶喊，聲音迴盪到下方來。其他人也開始跟著叫嚷，最後他們的怒氣使高處的管線震動，隆隆作響。丹尼．馬肯齊舉起一隻手。

「更大的敵人？」

「龍正在結盟，月球受託管理機構分裂。盧卡斯如果同意沃隆佐夫的太空電梯建造計畫，他們就會換邊站。局勢在變。」

「免費的空氣和水，我們得到這些才會感覺到情況改變。」

「這是警告，盧卡斯帶來的警告。」

丹尼伸出一根手指畫了個圈。動作很小，但上城區居民都退回到他們的城市深處了。

「我們記住了，鐵手。」

他走了，艾莉西亞孤伶伶地站在平台上。

「我是為了你回來的！」她大喊。她的聲音迴盪在工業金屬之間。「我回來了。」

16

她倆困在城市高層的流亡生活之中，發牢騷，鬥嘴，但又將彼此視為不可或缺的存在，像水和空氣那樣。十八個月，拮据度日，為錢奔走。除非樂觀到愚蠢的地步或懷舊病末期患者，你才會認為那是一段快樂時光。不過回憶的畫面很明亮，五味雜陳，充滿這屋子裡所沒有的馨香。潮溼，冰冷，柔軟，陰鬱，所有事物都處於靜音、滅音狀態。

瑪莉娜的房間裡每天都會增加一個新的把手。它們先是出現在獨立衛浴間、廁所、淋浴間，接著擴散到床邊，到衣櫃，到開關和插座旁，然後沿著牆壁長到門邊，像是真菌那樣一個個冒出來。

「拆掉！」她發飆。看到歐香和凱西身體一抖，她就知道誰是元凶了。「我又不是他媽的動物園裡的長臂猿。我正在試著學用枴杖走路，就這樣。」

她氣不是因為她們的照護方式不合宜，而是因為把手讓她強烈聯想到上城區的小公寓，天然岩層上鑿挖出的三個小房間，密封工程做得很隨便。那把手讓她想起艾芮兒在天花板上牽的一圈圈、一條條電線，想起艾芮兒將自己抬離座位、擺盪在房間之間的身影。艾芮兒在客戶面前會打扮、梳妝，但鏡頭拍不到的地方很窮酸，套著借來的內搭褲或運動褲。她倆困在城市高層的流亡生活之中，發牢騷，鬥嘴，但又將彼此視為不可或缺的存在，像水和空氣那樣。十八個月，拮据度日，為錢奔走。除非樂觀到愚蠢的地步或懷舊病末期患者，你才會認為那是一段快樂時光。不過回憶的畫面很明亮，五味雜陳，充滿這屋子裡所沒有的馨香。潮溼，冰冷，柔軟，陰鬱，所有事物都處於靜音、滅音狀態。

一夜之間，把手都不見了，彷彿是童話故事中的考驗。

枴杖很難搞。瑪莉娜對自己的體重、肌力、平衡感不放心，她的腳太無力，上半身太壯，月球人的體態特徵過於顯著。她在走廊上來回晃呀晃，穿過房間，沿著門廊移動，沿途飆汗、飆髒話。

第三天，她塗了厚厚一層防曬乳液，戴上帽子和太陽眼鏡，踏上冒險旅程，穿過院子前往鞦韆椅。她來到門廊的樓梯前，非常沒把握地以枴杖探路，結果失去平衡，跌了下去。

中村醫師在門廊的躺椅上幫她進行掃描，凱西則去泡咖啡。

「妳沒受傷。」她說：「用行走架吧。」

「那是老人用的，」瑪莉娜說：「我不是老人。」

「妳有九十歲老人的骨質。」

「我有十九歲女孩的內心和性生活。」

歐香竊笑著跑開，阿姨的發言使她很尷尬。

「坐一下，好嗎？」中村醫師在凱西送上咖啡時說。

「妳也能用那種語氣說話呢，『醫生有重要的事找你談』的語氣。」凱西說，關上門廊的兩道門，坐了下來。

「薇薇爾有沒有跟妳說什麼？」中村醫師說。

凱西倒著咖啡。對瑪莉娜而言，每杯咖啡都還像是帶著電的喜悅。她吸著香氣，心想，要是它嘗起來跟聞起來一樣該有多好。

「哪方面的事？」凱西問。

「班上的事。」中村醫師的女兒珞米和薇薇爾同班。

「沒有，什麼也沒說。」

「珞米說有很多孩子在欺負薇薇爾。叫她的名字，聚成一票人去鬧她，有人躲她。」

瑪莉娜握住凱西的雙手。

「這跟妳有關，瑪莉娜。」中村醫師說：「他們對她說：妳的瑪莉娜阿姨是女巫，是間諜。妳的瑪莉娜阿姨是月球來的恐怖分子，她會炸掉購物商場，在水裡下毒，用流星炸掉學校。他們要珞米別跟薇薇爾做朋友，因為她是妳派的間諜。」

「薇薇爾最近沒跟珞米回家。」凱西說：「她也不肯告訴我她在班上過得怎樣，不跟我聊八卦。」

「壞女孩們。」瑪莉娜說。

「不只那樣。」中村醫師說：「佛絲登寶家是我最老的客戶之一，他們問我是不是還在幫卡爾札看病。我說當然了，卡爾札太太是我重要的病患之一。他們說：喔，我不是指她，是另一個，去了月球的那一個。」

「這關他們什麼事？」瑪莉娜問。

「都沒差，總之他們採取了海岸區的立場。三代人立場一致。」

「我可以補充幾句。」

沒人注意到歐香回來了。她輕輕開門，手扶門框，探出半個身子。

「知道我的社群網站如何嗎？」歐香說：「過去兩個星期充滿罵聲。連我根本不認識的人都來罵我，城裡的人。我阿姨從月球回來這件事在他們管轄範圍內，他們人人都有意見。」

「歐香，他們怎麼說？」瑪莉娜問。

「他們說妳最好進監獄。接著他們不再說妳是間諜，改說妳是恐怖分子……他們一跑出來我就封鎖他們，但我現在考慮關閉帳號了。」

「對不起。」瑪莉娜說。**他們在雪梨港灣大橋上掛出鄧肯・馬肯齊的照片，燒掉，**史凱勒曾說。她覺得自己好渺小，孤單到令人憎恨的地步。女隱士，生活在充滿敵意的行星上。森林，山丘，無線電波，網路中都有眼睛盯著她看。

歐香醒了。機靈的她保持著警戒，知覺敏銳，想不起自己是被什麼弄醒的。她想起來了，是一抹光，掃過她臥室的牆面。

「時間。」她說。屋內網路回答「兩點三十八分」的同時，她聽到輪胎壓出的嘎吱聲和低鳴，引擎的尖嘯。她跑向窗邊，看到車尾燈過彎沒入森林中。

「那是什麼？」她對屋子的人工智慧低語。

我沒拍到車牌，屋子回答，**車子裝了紅外線裝置，讓攝影機拍不到影像**。

她媽的臥室門發出「呀」一聲，她自己的房間門下方亮起一道光。歐香穿上她最大號的連帽衣，溜到走廊上。

「妳聽到了嗎？」

「歐香，回房間去。」

歐香跟著母親穿過黑壓壓的屋內，來到門邊。

「歐香，回房間去。」

他們在前門的門閂前等著，等勇氣湧現。

凱西打開外頭的燈，推開門。隔著院子她就能聞到油漆的味道，「歐香，別下來。」

歐香跟著她進入院子。

「歐香，留在原地！」

歐香跟著母親來到襲擊現場：小屋側面畫著一抹新月，上頭還有一道刀痕。才剛畫完，油漆流淌著。

現在瑪莉娜來到門廊了，她倚著枴杖。

被劃開的新月。

向月球說不。

「至少帶著狗一起去吧。」凱西說。

「我不會有事的。」瑪莉娜說。

「我不懂，為什麼妳不能接受繞院子兩圈就好。」凱西念她。

「外頭有一整顆行星可以讓我走。」瑪莉娜說：「妳不知道那感覺有多自由。我要走那條小路。」

「帶狗一起去。」

上了年紀的迦南眉頭皺得更深了，牠翻身站了起來。新來的狗添久還沒跟迦南打好關係，悠哉地跑過去看看發生了什麼事。是散步，牠樂壞了。

歐香和薇薇爾花了整個週末將小屋漆成全白，但大家還是看得到帶著刮痕的新月輪廓，白中之白。不管她們花幾個週末來漆油漆，那份侮辱永遠會在。

狗跟著瑪莉娜跨入院子。她已經掌握訣竅了，懂得衡量重力的影響了。循著她規畫的路線走，她將會通過小徑，穿過防畜隔柵前方的門，走一小段繞行森林下緣的那條小路，然後岔上河流轉彎處的南段，回到家裡。兩公里半，跟馬拉松一樣令人卻步。森林外圍可能會有一些老駝鹿。有獎賞，有誘因。她很想置身在野生動物之中，不希望雙方中間擋著什麼，不要中介，原始的體驗。

瑪莉娜穿著瑜伽褲，露臍上衣，套著從歐香那裡借來的友誼手環（她要她盡量多拿一點出來），就這麼踏上了冒險之途。

「哎唷，」歐香說：「還要塗防曬乳。」她在瑪莉娜露出的肚子和背上塗了一大堆，防曬係數五十。「妳身材好棒，瑪。妳怎麼練的？」

「長跑。」瑪莉娜說：「妳什麼時候開始叫我『瑪』的？」

「自從媽開始叫，我也跟著叫了。」歐香說。

「妳要我跟妳去嗎？」歐香問。

「我不要。」瑪莉娜說，然後出發了。枴杖在沙地上戳出兩排孔洞。迦南和添久小跑步跟在她身後。這不是長跑，永遠不會成為長跑，不過它可以成為另一種儀式，她跟自己的身體、自己的空間進行的獨門溝通。

在地球上所有動作都提升十倍難度，加上枴杖後又再提升兩倍。通往水泥橋的彎路是一段下坡，起點完全是個山坳。地上的坑洞彷彿跟都阿里斯塔克斯隕石坑一樣大，鄉間小徑上的砂礫和石頭為她的每一步帶來折磨，她還忘了帶水。

「添久，添久，聰明的狗狗，你去幫瑪莉娜弄一點水來。」她氣喘吁吁地說，搖擺前進。天啊，大門好遠。

天啊——艾芮兒經常這樣說。

走五十步，休息片刻。再走五十步，再休息一下。把整段路切成碎片。她的腳發疼了，好痛。她走多遠了？在月球上，她眨個眼就可以叫出副靈來回答。在這裡，她的太陽眼睛上有個圖示。她一眨、再眨、再眨、再眨才叫出健康應用程式。半公里。

天啊。

兩隻狗抬頭了。幾秒鐘後，瑪莉娜也聽到了激起狗兒戒心的引擎聲。有輛車穿過樹林而來。她先是看到揚塵，才看到它又轉駛出林間，來到空地上。她後退了幾步。它快速地飆來。車上的人看到她了嗎？她可以揮舞枴杖。不對，她揮了就會跌倒。車沒減速。對方肯定看到她了，車朝她直衝而來。直衝。沙塵，疾馳的輪廓，噪音。以她為目標。瑪莉娜撲向水溝。車子呼嘯而過，輪胎濺起的石頭和砂礫砸向她，她同時聽到一個男人的嗓音。

他媽滾回月球吧！

瑪莉娜上氣不接下氣，每根骨頭、每個關節都在發疼。她試圖撐起身體，想站起來，但辦不到。她沒力氣。她以四肢伏在乾燥的水溝裡，喘著氣，豎耳傾聽，留意汽車引擎聲。它走了，還是掉頭回來找她了？快聽，喔，快聽清楚。

輪胎壓過砂礫，沙沙，煞車尖鳴，然後是輪子滑行、止住的聲音。

瑪莉娜不敢看。

「瑪莉娜？」

彎腰看著她的人，是騎腳踏車的薇薇爾。

「找人來幫忙！」瑪莉娜大喊，「來幫我！」

「嘿，媽。」

瑪莉娜推著輪椅進入黑暗的房間。夜燈亮著，她沒注意到天花板上貼著螢光的星星貼紙。

「妳醒著？」

床上傳來哼聲。

「沒有。」

老家族笑話，也許是歷史最悠久的一個。瑪莉娜聽到床頭升起的聲音，燈調節出一個柔和的亮度。

「妳怎麼了？」

「碰上一輛手動駕駛的皮卡車。」瑪莉娜推輪椅來到母親床邊的空位。醫療器材嘟嚕叫，燈號閃爍，幫浦嗡嗚。精油、草藥、焚香的氣味在夜晚顯得更為濃烈。「我沒事，中村醫生認為我的身體材質肯定是柚木之類的。」她拍了一下輪椅扶手，「一、兩天後，我就不用坐這玩意兒了。」

「我聽說了。」她母親說，並將瘦如鐵絲的手放到被單上，瑪莉娜牽起它。

「他們是我們的鄰居，該死的鄰居。」瑪莉娜說。

她媽發出唉唷一聲，並咂嘴。

「嘴巴放乾淨點。」

「抱歉。他們想把我撞倒在道路旁，實際上也讓我倒到路旁了。當時我撐著枴杖。」

「小屋漆成白色挺不賴的。」

「媽，我有事要對妳說。」

瑪莉娜捏捏她母親溫熱、乾燥的手掌。

「情況不會好轉了。我不知道妳有沒有注意新聞，總之上頭呢，月亮上呢，嗯，局勢有點動盪。陽家啟動了太陽能網絡……我想說的是，上頭動盪不安時，地球就會出毛病。我認為我害這個家裡的每個人陷入險境。」

她媽張開嘴巴，沉默的「喔」嘴型傳達出驚訝。

「而且我在上頭……還有些事要處理。我並不是毫無汙點地離開。我傷了人家的心，做錯了事。我得改正錯誤。」

「但妳要是回去……」

「我就再也無法回來了，但也只能這樣。媽，我愛妳和凱西，歐香和薇薇爾對我來說像是上帝的禮物，但這裡不是我的家，沒有我的容身之處。

「媽，我得回月球。」

17

七鐘院給他的教訓是，他們教的不只是使刀。

留意自己的呼吸，並在開始意識到它的同時，將它拋到腦後。過多的情感連結是一個陷阱。掌握自己的重量和質量，並了解兩者的分別。要記住，我們出生時，五感當中沒有哪一個知覺能力特別突出，還有，生命旅程會帶著你遠離感官協調，趨向謹慎。過度專注是一種錯誤。

要傷腦筋的是領帶。西裝始終不成問題，以老頭固定穿的灰色為基準，深兩個色階，剪裁貼身度升個兩級。足以表示敬意，但又不至於像在嘲諷的相似度。襯衫很簡單：純白，斜紋有挫掉銳氣的效果。領帶，令達瑞斯猶豫的是領帶。他想要報春花黃，但它缺乏威風和存在感。其他的顏色太沉悶，太花，或對他而言太過陌生，戴上去會很痛苦。非選報春花黃不可，但要怎麼營造權威感？領帶夾可以撐起一切。他的副靈阿得雷德叫出許多澳洲主題的款式。飛行袋鼠，不行。達瑞斯看到動物會全身發毛。紅狗商標也不行，不過理由不同。那是羅伯特．馬肯齊的紋章。達瑞斯想要繼承，不是想篡位。五顆閃亮寶石緊密排在一起，看似星群。他不認得這個。

南十字，阿得雷德回答。這排列成十字的星群只會出現在地球和月球的南半球夜空。

「讓我看看。」達瑞斯說。

他的視野從恆光宮往上升，遠離地表小隊（他們的任務已從搜救轉變為調查）的燈標和探照燈，高高越過恆光閣的殘骸，來到星海之中。達瑞斯望著望著，發現了那個十字，就在那。四顆燦亮的星子，以銀河的光輝為背景，其中一個較黯淡。

「並不怎麼搶眼。」

它是澳洲國旗上很明顯的一部分。

「列印出來。」達瑞斯說：「印成真鑽？」

我無法及時調度材料，阿得雷德回覆。

他別上領帶，報春花黃的。挺直腰桿，檢查牙齒、眼妝，梳梳頭髮。最後，他將南十字領帶夾別上去，在雙溫莎結下方三公分處。

「好了，阿得雷德，跟他們說我OK了。」

這就是第七顆鐘。

七鐘院給他的教訓是，他們教的不只是使刀。留意自己的呼吸，並在開始意識到它的同時，將它拋到腦後。過多的情感連結是一個陷阱。掌握自己的重量和質量，並了解兩者的分別。要記住，我們出生時，五感當中沒有哪一個知覺能力特別突出，還有，生命旅程會帶著你遠離感官協調，趨向謹慎。過度專注是一種錯誤。

阿得雷德向他展示攝影鏡頭。他眼睛右下角的點變紅時，影像就會開始直播。馬里亞諾・加百列・迪馬里亞在場，不過駕馭他目光的人是陽夫人。他不會發抖，不會猶豫的。

「鄧肯・馬肯齊死了。」她催促他遠離大廳那團混亂時對他說，起先他聽不懂。「聽清楚了，孩子。鄧肯・馬肯齊死了，馬肯齊金屬失去了領導人，布萊斯會試圖掌控它。這也是他動手的原因。」

「布萊斯毀了恆光閣？」

他們搭乘三輪摩托，疾馳在行政命令所淨空的隧道內。

「殘骸落地前，我們就知道那是彈運射擊了。布萊斯想搞得像沃隆佐夫下的手，但他沒他自己想的那麼聰明。他用那招襲擊過柯塔一族。」

「幫助你打贏一場仗的手法，會在下一場仗害死你。」達瑞斯說。

「我們動作得快，你有個天命得去實現。」

陽夫人把頭湊向達瑞斯。

倒數計時開始了。

圓點變紅，全月球都看到他了。

「我是達瑞斯．馬肯齊，羅伯特．馬肯齊的老么，他真正的繼承人。我在此宣布就任馬肯齊金屬執行長。」

陽夫人微笑著。

馬肯齊氦氣的機動車減速，滑入鐵路支線，然後停了下來。軌道旁有個VTO維修棚深埋在月壤土堤內，有個小太陽能陣列，一個通訊塔，還有標準的月球風景：一大堆廢棄機器。西方有島海向地平線彎去，東方是亞平寧山脈的北段外圍。沒東西了。

「這是廢話，但我還是要說。」布萊斯．馬肯齊說：「這裡不是哈德利。」

「哈德利的局勢變得很快。」芬恩．華恩說。布萊斯在座位上調整了一下姿勢，他每坐個幾分鐘就會開始不適。

「意思是？」

「他們不歡迎我們。」

「我他媽不期待他們歡迎我，我期待他們尊重我。」

「哈德利對我們有敵意，我不能在沒必要的情況下使你陷入險境。」

「哈德利不會把我視為懦夫的。」布萊斯吐了口口水，「我在那裡有二十個可靠的羊夫。」

「鄧肯派了兩百個武裝羊夫到礦場上，提防地球人侵襲。他們的槍一直在手上，沒繳回去。」

布萊斯暴躁地在座位上扭來扭去，這時發現鏡片上有小小的動靜。他痛苦地前傾身體，拍了一下機動車的舷窗。「這是什麼？」

「華萊士和汽海精煉小隊的探測車。我們要改搭探測車，去和雨海、澄海組會合。兩百二十個羊夫，我們在地表決勝，以鏡場為戰場。」

「圍城？」布萊斯問。

「圍攻哈德利。」芬恩．華恩說。布萊斯微笑。東方地平線揚起大片煙塵，宣告馬肯齊氦氣的人馬登場了。

「老大。」機動車保全小隊的隊長貝里．丹恩從後客艙打電話過來，「谷夏新聞，你得看一下。」

布萊斯．馬肯齊痛恨八卦網站和聊天頻道，但他們的反應比任何月球媒體都還要快。假新聞永遠跑第一。畫面上出現的是達瑞斯．馬肯齊，他梳了個飛機頭，黃如報春花的領帶和南十字的領帶夾別得不偏不倚，宣告他是馬肯齊金屬的人。該死的花花公子。

「媽的，快讓我上那台的探測車！」布萊斯．馬肯齊吼叫。

莎迪滑開拉門，瞪大眼睛。

「這裡有個酒吧。」

「當然有了。」丹尼．馬肯齊往椅背靠，腳放到腳凳上。「幫我們倒點喝的，好嗎？」

「你要什麼？」

丹尼背對著加壓玻璃的弧面，以及亞平寧山的北段。這有軌機動車是私人出租款，不是四龍主管級座車，沒有標準塗色，不過它還是很舒適、快速、設備俱全。「酸味。檸檬，量要多到妳會噘嘴的程度。小小的懲罰。甜味，糖精，香草糖精，倒到妳快要噘嘴為止。生命並不甜美。刺激性，交給琴酒。當然要冰涼到底的，四根手指，不對，三根。金箔，撒一些。攪拌，倒出來，品嘗。」

莎迪拉開門，列印，備料，倒了四杯酒給丹尼、自己、吉桑、艾格涅塔，後兩個人也是跟著丹尼從上城區下來的。**其他人晚點跟來，刀子傑克欠你們人情。懂意思吧？**馬肯齊重情重義。最後加入杯中的是一小撮金色碎片，它們緩慢地在冰涼液體中下沉。丹尼啜飲一口，然後往椅背一靠。

「他媽的棒呆了，好久沒喝你啦，愛人。我得幫你取個名字。陽光特快車。不，那太荒謬了，去他的。」他舉杯向著真空。「英雄回歸！」

月球地震有四種：深層、撞擊型、熱力型和淺層地震。最後一種最具毀滅性，傳遞速度也最快。幾秒鐘內，消息便從恆光宮傳開，梅利迪安從大道到上城區都受到了撼動，同時還面臨丹尼．馬肯齊遇刺的餘震。城鎮高處的居民也感覺到了，他們聚集在樓梯和檢修通道上。

但他驅逐了你。

「我爸死了！」丹尼．馬肯齊大吼。

他說你不是他的兒子。

「我過去服從他，馬肯齊家就是這樣做事。我以前忠心耿耿。」

他剝奪你的繼承權。

他舉起一隻手，他遵從馬肯齊傳統因而殘廢的手。

「我的血統不那麼認為。」

它有什麼想法，刀子傑克？

「去拿我該拿的。」

你沒有同伴，沒援手，沒有比西。

「就算得用走的，我也要走去！」丹尼．馬肯齊大吼，「同伴？你們之中有誰要跟我去？」莎迪、吉桑、艾格涅塔從他們的棲身處和巢穴跳下來，站在丹尼．馬肯齊身旁。上城區的人一路為他們歡呼，走下樓梯，但有個人說：**現在誰來保護我們？**

到了八十五樓，丹尼的副靈亮起，重新啟動了。空氣，水，檔案傳輸點數，錢。還有一個訊息：

請到梅利迪安車站，一名忠實羊夫上。

「那是陷阱。」艾格涅塔說。

「也許是，也許不是。不過我曾經打敗布萊斯．馬肯齊，幹掉他手下最強的人，他的第一刃衛。還有，我們搭電梯吧，除非你們想要大腿肌肉變得跟他媽的忒的樹一樣粗。」

「你有刀。」吉桑在大道上對他低聲說，三輪摩托和腳踏車從他們身旁閃過。

「兩把刀。」丹尼．馬肯齊說。他們搭上電扶梯，朝深淵的馬肯齊主車站移動時，又一個訊息來了。**去私人機動車接待處，你要回家了，不能打扮得像個氧氣乞丐。知恩圖報的羊夫上。**

接帶員原本已起身要叫保全了，結果柵欄開啟了，丹尼領著他的夥伴走進去，踩上厚地毯，置身於富情調的感應燈光下。

「歡迎你，馬肯齊先生。您的機動車在五號月台，三十分鐘後啟程。敬請利用我們的各種設施。」

「淋浴間，夥伴們！」丹尼大喊。

「我們有淋浴間。」莎迪說。

「太正點了。」

十分鐘後抵達哈德利，馬肯齊先生，機動車的人工智慧說。

機動車穿過凋沼上的一片瘡痍。月溪遭到填平，隕石坑被剷成月球表面上的皺紋，月壤反覆利用，一篩再篩，直到所有分子中蘊含的價值都被榨乾。

「來看看這個。」丹尼示意夥伴上前，「這是月球奇觀之一。」

「那邊，你們看。」丹尼指著不遠處的月球地平線，上頭有顆耀眼星子緩緩升起。「哈德利。我爸死了，但精煉機從來不曾停擺。我們隨時都會進入鏡子陣列了。你們看！」他站了起來，雙手一攤，像一場大秀的主持人。星星在鐵軌兩側閃爍。機動車駛上閃亮的模鑄鐵軌，穿過五千面鏡子排成的陣列。它們全都把光線聚焦到哈德利山頂的黑暗金字塔。「該死的陽家認為他們控制了太陽。但我們才是最早駕馭它的人，而且我們的手法最好。」

「丹。」

「怎麼啦，莎？」

「還有其他光。」他往前衝。鏡子陣列宛如固著的太陽，上方有較弱的光點慢慢下降，紅綠雙色的星叢。藍色的火花，還有耀眼的白光：一秒，兩秒，接著又變成了尖銳的藍色火焰。是推進器的噴火。

「月球飛船。」丹尼低聲說：「那是降落噴火。」

「有多少？」

「全都來了，布滿該死的凋沼。」

「VTO？你媽是沃隆佐夫家的人。」吉桑說。接著一把刀的刀尖便懸在他角膜上方。

「我媽是馬肯齊家的人，你念她的名字。」

「阿波利奈爾．沃隆佐夫—馬……」他怕到嗓子都變尖了。

「她的名字？」

「阿波利奈爾．馬肯齊。」

「謝謝你。」刀子收回刀鞘裡了。「你如果再對我媽做出失禮的發言，我就把你的脊椎從背上挖出來。」

「丹尼，你應該要看看這個。」莎迪將機動車人工智慧標出的頭條新聞傳給丹尼的副靈。

「達瑞斯，你這小賤胚。」丹尼輕聲說：「是陽家在搞鬼。」

聽到前，你會先感受到。鐵軌傳導到機動車體上的節拍，震動的節奏。答答咚，答答咚。丹尼跨入氣閥，它便化為了聲響，有節奏的聲響。門關上，氣壓等化程序展開。外氣閥開了，聲響又變幻成畫面。平台，坡道，階梯，高架道，下穿道，隧道，到處都擠滿羊夫。穿地活衣、西裝、裙裝、運動服、睡衣的羊夫，有高端品味也有油漬路線。蘇格蘭裙，靴子，人工培養皮：基本款的連帽衣和內搭褲，短褲和無袖T恤，典型的馬肯齊工人裝扮，可追溯到月球開發的黎明期，當時大家窩在破爛的住居地，開不穩定的探測車，穿不可靠的地表活動衣。所有人都在哈德利的石頭肌膚上敲出一個節奏。答答咚，答答咚。

丹尼・馬肯齊跨上平台。摩肩接踵的人群為他讓出一個空間，節奏中斷了，而且是在途中斷得一乾二淨。丹尼・馬肯齊掃視人群。

「好啦，各位夥伴，想念我嗎？」

哈德利的石頭迴廊和豎井承接了那些喊叫聲，並將之轉變為如雷的咆哮，彷彿整個空間變成了一件巨大的管樂器。許多隻手拍他的背，開玩笑地捶他，撥亂他的頭髮，試圖抓起他。大家歡呼，吹口哨，「幹得好」、「好個賤畜」、「你這小開膛手」此起彼落，也有人就只是不斷鬼叫。從梅利迪安跟著丹尼來的夥伴緊跟在這個返家的金童身後，被這些聲音奪走了注意力。走著走著，他跑了起來。那個節奏又回來了：答答咚，答答咚。丹尼・馬肯齊跑著，咧嘴笑著，左右兩排歡呼、拍手的人龍沒有盡頭。現在他衝進哈德利的中庭了，這是大金字塔內的一個金字塔形空間。人臉之海淹沒地面，他們抓到了他的意圖，為他讓出一條路。手扶梯對他而言不夠快，他一次踩五階，最後站到最底層甲板的欄杆上。

哈德利陷入沉默。一張張臉往前探，從高樓往下看。丹尼將每一張臉都收進眼底。

「我爸死了。」他大吼，「布萊斯・馬肯齊主張馬肯齊金屬歸他所有。我們的看法是？」

肏他的！一千名羊夫大喊。

「達瑞斯・陽空投的戰鬥機器人和武士布滿鏡場，我們的看法是？」

一**樣肏他的！**哈德利怒吼。

丹尼・馬肯齊舉起殘廢的手，要所有人安靜下來。

「這地方叫什麼？」

全城的人一起喊出它的名字，聲音如雷貫耳。丹尼搖搖頭，他們便回以兩倍大的音量。

「哈德利是我的兄弟，馬肯齊金屬第一刃衛。今天應該是要由他站在這裡才對，但他死在克拉維斯法庭上了。他為家族而戰。繼他之後，我成了第一刃衛，我為家族而戰，為家族代表的價值而戰。各位夥伴，我說的是榮耀和自豪。榮耀和自豪。我做的某些事，被視為不利公司。說得對，但我的行為從來不曾損害公司的名譽，也沒有背棄身為一個馬肯齊家成員的信念。你們都知道，你們把我當成英雄一樣歡迎。讓我告訴你們我是誰，我是丹尼．馬肯齊，鄧肯．馬肯齊的么子，也是最年輕的兒子，他真正的繼承人。我主張馬肯齊金屬歸我所有，這座城市歸我所有，而你們要對我效忠。你們跟我站在同一邊嗎？」

眾人的答覆壓過了城內永不止息的精煉機嗡鳴，蓋過中庭內的鐵格子結構發出的尖細回音。

「你們站在我這一邊嗎？」丹尼一問再問，哈德利的答覆越來越嘹喨。「但夥伴呀，夥伴。我們的敵人就在外頭。他們強大，冷酷，數量比我們還多，他們會奪走我們珍視的一切。我們要怎麼做？」

宰他們！

丹尼助長他們此時的氣焰，手拱在耳邊煽動他們，用嘴型說：**什麼？什麼？**

「宰他們！」

丹尼．馬肯齊穩立在欄杆上，品味眾人的吹捧，大大攤開雙手，懇求他們：來吧。有個人影穿過陽台上的人牆，吸引了他的目光。是阿波利奈爾，他母親，身穿哀悼的白衣。他從欄杆上躍起。

「媽！」

阿波利奈爾張開雙手，緊擁他。她微笑，彎腰在兒子的耳邊說話。

「歡迎回來，丹尼。」她低語。

「謝謝妳派有軌機動車來，媽。」丹尼也低聲回話。阿波利奈爾僵住了。

「什麼？我沒有……你能回來真是太好了。」

「這就是馬肯齊家的風範啊，他媽的不然咧？」他看到她身後又有一個白衣女子從人群中浮現，是安娜塔西亞，鄧肯的歐科伴侶。還有更多白衣女子穿過擁擠的人群，走下樓梯，是他妹妹卡塔琳娜，她孫女科米─莉．馬肯齊、麥凱拉、玉、塞爾瑪、普林塞薩。堂姊妹和表姊妹。

「要好好領導他們，丹尼。」阿波利奈爾說：「首先我們要讓你知道，從今以後，何謂馬肯齊家的風範。」

月之鷹將馬丁尼酒杯遞給他的鐵手。

「我不該喝酒。」艾莉西亞說。盧卡斯打開靠陽台花園的那扇窗。

「而且妳不喜歡琴酒。」盧卡斯走上陽台，「不過這不是琴酒，我想要妳跟我過來。」

艾莉西亞跟著他踩過溫暖的石徑，穿過枝幹修剪得很優雅的香檸檬林，來到懸崖邊的圓頂涼亭。它只能容納兩人，散發出親密的氣息又令人暈眩。艾莉西亞啜飲了一口酒，遭到煙霧和卡夏莎酒鹹味的奇襲。

「妳覺得如何？」

「很好，對月球人而言很好。」

「我嘗試，我失敗，我再嘗試，然後以更好的成績失敗。荷西的反應也不好，我以為我已經改良了酒譜。」夜色降臨方樓中心區，沒有拉長的影子，只有逐漸變得緋紅的世界。天蠍座α星方樓此刻是凌晨，天空的紫色轉變為藍色。獵戶座方樓是正午，景色很美，並且對艾莉西亞而言還挺陌生的。

「我發現自己養成了一些不好的習慣，現在這個我稱之為『下花園』。開完會，讀完書，聽完簡報，我就會拿一杯酒在香檸檬林裡晃來晃去，來到花園。只有我的保全和間諜能看到我。」

「還有全方樓中心的人。」

「喔，他們覺得我這個人很無聊。」盧卡斯說：「比前任月之鷹和他丈夫無聊多了。」

「布萊斯拒絕讓步。」艾莉西亞說，並將卡夏莎酒放到小石桌上。難喝死了。

「達瑞斯會把布萊斯碎屍萬段。」

「希望嘍。」盧卡斯露出一個緊繃、機靈的笑容。「丹尼．馬肯齊又是另一回事了。」

「那丹尼．馬肯齊是怎麼跟上城區半數居民一起出現在哈德利的？他還掌握了一千名羊夫的火力。」

「有人走漏風聲給他。」盧卡斯說：「讓他捲土重來。」

「馬肯齊金屬？他媽？」

「都不是。」盧卡斯說：「是我。」他啜飲了一口「下花園」琴酒。他試過一次卡夏莎酒，他絕對不會再犯同樣的錯了。他現在和以後都只會喝自己設計的、純粹又原始的琴酒。「別露出驚訝的表情，妳不該透露那麼多訊息。他們有機器可以讀取妳的表情、計算妳的情緒。我塞了足夠的錢，讓他回哈德利，還包了一輛機動車給他。我很小心，沒留下可追蹤的蛛絲馬跡。」

「丹尼．馬肯齊。」

「對。」

「主掌馬肯齊金屬？」

「嗯，還得再觀察。達瑞斯．陽正在打造一支大軍，也許他會勝出。陽家的口袋是個無底洞。不過我認為，引入第三勢力永遠比單純的兩方對決來得好。這會營造不穩定又混沌的局面。我喜歡混沌。而且太陽環的事就夠讓地球人操心了，更不用說陽家運用謀略想惡意接掌馬肯齊金屬這種狀況。這樣下去不行，所以讓丹尼說說大話、耍耍帥吧。讓他宣稱哈德利是他的囊中物吧。他的行蹤在我的掌握之中了。對上馬肯齊時，一定要知道自己的相對位置在哪裡。」盧卡斯往外看，看著越來越深沉的暮色，太陽線已是一抹靛藍。「我還有另一個壞習慣，哎。我叫它『退離花園』。可以陪我嗎？」

他們把杯子留在桌上。精巧的打光將鷹巢轉化成一道光之瀑布，藍光如池，白光蕩漾：光傾瀉而下。

「有個條件。」艾莉西亞說：「我要琴酒。」

18

戰場上所有人腦與人工智慧都在同一瞬間看清局勢了，凍結的僵局瓦解。武士、機器人、工程師、探測車瘋狂逃竄。戰鬥機器躍向天空，宛如傳說中的劍豪。探測車的輪胎高速旋轉，揚起的黑色塵土彷彿噴泉。

耶穌和聖母瑪利亞，他們動作真快。他們是鏡塔間稍縱即逝的亮光，陣列成為掩護。這真是個可恨的戰場。他的羊夫散布在鏡場各處，姓名、標牌疊在視覺與紅外線地圖上。雷達丟出五千個通訊錯誤訊息。他等於是蒙著眼作戰，公頻沙沙作響。

他們太快了，那些賤胚……

瑞秋，妳在哪裡？妳在哪裡？

我撤了，我撤了。

我看不到……

一個姓名標牌轉為白色了。

「撤退！」芬恩．華恩下令。他的抬頭顯示器到處都轉白了，透過戰術顯示器什麼也看不到。敵軍難以透過雷達定位，鏡子發出的熱光掩飾了他們的熱成像。芬恩的手下是氦氣礦工、加工工程師、田野調查人員、維修工人，對手是光滑、瘋狂的太陽企業殺人機器，還有受過戰鬥訓練的武士。芬恩．華恩把預定會師部隊的情報傳送給他的戰士。羊夫，塵工，窮困的傭兵。得讓架鏈炮的探測車掩護他們才行。幾道身影從他旁邊躍起，一口氣前進三公尺，揚起大片塵土。地活衣，硬甲衣，各種地表維生裝備混在一起的雜牌軍。工人對軍人。

「探測車開過來一點！」芬恩．華恩下令，將撤離點傳給人工智慧。「我們在這裡會被碎屍萬段。」

他頭頂的頭皮一痛：來自太空衣觸覺模擬系統的警告。他抬頭，看到黑色火花和銳利的藍色火星緩慢下降。是推進器。

「那些該死的玩意兒打算截斷我們！」芬恩在公頻上大吼。機器人降落到月壤上，靠吸震器再度躍起。它們的弱點就在那裡。一架陽家戰鬥無人機降落到芬恩．華恩面前。他手一扭，將矛拆成兩截，連在纜線上的斧頭一甩，毀掉了兩架機器人的腿部關節。芬恩跳起來，復原武器，使勁將矛尖插入機器的感應核。那玩意兒倒地了，四肢和刀刃一陣亂舞。機器人以刺穿的矛為圓心，在月塵上踢啊踢的，畫出了一個圓。芬恩．華恩開啟尖刺，將刀刃扭出機器人的背甲，留下一團細碎管線和處理器。機器人還有最後一點力氣。

「該死的探測車去哪了？」

他想要槍，高斯步槍。得靠槍才能守住哈德利。布萊斯否決了他們，說槍的裝備時間太長了，說鏡子陣列會化為碎玻璃的漩渦，四處亂飛。

去你的布萊斯，總是把材料看得比人肉珍貴。

他的後腦勺又一次。他轉身，發現一件戰鬥硬甲撲向他，兩邊手腕上各架著一把刀，消光黑與銀色裝甲，是太陽企業。芬恩再度折斷矛柄，甩動纜線，斧面砸穿敵軍面罩，碎玻璃和血爆了出來。他踢開那具痙攣的身體，拔出斧面，再度將兩段把柄合一。

好傢伙。惠更斯隕石坑的某個聰明鬼想出來的設計：容易列印，好使。在資訊時代社會，以銅器時代的武器作戰。

探測車總算載滿人了。

「瑞秋，玉，跟我來！」芬恩下令。他的後衛移動到他的兩側，手中舉著武器，不過太陽企業的機器人和武士已在鏡場邊緣停下動作。他們已經贏了，已經羞辱了馬肯齊氦氣，繼續屠殺也無利可圖。

八十名羊夫走進來，剩四十六個走出去。

機器人和武士紛紛消失在鏡子炫目的光影之間，最後只剩一道身影。他舉起披著戰甲的手，轉動，伸出一根手指。是達瑞斯嗎？有可能。那件太空衣很小。芬恩只見過他幾面，在他正式拜訪坩鍋時，次數少得不得了，也只對他說過幾句話，表達出該給羅伯特．馬肯齊與婕德．陽之子的敬意。但對方總是散發出「狂小」氣質，轉頭走人。「狂」妄的「小」賤胚。達瑞斯．陽確實可能做出眼前這人的舉止。

好傢伙。

芬恩．華恩的觸覺模擬系統讓他品味手中矛斧的硬度和重量。

「瑞秋，玉，你們走。」

載滿倖存者的探測車啟動牽引馬達。

芬恩舉起矛，找出它不規則形體的平衡點，輸入動力給太空衣的伺服電動機，然後使出他強化過的力氣擲出武器，目標是陽家那件太空衣的胸甲。

沒料到這招對吧，小賤胚？

那人影往側邊跨了一步，蹲下。他的手以芬恩．華恩從未見過的速度抓下空中的矛，旋轉它，拿它來瞄準。芬恩．華恩敢說他看到了對方的微笑，就在那黑色面罩的下方。

「布萊斯！」

沒人回答。

「布萊斯！」

芬恩．華恩叫出另一個顯示畫面——在凋沼濺血潰敗的探測車奔逃著，排成一個參差不齊的楔形。他看到布萊斯的探測車了，在車隊的前頭。

「不，你他媽想得美。」芬恩咒罵。戰鬥裝計算了能源存量，得知自己還能全速奔跑十分鐘。足以趕上布萊斯的主管座車，但他的電力只會剩下毫瓦特，他會喘不過氣。

速度能快過擲向自己背部的矛嗎？

他轉身，命令太空衣卯起來跑，關節劇痛使他叫出聲來，太空衣一旦失控，他就會摔倒、翻滾。十分鐘，他受不了的，但他非得撐住不可。

撤退部隊形成一條陣線。他在四散的探測車和挫敗的乘客間彈跳：硬甲衣被加速度鉗在車體上，穿地活衣的塵工緊攀著支柱和安全帶，接受其網羅、綑綁，車子壓過每個石頭和隆起，他們就會跟著抖一下。胎痕中有足跡。現在只剩一組車轍，一片揚塵了。

電力剩百分之八。

他抓住奔馳中的探測車，手套緊抓住一把檢查梯。晃著晃著，他撞上了那把梯子，衝擊力極大，隔著硬甲和加壓肌膚他都能感受到。他有沒有哪個部位斷了？他在探測車尾端盪啊盪的，每盪一下電力就少一小格。接著他其中一腳踩住車身，一推，好不容易讓另一隻手也攀上梯子。接下來就是簡單又痛苦的過程了：把自己拖上梯子，爬過加壓車身，來到維生裝置區。

動力剩百分之二。

芬恩・懷恩鬆開電纜，翻開防塵蓋，插線充電。那感覺就像做愛，勝過做愛。他現在有空氣了，新鮮、甜美、好涼好涼的空氣。在硬甲衣中，你主要會聞到的是自己嘴巴裡的味道。他仰躺在探測車頂，沐浴在乾淨、香甜的空氣中。最後，是通訊。他連上探測車的通訊頻道。

「布萊斯，我不欣賞你的行動，不欣賞你跑人。」

對方有好長一段時間沒回答，不過芬恩不許自己示弱，不會重說一次。

「芬恩，你辦到了，我真為你開心。」

「不，多虧有你，布萊斯。」

「芬恩，芬恩，這是一個商業決策。」

「第一刃衛也只是一個具替代性的資產。」

坐在有空調的舒適車廂內的那個人，沒反應。

「在我看來，你正要把我們帶回東島海。」

「我得去皇家堡壘才行。」

「往那方向是到不了的。」

「什麼意思？」

「月球飛船斯科帕剛剛降落在東島海了，它要截斷你的退路。」

對方再度陷入長長的沉默。

「幫我，芬恩。」

「你說什麼？」

「幫我。」

「我辦得到，布萊斯，我可以在一眨眼的時間內帶你回到皇家堡壘，但那方法不會舒適、帥氣，不會符合你平常的標準。」

「他媽的告訴我該往哪裡去就是了！」

巨漢的嗓音流露出真實的恐懼。芬恩．華恩在頭盔的遮蔽下微笑，並從太空衣中央處理器中叫出座標，傳給車殼下方的布萊斯。

「拿去吧。」

「彈運站。」

「最快，最穩。我們也有彈運艙的乘坐記錄。」

探測車高速轉向，芬恩．華恩緊攀在車上。

「我認為這尷尬是你造成的，責任在你。」布萊斯說。

三十四人死亡，都是些好人、可靠的人，下場是開膛剖肚、斷手斷腳、內臟掏空，手腳、器官散落，血液潑濺在凋沼上。而你說這叫尷尬。

惠更斯隕石坑彈運站的號角狀軌道從地平線上升起了。**享受你的旅程吧，肥豬。我說我會把你弄回皇家堡壘，但我是唬你的。你得花上二眨眼、三眨眼，甚至更久的工夫。你從來沒搭過彈運，這次就搭個夠本吧。在你自己嘔吐物和屎尿中打滾吧。我會看著你的乘客艙升空，然後換乘你的探測車到哈德利去，一路喝你該死的特製伏特加，敬三十四名可靠的羊夫。**

真期待前第一刃衛俱樂部的開幕典禮。

對江映月而言，哈德利山脈上空的降落推進器的光化閃光，就是所謂的美。高空燈光下，還有燈光在移動。江映月從小就喜歡太空船，當她第一次踏上地表時，穿著新手級硬甲衣的同班同學都東倒西歪地摸索著移動方法，但她跳了起來。跳起來，手伸向天上的亮光。硬甲衣的促動器非常強而有力，但不足以使她遠離月世界，來到太空船飛行的高度。自從那天起，她就被釘死在小小的月球上，困於此地，只能仰望天空。

奧廖爾是燈標和警燈組成的一團燦爛，下一刻船身反射太陽光，江映月得以看見船的全貌。她看出貨物台架上有通信與控制模組，她記得沃隆佐夫艦隊每艘船的名字、機組人員、船上的組件與配置。想到沃隆佐夫家可以駕馭如此美妙的事物，她就恨。他們的靈魂粗劣，身體臃腫，嗓門大。對他們來說，他們的太空船是工程產物、交通工具、活動範圍、搖錢樹。對她來說，它們是天使。

接著引擎點火，沙塵像浪一樣吞噬了她。

她穿過沙塵，朝抬頭顯示器上的影像走去。坡道放下，氣閥開啟，她入內進行等壓程序。空氣刀一道、一道地刮下太空衣上的塵土，使太陽企業亮麗的戰甲顏色顯露出來。江映月打開頭盔，品嘗胡椒似的月塵味。氣閥另一頭，陽家人等待著。

江姓企業衝突排除官，她的副靈宣告。她不是陽家人，不能為副靈換上氏族的卦符。她也不需要副靈在齊聚一堂的陽家人頭上放出姓名標牌——她不只記住了沃隆佐夫家的太空船設計，也掌握了太陽企業的組織結構。

「看來，布萊斯．馬肯齊像個哇哇大哭的娃兒，逃之夭夭。」知遠說。

「搭彈運。」映月說。太空衣遮蔽了在場人士的竊笑，他們都想像布萊斯．馬肯齊在乘客艙內彈來彈去，像顆手球。

「我方損傷狀況呢？」亞曼達．陽問。太陽企業的董事們坐在鉻和人造皮組裝的、極簡又優雅的椅子上，排成半圓。江映月不斷意識到自己站著，身穿戰甲，在灰色地毯上留下髒兮兮的腳印。

「超過我樂見的程度。」她的副靈將清單和圖表傳給那些懸浮的卦象。「最嚴重的部分是機器人，不過人類也有傷亡。」

「一團亂。」陽將贏說。

「我們的預測模型並沒有料到澳洲人會在局勢一面倒的情況下繼續作戰。」

「我從未聽過有哪個姓馬肯齊的會放棄作戰。」陽夫人說。一名僕人倒了一杯琴酒，約是一個頂針能裝的量。她端莊地啜飲一口。

「那在妳的預測模型裡，那些澳洲人怎麼行動？」知遠問。

「我們要繼續投入資源，進行圍城，直到我們掌控哈德利的維生系統。從那之後，他們的抵抗就會以非常快的速度瓦解。在此同時，馬肯齊羊夫發動的任何反制行動都會遭到高速、高效率的鎮壓。」

「不能低估丹尼・馬肯齊這號人物。」知遠說：「我們想把他從上城區攆走，結果每次都被他打退。」

「告訴我，我的孫子表現得好嗎？」陽夫人問。

「他指揮一支機器人小隊，同時作戰，無比勇猛。他找芬恩・華恩單挑，逼得對方逃跑。」

「芬恩・華恩，他之後帶著第一手情報，投靠了馬肯齊金屬。」亞曼達・陽說：「他知道我們的布陣和戰術。」

「我們的預測模型從未產生重大的落差。」映月說：「我們預期哈德利在七十二小時內投降。」

「我們要卡在這箱子裡七十二小時？」陽夫人用氣音說。

「我們認為對方會更早投降，而且是早很多。」映月說：「畢竟，這只是管理權的轉移，馬肯齊家懂得生意這回事。」她停頓了一下：有影像出現在她的鏡片上，有人對著她耳朵說話。「抱歉，戰況有所改變。」江映月的頭盔關上的同時，她對座位上的董事們說：「丹尼·馬肯齊出來作戰了。」

空氣中仍殘留著舊月塵的記憶。丹尼·馬肯齊伸出一根手指，不經意地滑過門框，他感受熟悉的刺痛、灼燒感，還有嗆辣的氣味。他的指間有一抹柔軟的灰色物質，月球夫人的致命武器：月塵。

他父親也做過同樣的舉動，就在他決定進入金字塔頂層房間，將哈德利從數十年的沉睡中喚醒時。鏡面轉向太陽，在城市中心生起一把火。他在那時嘗了月塵。

女人們站在戰術顯示器前，圍著它。那是一個投影，投在控制中心內所有人的鏡片上。凋沼的精密圖表跳了出來，取代流程圖與精煉機的資料。丹尼凝視著地圖。

「靠。」

「陽家人已控制了整支VTO月球飛船艦隊。」阿波利奈爾·馬肯齊說。

「太空運輸量驚人。」安娜塔西亞·馬肯齊說，她也是鄧肯·馬肯齊的遺孀。

「我還以為沃隆佐夫是我們的夥伴。」丹尼說。「我還以為我們要一起投入小行星事業？」

「契約就是契約。」一個膚色黝黑的年輕女子說，她的頭髮高高盤起，像一座精美、喜氣的巴比倫寶塔。一座倒立的哈德利金字塔。「能賺錢的工作，我們從來不拒絕。」

丹尼·馬肯齊抬起一邊眉毛。

「好啦，妳，我不知道妳是誰。」

「艾琳娜·埃富·沃隆佐夫—阿沙默。」年輕女子說：「我來這裡是要當科米—莉·馬肯齊的歐科伴侶。」

「那妳憑什麼待在這裡？」丹尼問。

「憑她是我們這裡最接近VTO專家的人。」阿波利奈爾說：「同時也是潛在的人質。我沒冒犯之意喔，艾琳娜。」

艾琳娜點了個頭，表示她沒放在心上。

丹尼再度盯著地圖看。陽家在兵力和戰略位置上都占了上風，而且月球飛船和彈運乘客艙每分每秒都帶來更多援軍。

「他們在那裡可以待多久？」

「想待多久就能待多久。」卡塔琳娜．馬肯齊，也就是鄧肯的姊姊說。

「他們會待到我們的維生系統遭破壞為止。」瑪格達．馬肯齊說，她是丹尼的姪女，安娜塔西亞和鄧肯的兒子由里的小孩。

「那需要多久的時間？」

「根據我們的模擬，不到七十二小時。」安娜塔西亞．馬肯齊說。

「靠！」丹尼搥向顯示器，搥向那個幻影。它在指揮中心內原本代表團結與決心，如今成了沙沙作響的恐懼。「我們到外頭去，試著跟他們大幹一場……」

「他們會把我們撕碎。」迪翁席亞．馬肯齊說。她的母親塔拉是梅利迪安的時尚名媛，死於降鐵。

「他們一直在測試我們的網路防線。」艾琳娜．沃隆佐夫—阿沙默說。「我們不斷擊退他們。哈德利的作業系統塞滿木馬程式，當中有些可以追溯到城市建立當時。裡頭有段古老的程式碼，應該有五十年的歷史……」艾琳娜打住。指揮中心裡所有人都靜立不動，面面相覷，都在同一瞬間有了同一個想法。只有艾琳娜是例外。

「木馬程式。」丹尼說：「他媽的木馬程式！」

「勿忘降鐵。」他媽說，而這段真言在指揮台上傳了開來。**勿忘降鐵**。

「我們得聲東擊西。」安娜塔西亞說：「他們一旦發現我們在做什麼，就會對陣列下手。」

丹尼咧嘴露出金牙，張開雙臂。

「月球上，最能令人分心的不就是我嗎？」他的呼喚傳出哈德利的輝石走廊和灰色的橄欖石會堂。**我需要三十個可靠的羊夫，要戰士、槍手。自殺任務，五號氣閥集合，誰要跟我去？**

女人們微笑，彎腰開始工作。

「我們得出狠招。」迪翁席亞．馬肯齊說：「我們只有一次機會。」

瑪格達．馬肯齊細看顯示畫面，皺眉，接著拉近畫面，碰觸一個發光的藍點。

「奧廖爾，剛從恆光宮移動到這，是主管級交通工具。」

「他們把整個董事會帶過來，要他們看勝利的金童大搖大擺穿過倫敦閣。」阿波利奈爾說。

「哼！」丹尼大吼，「我才是該死的金童，別忘了。」

「別死啊，丹尼。」瑪格達說。

「你們要是把事情辦好，我可能連殺人都不用。」丹尼說。

「我不懂……」艾琳娜．沃隆佐夫—阿沙默說。

「告訴我，沃隆佐夫。馬肯齊家的座右銘是什麼？」走到門口的丹尼呼喊。他的手指抓著蒙塵的門框。

「馬肯齊三倍奉還。」艾琳娜說。

「錯錯錯。」丹尼搖頭，咧嘴露出一個野蠻而燦爛的笑容。

「以其人之道，」哈德利的女人們齊聲說：「還治其人之身。」

「行，行，行，行，行。」志願者進入主氣閥時，丹尼．馬肯齊一一拍他們的背。「你，行。你，著裝。你……」他指著某人，手指定住了。「你他媽在這裡幹什麼？」

「我叛變了，你沒聽說嗎？」就一個月球人而言，芬恩．華恩並不算高，不過旁人都從他身邊退開，使他處於社交真空狀態。

「我他媽為什麼要讓你為馬肯齊金屬而戰？」

「因為我是唯一一個打倒過你的人，丹尼．馬肯齊。在施密特隕石坑，你穿著那愚蠢的太空衣。你不知道我是誰，只知道我是某個羊夫，但我幹掉你了，刀子傑克。我把你丟在那邊等死，結果姓柯塔的救了你。」

沉默的人群等待著。丹尼．馬肯齊豎起拇指比了一下氣閥。

「進去，著裝。」

芬恩．華恩通過時，丹尼伸手搭他的肩，攔下他，低聲說：「你在施密特隕石坑扳倒我，把我丟在那裡等死，以為擺平我了。我得告訴你，夥伴，丹尼．馬肯齊不會那麼容易死，就算得讓姓柯塔的搭救，他也不在乎。你要明白這點。還有，我現在又有一件全新的閃亮金色太空衣了。」

他的新太空衣是一件硬甲衣，塗漆仍有一股酚味，在狹窄的太空衣間內十分刺鼻。

「我不知道穿這該死的東西該怎麼動。」丹尼在機甲扣上、密封時咒罵。觸覺模擬裝置湊過來讀取他的身體數值，他感覺到伺服電動機啟動了。這件太空衣動力強大，防禦力也很高，但他得付出速度和機動性作為代價。對於使刀的人來說，速度攸關性命。動作得快，得刁鑽，轉動刀尖，切開敵人的肚子。

他身上的硬甲衣動起來了。一個穿著太空半獸人裝甲的女性從架上抄起槍，遞給著裝好的鬥士。標牌指出她叫桑妮雅．加塔，是一名老鳥，曾參與馬肯齊金屬的襲擊行動，在忒阻止月球受託管理機構的機器人攻城戰。

「這是什麼？」丹尼．馬肯齊拿武器的樣子像在拿一塊大便。

「高斯步槍。」桑妮雅．加塔說：「可以從兩公里外打穿一架機器人，乾淨俐落。」

「我跟這些玩意兒打過。」芬恩．華恩說：「忒的戰役結束後，陽家又做了一些改良。你們不會想知道它花多少時間就可以從兩公里外跑到面前。你有時間開兩槍，接著它就會跳到你身上了。」

「給我一把該死的刀就對了。」丹尼．馬肯齊口齒不清地說，罩著機械手套的手轉動高斯步槍。桑妮雅．加塔湊上前一步，拍了槍管上的開關一下，一把刺刀彈出，她手一扭，接著就把刀遞給丹尼了。

「太棒了。」他說：「再一把會更棒，很好。」他的小隊跟在他身後，三十件太空衣，扯翻天了。

「我的朋友，我親愛的朋友，太陽企業的小隊正在對我們的維生系統進行硬體破解，我們接下來要對他們發動攻擊，分散敵方注意力。他們有武士和機器人作為護盾。敵方人數與武器都比我們多，我們八成會死。老人總愛談論死亡和榮耀，而那是有史以來最古老的屁話和鬼扯。死亡沒有榮耀，死亡是一切美好的終結。而我正要帶你們走向死亡。我們的任務是爭取時間。把時間單位從『秒』換成『命』，就能說明我們的任務內容。我不希望你們死，因此你們要像惡魔那樣奮戰。像生命的化身那樣奮戰。我話就說到這裡，感謝各位。你們是最棒的。你們是羊夫，是刃衛，對，不過你們這些混蛋也都是馬肯齊家的一分子。」

氣閥內迴盪著歡呼聲，接著頭盔密封，氣壓計上的數值開始下降，向真空逼近。綠燈轉為紅燈。

外氣閥開啟了，公頻上傳來一陣怒吼。丹尼．馬肯齊的金色戰甲率先衝上月壤。

跑，江映月命令她的太空衣，**前往這個航點**。戰甲的回應是提升動力、即刻加速。多麼精良的工藝。太空衣有自動控制模式，她因此得以將所有的注意力都放在反擊上。三十名馬肯齊金屬刃衛，全速奔向太陽企業的工程小隊，試圖阻止他們駭進哈德利的主通訊線路。合理，直截了當，戰術上過為天真。澳洲人喜歡硬幹，但硬幹打不贏戰爭。

她的眼睛掃過戰術陣列，辨識各單位。她在心中下達命令，機器人和武士便遵照行事。情報攸關生死。她拉近畫面觀察那幫突擊隊，發現這批敵人的裝備是忒遭圍攻時期的硬甲衣和高斯步槍。當然還有刀子，馬肯齊和他們的刀。他們動作很快，很堅定，但沒有紀律也不協調，不過是一群大步慢跑的土匪，戰鬥太空衣的顏色、設計、圖案像是在慶祝嘉年華。一盤散沙。他們各自為政，並不是以一支隊伍的形式出擊。她的抬頭顯示器鎖定了一件金色硬甲衣，她允許自己吃驚幾秒。是丹尼．馬肯齊，金童。他們派出王子作戰，真是怪了。她要為此懲罰他們。

她接到工程小隊打來的電話，他們憂心忡忡。

「留在原地。」她下令，「援軍很快就會到了。」她念頭一轉，兩支戰鬥機器人小隊便跳向空中，點燃推進器，劃出一個高高的弧，飛越一大片熔爐黑鏡陣列。

澳洲人根本沒機會贏。江映月想到他們的落敗，便感到津津有味。她總是覺得他們很失禮、自大，誤以為全宇宙都喜愛他們，而且不幸地擁抱著這個妄想。

接通達瑞斯，她對太空衣下令。他出現在顯示器畫面上，正和紅色部隊一同朝戰線衝刺。

「達瑞斯，回主管艙去。」江映月下令。陽夫人給她的指示是「**讓男孩見血**」，但他們的對手可是丹尼・馬肯齊，以及他親自選出的羊夫。

「我要跟丹尼・馬肯齊打。」達瑞斯回答。

「丹尼・馬肯齊會把你剁碎。」

「丹尼・馬肯齊並沒有在七鐘院受過訓練。」

「回奧廖爾去，這是命令。」

「妳不能命令我，我是馬肯齊金屬的執行長。」

江映月嘆了一口氣。

「我是企業衝突排除官，也是戰場司令官，有全面的指揮權限，我能控制你的太空衣，要它立刻快步跑回主管艙。」

她聽到達瑞斯含糊地發出低俗的咒罵，馬肯齊家會用的那套。抬頭顯示器上，代表達瑞斯的圖示轉向了，她又傳了一個巧妙的導航撤銷指令到他的太空衣上，以免他離開她視線範圍後又回心轉意，打算掉頭。

黃色部隊和紫色部隊，到我指定的位置，她下令。機器人從天上降落到她四周，並趕上她的移動步調。只剩幾百公尺了，她的前鋒部隊已開始作戰。

「所有單位迎敵。」她用公頻發令，抽刀，躍起。

「頭上！」

丹尼・馬肯齊將刀子從太陽戰鬥機器人的中央處理核上抽出，抬頭看。機器人從天而降，刀落。

「他媽快動，太空衣！」他大吼，不過知覺感應裝置已讀取到他的意圖，使太空衣滾向一旁。機器人的降落爆出火花，最後一刻甩出的刀子在金色硬甲上刮出一條銀線。丹尼繞到刀子內側，抓住機器人的手臂，將它從背甲上扭下，液壓系統的黑色液體噴射而出。第二把刀揮向他，但途中機器人的頭便爆開了。它倒在月壤上，細長的四肢與尖刺不斷亂揮。

穿著太空半獸人戰甲的桑妮雅．加塔放下高斯步槍，伸手點了一下自己的頭盔。

那聲警告是芬恩．華恩發出的。

丹尼撈起機器人的刀，現在他有雙刀了。就該這樣。

兩把刀，但他們只剩二十個人，機器人仍不斷湧上，一波一波地穿過鏡場，或從上方空降。他們最初衝鋒時已來到太陽工程小隊和主通訊線的咫尺之外，但接著機器人就跳上了探測車。血濺月壤，而且是大量的血。他們遭到包圍，隊形縮得更小。他們接下來得背對背作戰，然後是並肩作戰，然後就是死亡。

「控制中心！」丹尼大吼，「我們沒戲唱了！」

他把雙刀當作剪刀一揮，砍飛一具機器人的頭部感應器。

「我們鎖定一個目標了，丹尼。」來自哈德利閃耀峰頂的嗓音說。

「艾琳娜？」

「沒錯，準備好了。」

「我們快死了。」

凋沼的遙遠彼端，一排鏡子突然發出比太陽還燦爛的光芒。戰場上的沙塵使光線可視化，看上去簡直像是固體。它往下掃，接著另一區陣列接下光，投向另一區，然後又是另一區，聚焦到最遠處的ＶＴＯ月球飛船。換熱器葉片瞬間發紅，幾秒後便發生故障、過熱，燃料槽爆炸了。

「太屌了！」丹尼．馬肯齊對著控制中心群組大吼。

太空船的機組人員立刻做出決策。推進器點火，船升空，主引擎點火，奧廖爾於是在幾秒鐘內化為天空中的燈火。凋沼上所有的VTO太空船都從鏡子陣列中升空，推進器藍焰有如刀刃。

鏡子發出熾光，下方的人、機器都沒有動靜。

「主管艙！」芬恩．華恩大吼，「他們拋下主管艙了！太陽的董事會全在那！」

「說得對。」丹尼．肯齊說：「說得對。」戰場上所有人腦與人工智慧都在同一瞬間看清局勢了，凍結的僵局瓦解。武士、機器人、工程師、探測車瘋狂逃竄。戰鬥機器躍向天空，宛如傳說中的劍豪。探測車的輪胎高速旋轉，揚起的黑色塵土彷彿噴泉。

丹尼看到機器被車輪輾過，看到陷入狂亂的武士試圖閃避，但沒能成功。他被撞飛，身體旋向探測車上方高空，撞入哈德利鏡面武器的其中一個熔融終點。他們全都撤退了，回頭要去保護董事會。這是他們的潰敗。

「移除高熱。」丹尼說，鏡子旋離太陽後，黑暗猛然降臨，濃密得彷彿伸手可及的黑暗。「冷靜的頭腦會做出比較聰明的決定。幫我連上太陽的通訊頻道，可以嗎？」

「連上了，丹尼。」

刃衛從他們最後的立足處散開，剩十八個人。三十個人曾在第四氣閥發出忠誠的怒吼，如今只剩十八個。他們排成不怎麼直的一列，太空衣上布滿坑疤和刀痕，天線斷了，面罩裂開，漏氣處的灰色緊急密封劑冒著泡。桑妮雅．加塔將高斯步槍的槍托放到月壤上，芬恩．華恩站到丹尼身旁。

「太陽企業，我是丹尼．馬肯齊。」他不只對太陽企業的董事會和軍隊喊話，也讓自己的羊夫、控制中心、全哈德利的人聽，「我現在接受你們的投降。」

19

「五十年後，月球上沒有生命。」維迪亞．拉歐說：「沒有人類、動物、蔬菜。月球是一個死寂的世界，由賺錢機器維持運作。城市裡空盪盪的，冰冷，真空。」

「我也不在了？」露娜尖聲問。

「所有人都不在了……兩年後，地球人會刻意從地球帶來瘟疫。我們沒有抵抗力。我們的噬菌很有療效，但我們的醫療設施供不應求。這是瘟疫，加上瘟疫，再加上瘟疫。」

「她一天到晚都化這種妝嗎？」維迪亞．拉歐問。露娜坐在桌子另一頭，雙手交疊在玻璃上，下巴靠著手，活人的那隻眼睛瞪著那個經濟學家，死者的那隻眼睛則動向不明。

「一天到晚。」艾芮兒說。

「這是刺青。」露娜說。

「它不是。」艾芮兒說。

「我可能會去刺。」露娜的意志有如鋼鐵。

「妳不會。」艾芮兒說，但她勝利的語氣並不堅定。

「我得跟妳談談，」維迪亞．拉歐說：「公事。」

「露娜，妳想聽嗎？」

露娜點頭。

維迪亞・拉歐低下頭去。梅利迪安的逃亡以及陽家的震怒，使這名年邁中性人學者的身體能力受到嚴格考驗。感謝小氣的經濟學家之神，他在第一個月環釋出乘客艙前就因G力昏厥過去了，繫鏈與繫鏈的接力過程中，他都沒有意識，就這麼被最後一個繫鏈甩到科里奧利塔的入港鉗中。

七十歲老人昏厥七十分鐘是很危險的。大學的急救小隊把他從乘客艙中救出，送進醫療設施。他恢復行動和說話能力後，立刻要求和艾芮兒・柯塔見面。他獲邀前往艾芮兒位於坑壁上的公寓。

「恭喜你把梅利迪安搞得天翻地覆啊。」艾芮兒說：「跟你相比，我的出走乏味得令人失望。就只是一大早坐輪椅滑過康達科娃大道。」

「有人幫我。」維迪亞・拉歐說：「是太陽企業在三皇裝的後門的次級人工智慧，以陽夫人為人格模型。事情很複雜。」

「三皇，是伏羲、神農氏和黃帝嗎？」露娜擺著腳問。

「它們想當什麼就能當什麼。」維迪亞・拉歐說：「我討厭它們，它們的智能跟我們的落差太大了，幾乎無法跟我們溝通。情況最好的時候，它們給人反常的感覺，最糟的情況下，它們會故意為難使用者。妳可以想像妳有一個朋友只說謎語、變位字，只會搬出妳沒看過的肥皂劇台詞。也許它們是誠心誠意想跟我們溝通，又或許它們只懂遊戲。」

「你問它們什麼？」艾芮兒問。

「我請它們預測月球交易所上線的五年、十年、十五年、五十年後的狀況。」

「它們讓你看到什麼？」露娜問。那是魔法、巫術、奇蹟之類的東西。

「五十年後，月球上沒有生命。」維迪亞・拉歐說：「沒有人類、動物、蔬菜。月球是一個死寂的世界，由賺錢機器維持運作。城市裡空盪盪的，冰冷，真空。」

「我也不在了？」露娜尖聲問。

「所有人都不在了。」維迪亞．拉歐娓娓道來，「兩年後，地球人會刻意從地球帶來瘟疫。我們沒有抵抗力。我們的噬菌很有療效，但我們的醫療設施供不應求。這是瘟疫，加上瘟疫，再加上瘟疫。十年後，月球的近端和遠端上總共只剩幾百個人存活，體制瓦解，機器失靈，沒有小孩出生……十五年後……」

露娜瞪大眼睛，嘴唇顫抖，鼻孔撐大。

「夠了。」艾芮兒說：「你嚇到她了。」

「三皇的預言都會加上實現的可能性百分比。如果月球開法法人繼續進行月球交易所計畫，月球人類在二十年內滅絕的機率為百分之八十九，五十年內滅絕的機率是百分之百。」

露娜嚇得臉色慘白。

「艾芮兒，這是即將發生的事情，還是可能發生的事情？」

「地球人嚇到了。」維迪亞．拉歐說：「沃隆佐夫家打算打造一系列太空電梯，把月球變成太陽系的樞紐。馬肯齊想上小行星採礦，打造太空住居地。雙方都需要盧卡斯．柯塔的背書，但他們不知道他的立場。接著我提出我的月球交易所計畫，他們很喜歡，非常喜歡。最喜歡的部分是不需要投入人力，就能帶來規模難以想像的巨大財富。他們想要的全部都會入手，是我遞給他們的。」

艾芮兒牽起露娜的手。

「露娜，小天使，別怕。」艾芮兒說。

女孩搖搖頭。

「我不怕，我只是想知道自己能做什麼。」

「盧卡斯有權力，權威，柯塔家重建了。」維迪亞．拉歐說：「他什麼都有，只缺一樣東西。」

「路卡辛侯。」

「妳有他要的，他有妳要的。」

「我記得我跟你說過，柯塔家不碰政治。」

「妳對我說的話是『柯塔家不玩民主那套』。」維迪亞．拉歐伸出一根手指，點了右眼角的皺紋一下，「我的外部記憶完美無瑕。」

「那就回想起另一件事吧。你們把我形容成某種萬中選一的人，我才回你們那句話。」艾芮兒說。

「那是我們第一次見面，妳第一次到白兔閣開會。」

「之後你就不斷跳出來說末日近了，提醒我我的地位有多特殊。你一路爬到上城區邀請我和月之鷹喝雞尾酒，然後繼續搬出老掉牙的鬼扯，說我是特別的存在。這是你出現在這裡的原因嗎？三顧茅廬？那是童話故事，維迪亞。白羊座的老人星也好，你的三皇也好，都是童話故事。宇宙中是沒有英雄的。」

「就算是那樣……」維迪亞．拉歐說。

「你也總是有辦法回應。」艾芮兒說：「劇本都寫好了，不管我願不願意配合演出。這齣肥皂劇現在演到哪了？」

「『拒絕召喚』。」維迪亞．拉歐說。

「就當我拒絕了吧。」艾芮兒說：「月球存續或滅亡，都跟我扯不上關係。」

艾芮兒閃人，平針織衣上的圓點圖案像風一樣掃過房間。露娜繼續瞪著維迪亞．拉歐，讓對方知道她的反對有多強烈，然後才邁步跟著姑姑離開。

「但妳會扯上關係的。」維迪亞．拉歐對著空房間輕聲細語，窗外射入的陽光照亮灰塵。「妳控制不了。」

露娜以為自己已鑽過科里奧利的每一條隧道、豎井、導管，但阿瑪利亞．陽帶她進入了陌生的管線和導管中。

「妳要去哪？」露娜從緊急逃生梯下方第八樓的通風孔往外窺看，同時低聲說。沿著之字形的豎井往下爬非常吃力，掉下去沒有機會著陸。副靈露娜讓她看過某些高壓電線的配置，人碰到它們就會一閃，然後灰飛煙滅。阿瑪利亞穿過綠色的維修門，而露娜得把自己拖上一個棘手的九十度水平轉彎，來到牆板和做過氣封處理的石頭間的空隙。希望那空隙會沿著這層樓的長邊延伸。阿瑪利亞離開休息室座位（她總是坐同一個位置）後，監視多時的露娜回過神來，並跟上。接著她原路折返太多次了，不是碰到死路，就是跳不下去的高度或通電的電線。副靈露娜向她指出前方五十公尺處的通風井，她便手腳並用地蹦跳過去，在那裡發現阿瑪利亞再等一部貨梯。

她要去哪？露娜問副靈露娜。阿瑪利亞．陽已關掉她的副靈，但露娜的副靈可以連上電梯的基礎人工智慧。

公園層，副靈露娜說。

「又回頭。」貨梯很慢，要到公園層得走好一大段路。露娜知道一條狡猾的捷徑。

「妳在做什麼？」露娜喃喃自語，走維修梯往上三樓，來到十二樓。她從清潔機器人艙口溜出來，在走廊上狂奔，然後搭上她和路卡辛侯探險時搭過的直達電梯。她將會抵達公園入口之外，到時候阿瑪利亞．陽也才剛跨出滑開的電梯門。想做好事的人不可能繞那麼一大段路，穿過那些鳥不生蛋的地方。這女人彷彿想避開他人視線，盡可能掩蓋自己的行蹤。

露娜在公園內只是一個尋常風景，因此她大可站在入口，看著阿瑪利亞．陽迎面走來，點頭向她打招呼，然後沿走廊走向一道黃色的門，上頭有生物性危害標誌。

「靠！」露娜咒罵，她沒有通過那扇門的權限，不過最近那個斑馬線上有一道紅色的門，通往空氣導管，導管沿著整個無菌室的格局走。公園層的生物性危害區域只有兩個出口，露娜夠了解她的獵物阿瑪利亞．陽，知道對方會走哪一條路。她沿著通風管道輕手輕腳地跑步，往右鑽入一條較狹窄的導管，低頭窺看一個通風孔，正好看到阿瑪利亞．陽走出通往樓梯間的門。

「抓到妳了！」露娜說：「我知道妳要去哪裡。」

不過她還是跟了過去，確認自己的想法正確。阿瑪利亞．陽走樓梯上兩樓，來到生體裝配層。露娜從屋頂上跳下來，目送阿瑪利亞．陽推開蛋白質晶片列印店的店門。

格布雷西拉西耶醫師瞄到露娜在她辦公室門口徘徊，半身探進門內，半身在外頭，門框將她的臉一分為二。

「我可以進去嗎？」露娜的半張人臉說。

「出了什麼問題嗎？」格布雷西拉西耶醫師問。

「妳為什麼會覺得出了什麼問題？」

「因為妳之前從來不會問『可不可以進去』。」

格布雷西拉西耶醫師用腳拉出一張椅子，露娜一屁股坐下，甩正腿。

「有話就說吧。」

「好。」露娜說：「不過首先我要問妳一個技術性的問題。」

格布雷西拉西耶醫師已經學會了一個道理，那就是聽到露娜．柯塔說什麼都不必驚訝。

「問吧。」

「技術上而言，別人有沒有可能在路卡辛侯的蛋白質晶片內加入他原本沒有的記憶？」

「技術上而言，這是有可能的。」格布雷西拉西耶醫師說：「妳為什麼問這個？」

「好。」露娜說，然後轉述路卡辛侯的話給格布雷西拉西耶醫師聽。他談起他媽的事，儘管他過去從來不談；他還分享他住在恆光宮時的記憶，但他根本沒住過那裡；還說他跟陽家的阿姨、舅舅、表親過得很愉快，但他根本不認識他們。格布雷西拉西耶醫師的臉色變得凝重。接著露娜說她是一個探險家，全科里奧利的祕密隧道、走廊、通道她都摸透了，還說她是如何運用這些路徑監視阿瑪利亞．陽，跟著她繞了一大段路，形跡可疑地穿過校園，來到蛋白質晶片工廠。

這時格布雷西拉西耶醫師舉起一隻手。

「露娜，暫停一下。」

門開了，達柯塔．凱爾．馬肯齊走進辦公室。

「好啦，露娜。」格布雷西拉西耶醫師說：「把妳對我說的一切，都告訴達柯塔。」

陽夫人拿著小小的金屬筒，轉動它。它的大小跟她的拇指差不多，沉重，冰冷，摸起來有點油油的。她的手指感受著金屬表面銘刻的微小記號。

「這是什麼？」她問。她此刻在自己的公寓內，心煩意亂，孤獨，沉浸在冥想中。她易怒，心情不怎麼好。

「遠端大學來的折讓單，由彈運送來的，指名送給我個人。」亞曼達．陽說。

陽夫人將金屬筒拿到眼前，拚命想看清楚上面刻的資訊。

「字真小。」她咂嘴，「什麼帳啊？」

「來自遠端大學神經科學院生物控制系，致太陽企業：碳，五萬一千兩百點八十八克；氧，一萬六千零一百一十二點六五克……」亞曼達．陽說。

「人類身體的化學元素。」陽夫人說，金屬的冰冷傳導到她身上了。她的手按上胸口。她展示權力的伎倆，竟然被拿來對付她了。

「對。」亞曼達．陽說：「阿瑪利亞．陽。」

安妮麗絲．馬肯齊清楚記得，她發現音樂是惡魔的那一刻。那時她彈完了第十二次第七達斯特加哈曲〈馬胡爾達斯特加哈〉的第二十三段古歇，發現西塔琴弦上有血。緊繃的琴弦將她的指間刮得血肉模糊，她並沒有注意到。

西塔琴染血那年，她十四歲。

西塔琴使她愛上它那年，她剛滿十三歲。她的母親們結束在克諾夫月溪的探勘工作後，她和她們一起搭赤道一回坩鍋。她看著窗外，轉過一個又一個娛樂頻道。這時一連串音符像是融化的銀，灌入她耳中，她彈坐起來。弦音，精準的金屬音符，它們在對她說話，只對她說話。她了解它們訴說的一切，了解它們召喚出的所有情感——得意，平靜，宰制，敬畏，恐懼，神祕。一切都是光勾勒出來的，一切都很明晰。

「聽！」她大喊，跳下椅子，叫醒打瞌睡的母親們。「妳們聽！」她把音樂傳給她們的副靈。「它好像……好像就在那裡，在這裡面。」

她們聽了，但聽不到她所聽見的。

那銀質的聲音來自西塔琴，古波斯樂器。做得出來，在月球上任何東西都做得出來。她學會調音、指法，接著是古歇，通過發展部後形成達斯特加哈，然後是恢弘的拉提夫：對稱，不對稱，自由形式——全都以月鋼和碳弦打造的樂器演奏。後來她被西塔琴附身後，花了一大把比西幣在地球上請人手工打造了一把木製琴，再拋上月球；琴桁的材質是真絲。

她發現有其他音樂家也受這種音樂觸動。數量不多，而且他們也看不到這種音樂使她看到的景象，看不到嚴峻、美麗、禁欲和輝煌，那些屬於她的世界的本質。不過他們也曾被惡魔附身過，而且當她遇見受其他訓練的音樂家時，發現他們受惡魔支配：虔誠、苦修、完美主義者、探險家、強迫症患者。她那件木頭與鐵線組成的裝置令她著魔，騷擾她，逼她打好他們雙方之間的關係，使她將樂器放在她生命與需求的中心。惡魔。

她愛月狼，但她其實是嫁給了惡魔。

這是一段暴力性的關係。

安妮麗絲彈完最後一段達斯特加哈，讓音符在達夫鼓的最後一拍上慢慢散去。她在聲音靜止後的沉默中懸宕了一會兒。這裡什麼都沒有，卻也什麼都有，但她無法停留在這，一如她無法停留在母親的子宮中。她上方傳來呼吸聲和掌聲。

安妮麗絲總是對自己的音樂有聽眾這事實感到意外。人數相當多：伊朗、中亞裔的第二、第三代月球人，來自伊斯蘭共和國的月光菜鳥和訪客，愛樂者，音樂理論家，受其他樂派訓練的音樂家——惡魔的其他愛人。她在這次巡迴（暌違一年多了）發現觀眾當中有幾個地球人，月球受託管理機構的官員，來月球分杯羹的伊朗和中亞國家代表。

他們是觀眾當中最有鑑賞力的一群。每場演出結束，都至少會有一個人跑到後台針對樂器、音樂提問，問澳洲裔月球人為什麼會如此著迷於外族音樂。

副靈告訴她，今晚也不例外。南后的冼星海音樂中心更衣室走廊上，站著兩個人。一女一男，不是伊朗人，是澳洲白人。

「安妮麗絲．馬肯齊？」女人問。

「是的。」

「可以進妳的更衣間聊一下嗎？」

「你們是演唱會的觀眾嗎？」安妮麗絲問：「我對你們沒印象，你們是誰？」

「喔，親愛的。」女人說，男人撇了一下頭，安妮麗絲感覺到她頸後有短暫的、針刺似的疼痛。

「別那樣。」女人說：「不，真的，妳的脖子後方有一隻戰鬥昆蟲。現在我們可以談談了嗎？」

她舉起一隻手。

安妮麗絲開門，注意力一直放在她脖子後方的玩意兒上，一直放在跟著進入房間的男女身上。他們和那玩意兒以及她的脊椎之間彷彿有電子神經連結在一起。

「我可以至少把西塔琴放到一旁嗎？」

「當然可以。」女人說：「那是非常珍貴的樂器。」

她將琴放到琴盒內，用布蓋住琴弦，蓋起盒子，扣上搭釦。整個過程中，她滿腦子都是那玩意兒、那玩意兒，停在她脖子上的黑色物體。

「你們是誰？」

「那不重要。」女人說。更衣室很小，女人窩在架子的邊緣，男人在馬桶上。「有人非常想見妳，他已經在路上了，很快就會到。我們來這裡只是圖個保障，不讓妳錯過他。」

「樂團的其他人……」安妮麗絲說。

「妳已經告訴他們晚點酒吧見了。」女人說：「妳可能沒注意到，不過我們已經將這房間隔離於網路之外了。」

男人拉開外套，露出腰間的黑色盒子，看起來很得意。

「事實上，那是非常精密的科技。」女人說：「要將一個人從網路上隔離開來，是意外困難的工作。有一萬隻眼睛同時盯著我們看。」

門外有些動靜。

「他來了，很高興認識妳，別碰那蜘蛛啊。」

男人和女人走了，布萊斯．馬肯齊走了進來。他巨大的身軀主宰了這個小小的更衣間，安妮麗絲從椅子上起身。

「坐，坐。」布萊斯說：「我不會待太久，再說我懷疑它根本撐不住我。安妮麗絲．馬肯齊，華格納．柯塔的伴侶，羅伯森．柯塔──我養子的照料者。妳這行為不怎麼忠於家族。」

「過我自己的人生並不是不忠。」安妮麗絲說：「不選邊站也不是不忠。」

「但妳選邊站啦。我長話短說。我最近苦於幾個生意上的挫敗，這大家都知道。我正在扭轉劣勢的過程中。我需要討價還價的籌碼，才能執行我的戰略。如果妳喜歡的話，也可稱之為『人質』。」

「我只是一個音樂家。」安妮麗絲說。只要能把這螫人的黑色玩意兒從她脖子上弄掉，她什麼代價都願意付。

「我不是要妳。」布萊斯笑了，「妳他媽以為自己是什麼貨色？不，我要的是羅伯森．柯塔。他在妳手上。我要他，把人交出來。」

「華格納……」安妮麗絲結巴，「我不能……」

「讓妳調杯馬丁尼我都不放心，更別說把那孩子帶過來了。他是個難纏的小混蛋，曾經在梅利迪安逃離我的掌控，害我損失了一個第一刃衛。接著，他又使丹尼．馬肯齊為他而戰。我有手下專門處理這種事，妳只要幫他們淨空四周就行了。懂我意思嗎？」

「你要我支開華格納。」

「對，我要。問題是，我對妳的信任程度也得考慮。老實說，妳這人跟可靠兩個字八竿子打不著。妳背叛過家族一次，要我再次信任妳很難。因此我不需要妳展現忠心，我只要妳聽從命令行事。」

「這個……」安妮麗絲用拇指比了一下攀在她皮膚上緩慢抽動的玩意兒。

「那個？只是用來吸引妳注意的。我要傳個東西給妳。」

她的副靈輕聲說：**來自布萊斯．馬肯齊的訊息**。安妮麗絲的視野中跳出一個視窗：無人機從高空拍的廣角畫面，街道、大道、隧道，每架無人機都跟著一個人：一名中年女子，灰髮長得不得了，走在擁擠的大道上；一名年輕人在熱食酒吧和朋友喝茶；一名理著小平頭的中年婦人靠著南后其中一座高塔的陽台欄杆，欣賞壯闊的城市風景；一名年輕女子正在跑步，金色馬尾甩啊甩的。

媽，萊恩，媽，羅文。

「去你的。」

「代表妳同意嘍？」

「我有選擇嗎？」

「妳當然有選擇。」一份保密合約出現在安妮麗絲的鏡片上。「安排一下，好了就通知我們。剩下的事情我們會處理。」布萊斯．馬肯齊微笑，煥發而緊繃的臉部肌膚上裂出一小縫。「生意談好了，所以不需要這個了。」他舉起手，安妮麗絲頸後的玩意兒便跳了過去。他轉動手勢，使那駭人的東西不斷在皮膚上遊走，當它是寵物似的。它光滑，堅硬，易脆，同時又帶著液態感。匆促，熱切，彷彿全由足部和尖牙組成。安妮麗絲知道她接下來會有好幾天在夜裡驚醒，回想起小小尖爪刺痛她頸後的觸感。

「你根本沒膽用那玩意兒殺我。」安妮麗絲說。要蔑視他，蔑視總是一種表態。

「我想幹的事我都敢幹。不過妳說得對，妳要是不答應，我也不會殺妳。那蜘蛛配有不致命的神經毒素，能對妳的神經系統造成長久、深入的破壞，之後妳再也無法拿起樂器，連彈一個音都別想。再見了，真高興妳同意。妳的朋友在酒吧等妳，去喝一杯吧，妳應得的。」

就一個巨漢而言，他移動得很靈活、很輕柔。安妮麗絲在發抖，她止不住。也許永遠都停不下來了。惡魔。

她的歸來和啟程差不多，樂器在手，是西奧菲勒斯小車站唯一一個下車的旅客。她的兩個男人都在。大人緊繃，自制，黑暗人格的情緒使他的嗓門變大了，他還以為自己沒有洩漏任何跡象。男孩子陰沉，嚴肅，想掩飾自己有多開心，但失敗了。她差點跳回車上。那樣是最好的，把自己送得遠遠的，遠離所有人，遠離認識她的人。改名換姓，換個身分，銷毀記錄，砸掉西塔琴。

他們還是會來的。

炸掉氣閥，把自己和她心愛的兩名男子炸到真空之中，死在彼此懷抱裡。神經一個個熄火、消滅，而大腦燒得火紅。

他們還是會來。振翅乘風，徒步提刀，布萊斯的刺客們。

她不管怎麼做都不會有好結局。

華格納一把將她抱起，而她做出了反應，非反應不可。不過她的擁抱無力，呼出的氣息是涼的，吻很淺，帶著背叛。他會解讀出來的。當他徹底化身為狼時，他會看出人類看不到的跡象，就算吃藥也一樣。

「抱歉，親愛的，我累壞了。」

華格納拿起她的西塔琴。

「呃，」羅伯森說：「我們聽了妳的演奏，我和海德。」

「你們覺得如何？」

「很棒，我覺得很棒。我不知道有沒有資格說什麼，因為我不是真的很了解。有好多音符。」

「我就當作是讚美了。」

華格納打開小公寓的門，小桌子上擺滿佳餚。這是最親密的慶祝方式，在家用餐。有熱食店的食物，甚至還有朋友和好心人送的餐點，以及顯然是他們自己做的菜。安妮麗絲吃飯時毫無感想和喜悅。

「我不太舒服。」她說，婉拒他們端來的涼麵和白豆渣。「他們給南后水質的評價是正確的，古老又髒。不介意的話我要直接去睡覺了，抱歉。」

她躺在小小的隔間內，清醒地聽著她的兩個男人收拾、清理、打掃的聲音。她聽他們的交談聲。

他們用葡萄牙文交談，她到現在還是幾乎聽不懂，因此得以擺脫字句的意義，純粹聽那聲音，彷彿那是樂器演奏出來的。華格納的嗓音像豎笛，流質，響亮，甜美，富音樂性。羅伯森的聲音比較高亢，像短笛，不過她聽到了一個破音，聲音突然落入低音域。

她在啜泣。床因此搖晃，她希望華格納和羅伯森不會透過建築物的構造感受到。華格納上床時，她假裝已經睡著了。他鑽進她身邊的空位，調整出他習慣的蜷縮姿勢，陰莖抵住她的屁股。她承受不了。承受不了他肌膚的接觸，他的溫暖，他體毛的觸感，狼的香甜體味。

他睡著後，她前往客廳，試了一下娛樂系統，但還是無法阻斷罪惡感。她試了酒精，結果只是讓暈眩感和疲倦打成一團。她試著聽音樂，但她的惡魔無力對抗更巨大的恐怖。

「嘿。」

她沒聽到他下床的聲音，狼的動作很輕柔。

「我只是起來喝杯水。」

他知道她說謊。她知道自己不會再碰到比現在更好的機會了，陽家有句古老的俗語：不把握機會的女人，連神都幫不了。

「我還在到處飄，」安妮麗絲說：「任何事都沒辦法讓我定下來。我的身體已經變成殘骸了，心靈還在四處亂跑，鬼吼鬼叫。我想我有點能夠體會你人格改變時的感覺。」

他皺眉。

「我知道我不懂，並沒有完全懂——因為我懂不了。這狀況一、兩天後就會穩定下來了，你……」

「別這樣。」華格納說，而安妮麗絲聽得出他痛徹心扉。

「你又要切換成光明人格了，不是嗎？」安妮麗絲問。她不在的這段時間，他一直處於黑暗期。她知道隨著地球越來越亮，他的抽搐、不適、各種微小的狂躁都越演越烈。黑暗人格又要再度變成狼了。

「你走吧，華格納。它會害死你的，狀況一次比一次糟。我看得出來，羅伯森也看得出來。」

「別把羅伯森扯進來。」

「你需要狼幫，這是神經化學問題。你可以吃藥，但問題永遠不會解決。你就是這樣的人，華格納，你就是這樣的存在。去找他們吧。」

「你們不安全！」

他脖子的肌腱、額頭的血管洩漏了他壓抑的情緒。那不是憤恨，不是盛怒——沒那麼簡單。那是另一個自我，被鏈在籠內，嚎叫著。

「待一、兩個晚上就好，甚至跟他們在半路上碰面。看看你自己，華格納，你可以這樣過五年嗎？等地球變圓，你甚至連兩個星期都……」

「我得照顧羅伯森。」

「這樣的生活會害死你，華格納。在你死之前，你的身體會被撕裂，所有器官都會灼傷，每條動脈都會被灌入熔鐵。你的心靈會被壓成爛泥。這樣要怎麼照顧羅伯森？」

「我不能去梅利迪安，他們在找我。」

「華格納，如果他們想要抓羅伯森，他們已經得手了。去吧，我會照顧他。他不會有事的，而你會有事，你看起來像死人，親愛的。」

他在發抖，代表他體內的狼在測試鎖鍊。

「你需要多久的時間？一天就夠了？」
豆大的汗珠從他脖子、手臂、大腿內側滾下。
「可能可以。」
「兩天？」
他搖搖頭。
「太久了。」
「一天，去吧。我會照顧羅伯森。你要跟他說嗎？還是我開口？」
「我會跟他說。」
「帶著藥吧，看你這樣我受不了。」
「我怕我回不來。」
「你會回來的。」
他的雙臂環抱安妮麗絲的身體，她承受不了。
「你覺得你睡得著嗎？」她問。
「我覺得沒辦法。」
「我也是。」
她坐到躺椅上，他把頭枕在她大腿上。兩人彼此對望，她撥弄他的濃密黑髮。
「你不會傷害他，對吧？」
她撥打布萊斯在洗星海音樂中心給她的號碼時問道。對方告訴她作業小隊會在什麼時候抵達何地後，她又問了一遍。她在兩個男人來到公寓門口準備帶走羅伯森時問了第三次。

「他不會受傷，女士，他是重要資產。」

一個月球男人和一個月光菜鳥，戰鬥技巧加肌力。他們穿著細條紋西裝，大翻領，寬領帶，有打褶的褲子，寬帽簷的軟呢帽，尖頭鞋。看起來就像是受雇的惡棍，像到不能再像。

「他睡著了。」

他們打算趁他還在睡夢中的時候帶走他。月光菜鳥（一個身體寬闊、表情和善的斐濟人）叫了一個盒子機器人進房間。

「喔，」安妮麗絲說：「你們要這樣帶走他？我沒想過你們要怎麼把他帶走。」

「我們不能真的帶著他走，不是嗎？」第二個男人說，他有南后口音。

月光菜鳥打開蓋子，裡頭的儲貨空間很寬敞，而且軟墊鋪得好好的。

「等他坐上有軌機動車就可以出來了。」月球人說。

他們一起送他上車，在氣閥內擁抱，在門上鎖後揮手，在有軌機動車開走後還是揮個不停，儘管車廂內的華格納根本看不到。

到梅利迪安後通知我們一聲。

安妮麗絲在那背叛之夜終究還是睡著了，儘管她無權也沒理由入睡。華格納在那天晚上肯定吃了藥，因為她醒來時發現他在廚房裡晃來晃去，全身赤裸，試圖尋找薄荷和裝茶的杯子，凶猛，戒心重，敏感，知覺能力超乎人類。

「你還好嗎？」

「想大叫。」他咧嘴一笑，和她四目相接。她心跳加速，微笑，點了個頭，這對他而言就是充分的邀約了。他們在躺椅上快速、激烈地做了愛。

「羅伯森！」她用氣音說。

「他十三歲，他會睡到中午。」華格納說。

他很快地做好了一些安排，有些風險不值得去冒。他抵達梅利迪安幫的家門口後才要知會他們，他要關掉光博士，改用一個假副靈。他要待一個晚上，然後搭隔天五點的赤道特快車回來。盡量不要聯絡，他只會在抵達時打電話通知她。

他每個悉心安排都像釘子一樣穿過安妮麗絲的手肘、手腕、膝蓋、臀部、脖子。

羅伯森不肯去睡，這個小混帳。他通常在午夜左右躺平，不過今晚他還不肯上床。一點，一點半了。

「羅伯森，我真的很累了。」

「你去睡吧，我還不想睡。」

兩點，兩點半。

她已傳了兩次延期訊息給代理人，然後找藉口保持清醒：有新文章探討西塔琴和維吾爾族西塔琴的歷史音樂學關聯；地球上的徹米哈尼樂團最近釋出了新的錄音；波斯音樂群組上有熱烈的討論。她擔心和羅伯森展開神經冷戰，兩人都決定等對方先入睡。

三點二十分，他躺平了。

「我走了。」

安妮麗絲等到他發出第一個響亮的鼾聲才打電話給馬肯齊氦氣的代理人。

「別傷害他。」

「我保證不會。伊洛伊洛。」

那個太平洋來的巨漢走向夾層樓梯。

「安妮麗絲？」

他站在臥室門口，被子捲在身上。瘦巴巴的，昏昏沉沉的。

「發生什麼事了？」

「肏。」那月球人說，並觸碰了一下自己的袖釦。黑色微粒飛向羅伯森的臉。他拋下被單，後退，倒地，四肢一陣亂舞。

「羅伯森！」安妮麗絲大叫，但另一個綁匪已抓住了他，昆蟲般輕盈地走下樓梯。

「妳做的夢都是最瘋狂的那種。」月球人說：「我是這麼聽說的。」斐濟人輕輕將羅伯森放入貨箱中，使他採取胎兒般的蜷縮姿勢。

「不，」安妮麗絲說：「等等……」那盒子，是棺材，是死亡。

「我們簽約了。」月球人說。

斐濟人微笑，蓋上蓋子。機器人吃力地行駛到外頭的走廊上。

「喔，對了。」月球人說：「還有最後一件事。」刀來得快、狠、準，貫穿安妮麗絲的脖子。鮮血噴灑而出，她發出嘶嘶聲，手一陣亂揮。刀撐著她，讓她無法倒下。「跟姓柯塔的上床，就要付出代價。」他拔出刀子，安妮麗絲．馬肯齊倒下，灑出一團團紅心色的血液。

月球人擦掉刀上的血，恭敬地收回外套內側的刀鞘內。他跨過血之洪水。

「勿忘降鐵。」

海德在魔法貓已喝了兩杯茶，羅伯森還是沒現身。他敲了一下鬼牌，沒得到回應：離線狀態。他可能去玩跑酷了，想了些新動作或花招之類的。跑酷需要強烈、純粹的專注力，在熱交換豎井上方一百公尺處是容不下副靈跳出「叮」的訊息或通知的。他喝了更多茶，嘴巴卻乾得像是抽了五公克臭鼬大麻。

「你那個可愛的朋友呢？」喬吉問。

海德露出不悅的表情。他始終不喜歡喬吉這個人，也不喜歡他高高在上的說話方式。他的錢跟熱食店裡其他人的錢都是錢，都一樣好。海德給了櫃台後方的江宇一些比西幣，然後就出去找羅伯森了。西奧菲勒斯不是一個大城市，跑酷玩家能鍛鍊技巧的地點又更少了。通風豎井，加壓過的儲物營地，電塔與水塔，兩者交會的淨化系統所在地——都沒有。海德最後前往中央核，羅伯森最愛的地方。海德到現在還是不敢看他以之字形路徑躍向下方的集油槽，忽左，忽右，忽左，忽右，在空中轉身、翻筋斗、旋轉，降落後立刻又離地。速度對羅伯森而言很重要，而海德覺得保住性命才是重要的。

佐法伊格又打了一通電話給鬼牌，還是沒人接。

那就是在家了。

不對勁，門下方流出液體。他後退。液體是黏膩的，紅色的，沾染到他純白的運動鞋上。是血。

「佐法伊格！打電話求救！」

「早安，海德。」門說：「你在歡迎清單上。請進。」

門開了。

20

盧卡斯從未提起華格納這個人，不過艾莉西亞從工作人員和保全那裡得知了家族神話的片段：這怪小孩會對地球發出狼嚎；有個教母不只想當柯塔家的代理孕母；盧卡斯一輩子都在恨這男人，因為這男人的存在是對他母親、對柯塔家象徵的所有價值的褻瀆。他不是柯塔家的人。

但他其實是。

衝擊撼動了公寓，對話區到床鋪艙都搖晃著。海德下床，穿鞋，穿上連帽衣，將所有儲存的資料都傳送到本地硬體上，遵循標準的衝擊／月球地震／減壓避難指南。他滑下梯子，落到起居空間。馬克斯和亞君在屋子裡到處繞，撈起珍貴的收藏品塞進袋子裡。

鐵槌的撞擊再度撼動公寓，是透過門傳來的。不是衝擊器，不是沃隆佐夫家的太空槍，不是地震——是有人在門外。

「海德！我得跟你談談。」

馬克斯和亞君轉頭看門。

「我想那應該是華格納．柯塔。」海德說。

「海德！」拳頭又開始捶門了，塑膠碎裂開來。

「我們來處理。」馬克斯說。

「海德，回房間去。」亞君命令他。

「我知道你在裡面。」華格納從門的另一側呼喊著。

「走開，別來煩我們。」馬克斯大吼。

「我只是想跟海德談談。」

海德的監護人面面相覷。

「他不會走的。」海德說。

「我們雇了保全。」馬克斯說。

「在西奧菲勒斯雇的嗎？」亞君回答。兩個成年人擋在海德與大門之間。亞君是個肌肉發達的矮禿子，但他不可能打得過沐浴在燦爛地球光下的月狼。

「我可以永遠這樣等下去。」華格納大吼。

「我得跟他談談。」海德說。

「他不准進門。」馬克斯說。

「我不會傷害你。」華格納說：「我只是想了解狀況。」

「我會開一小縫。」馬克斯說：「華格納，我會開一小縫。」

「不，不要開……」亞君說，接著門甩開了，馬克斯一路退到對話區去。亞君重整旗鼓，像籠中鬥士那樣，跟月狼大眼瞪小眼。

「我，只是，需要，跟他，談談。」華格納說。海德從來沒看過他這個樣子，每條肌肉都像電纜一樣繃得緊緊的。他臉色蒼白，深色眼珠瞪得大大的。能量使他整個人容光煥發。他如果想，剛剛大可一拳揍垮那扇門。

「我不會傷害你們。」他又說了一次。

亞君將海德推到沙發上，守在他右側。馬克斯則坐到海德左邊，剛剛那一跤害他瘀青、發抖。海德好愛他溫柔、勇敢的兩個父親。

「是你發現她的。」華格納說，他的聲音是低沉的咆哮。

「是我發現她的。」抗憂鬱香氛精最後總算抑制了西奧菲勒斯深處樓層湧上的噩夢。「門偵測到我後就開了。」血液從下方門縫溢流到街上。「門開了，我就進去了。」她側躺，四肢折出瘋狂的角度，眼睛瞪大，頭髮黏在凝結的血泊上。刀子。天啊，那刀子，那刀子貫穿了她的脖子。「我打電話給醫療中心，然後是清潔回收的查巴林。」

「有沒有……有沒有任何，羅伯森，留下的蛛絲馬跡？」

「我看到了一些東西，想不通那代表什麼。壞掉的家具，看起來像是曾經有人打鬥。一條被子。裡頭一團亂。」

「我需要你認真回想一下，海德。」華格納蹲在海德面前，緊握他的雙手。「你有沒有看到不尋常的人或東西？」

海德搖搖頭。

「抱歉，我是事發隔天才去公寓，要找他去魔法貓，你懂我意思。」

「你嚇到他了，華格納。」馬克斯說。

「我需要知情，我要知道到底發生了什麼事。我得在腦海中拼湊出真相。我在狼幫的幫屋裡接到電話。安妮麗絲死了。我心想，什麼？然後羅伯森失蹤了。我搭第一班車回來，不過還是花了八個小時才到場。查巴林把所有東西都清掉了。海德，我得在腦海中看見你所看見的，才能了解狀況。」

「他已經把他知道的所有事情都告訴你了。」亞君說。

「我從網路上載到監視器影像，看到兩個男人帶著箱子去了他家，還看到那兩個男人帶著箱子離開。我不知道公寓裡發生了什麼事。」

馬克斯從躺椅上起身，走到對面的烹調空間。水滾了。不久後，他遞了一杯茶給華格納。

「坐。」

「抱歉，」華格納說：「我完全理不出頭緒。」

「我會試著幫忙，但我知道的事情真的不多。」海德說：「你會不會……你會不會覺得他是被綁架了？」

艾莉西亞將加襯墊的大衣拉得更緊一點，忍住想顫抖的感覺。兩者都是戲劇性、心因性的行為——因為博阿維斯塔這十天來的溫度都已達到住居地的水準，但她還是會感受到四周岩層深處傳來的無盡寒冷，那是充滿整個熔岩管的酷寒真空的記憶。植物抽長，所有樹都開花了，AKA設計的小鳥從石頭跳到基改的樹枝，再跳到岩石上，不過艾莉西亞在博阿維斯塔總是會感到冷。這是個鬧鬼的地方。

俗話說，月球沒有鬼魂。

月球是無限多的鬼魂堆疊成的。

聶爾森．米德羅斯用葡萄牙文向她問候，並護送她到月之鷹的新鷹巢去。盧卡斯不斷將官方護衛一個一個換成前柯塔氦氣的壓工，以及神之若望的小聖者難民。她脫下大衣，馬尼奧為她指路，帶她穿過堆滿機器的走廊，來到盧卡斯的新鷹巢。

是臉，她人在奧里莎的臉內。盧卡斯的新辦公室在奧薩拉的眼睛當中。博阿維斯塔令她發毛，一想到他將內閣永久轉移到此處，她就恨。

艾莉西亞聽到了她從未聽過的聲音：盧卡斯．柯塔的笑聲。她發現他靠著椅背，幾乎無法控制地咯咯笑著，整個人都在晃。他舉起雙手求她先別跟他說話，身體興高采烈地抖動著。

盧卡斯是自然而然散發嚴肅氣質的那種人，喜悅會使他們徹底改頭換面，彷彿變成另一個人。

「又是陽家的事，對吧？」

盧卡斯點點頭，然後又笑到開始顫抖了。

「我還會暗爽一陣子。」他在呼吸平順下來後說。

「他們要多少錢？」

「兩百億。」

艾莉西亞現在還是會把月球比西幣換算成巴西的幣值。她瞪大眼睛。

「那是……」

「對妳而言是一大筆錢，對陽家來說零頭。他們也知道，這是來自馬肯齊金屬的最終侮辱，非常好的判斷。就像在說，你們只值這個錢。」

盧卡斯示意艾莉西亞坐下，他又開心地竊笑了一陣。他的笑聲開始讓艾莉西亞不爽了，一點都不正派。

「達瑞斯原本宣稱他是馬肯齊金屬的繼承人，他撤銷主張了嗎？」

「丹尼．馬肯齊是眾人加冕的王，在哈德利走路有風，彷彿是聖奧爾嘉的籠中鬥士。」

艾莉西亞走到窗邊，俯瞰博阿維斯塔新生的幼芽和幼苗。

「我不懂。馬肯齊殺了拉法，毀了這個地方。丹尼．馬肯齊殘殺卡林侯。」

「我跟馬肯齊的帳已經算清了。」

「降鐵？那筆帳不是記在你頭上，是記在我頭上，我的帳，我永遠無法還清的債。」

笑聲停止了，微笑消失了。這才是艾莉西亞認識的那個盧卡斯・柯塔。

「陽家是我們共同的敵人，我們被他們設計，才自相殘殺。允許我小小地幸災樂禍吧，這種事很稀少的。」

「你有沒有想過自己的謀略可能太過火、太扭曲，反而弄巧成拙？」

「所以我才雇用妳，莉，我相信妳會對我說真話。我要妳見一個人，他需要觀眾。」

「這不在我的代辦事項上。」

「托基尼奧，請聶爾森帶我的客人上來。」

三張椅子，盧卡斯的凸窗內有三張椅子。她剛剛怎麼沒注意到？

穿乳白色亞麻布西裝、戴寬帽簷草帽的保全帶著求見者進入奧薩拉之眼。

艾莉西亞喘不過氣。這矮小、黝黑、能量飽滿的男人……她認得他憂心忡忡的眼神，每條肌肉上都緊緊纏著冒出熱氣的勁道，他走路、站立、一舉一動都帶著鮮明而可怕的存在感。他就是月狼。

「老哥。」

「華格納。」

盧卡斯的問候很敷衍，他幾乎無法忍受華格納・柯塔的擁抱。

「坐，坐。」盧卡斯說。

「我比較想站著。」他靜不下來，身體重心不斷在兩腳之間切換。沉不住氣。

「那就站著吧。這是我的鐵手，艾莉西亞・柯塔。」

華格納聚縮手指，向艾莉西亞點頭，柯塔式行禮。和他對上眼簡直像直視核融合反應爐的中心。

艾莉西亞回禮，著迷於他陰鬱的禮節。他也許是她見過最具吸引力的男人。

「柯塔先生。」

「他不是柯塔家的人。」盧卡斯說。

「布萊斯．馬肯齊捉走羅伯森了。」華格納．柯塔說。

盧卡斯的嘴角抽動了一下。那句話像個鉤子，刺得很深。艾莉西亞發現華格納也注意到了，聽說月狼有強大的能力，當地球滿盈時，他們能看到別人看不到的，感受到人類感受不到的，他們的心靈會以狼幫為單位結合在一起，變得比每個個體更強大、更迅速。他們會大肆性交。

「羅伯森原本是你負責保護的。」盧卡斯說。

「有人誤導我，」華格納說：「背叛了我。」

「背叛？」

「安妮麗絲……」

「那個姓馬肯齊的女人。」

「他們殺了她，盧卡斯。刀子貫穿她的脖子。」

盧卡斯文風不動。華格納．柯塔體內的狼在掙扎、伸爪，艾莉西亞看得出來。牠要是掙脫出來就會拆了博阿維斯塔，盧卡斯所有保全一起上也對付不了他。

「你要我怎麼做？」盧卡斯問。

「我要他回來，我要他平安。」

「這是兩回事。」

艾莉西亞當茂．迪．費洛的時間夠久，已能辨別盧卡斯漠不關心和內心盤算時的模樣。現在他正暗自加減著籌碼。

「安全，我要他安全。」

「你要知道，我能採取的行動有限。布萊斯．馬肯齊捉走羅伯森是為了把他當作人質。如果我採取行動，如果我掀了底牌，羅伯森就會死。」

「我會自己去南后，改由我當人質。」

「華格納，你對布萊斯．馬肯齊而言沒有價值。」

真正的傳說都是破碎的：是歷史、敘述、經過潤飾的話語的片段，經過編輯和重新編輯。事實厭惡敘事。有些家族有黑羊，柯塔家有頭黑狼。盧卡斯從未提起華格納這個人，不過艾莉西亞從工作人員和保全那裡得知了家族神話的片段：這怪小孩會對地球發出狼嚎；有個教母不只想當柯塔家的代理孕母；盧卡斯一輩子都在恨這男人，因為這男人的存在是對他母親、對柯塔家象徵的所有價值的褻瀆。他不是柯塔家的人。

但他其實是。

「艾莉西亞。」他呼喚她的名字，不是她的姓氏。「我要把官邸遷移到博阿維斯塔來。我打算嘲弄布萊斯，他很容易就會被激怒。他會想搬到神之若望去，證明他還握有控制權。」盧卡斯說：「狼，你住在這裡，我不准你每到地球滿盈時就到處亂跑。托基尼奧會幫你安排住宿，你要住的地方是其中一個工地宿舍，不是多舒適的地方。使博阿維斯塔重返榮耀是十分艱辛的工程。話說回來，你從來不曾住在這裡，對吧？」

「沒人理會我，盧卡斯。永遠的無視。」

「你現在應該要說『謝謝』比較恰當。」

「你不是為了我才這麼做的。你是為了家族，為了拉法，為了你母親。」

「我母親。」

艾莉西亞看得出盧卡斯在打什麼算盤。他拋出鉤子般帶刺的語言割傷對方，讓他痛苦失血，目的是為了引導對方體內憤怒的地球光，就像避雷針那樣。否則那淌血的力量和情緒可能會不受抑制地爆發，威脅到盧卡斯的計畫。

你的孩子被怪物抓走，你孤單又無防備的歐科、伴侶、愛人被捅了一刀，倒地身亡。艾莉西亞無法想像那是什麼感覺。

「確保他的人身安全，盧卡斯。」華格納說。

「我們所有人都不安全。」

聶爾森．米德羅斯回來了，華格納明白那代表這次會面結束了。

等他們走遠、聽不到房間內說話聲時，艾莉西亞說：「看來他就是月狼。」

「對，妳知道我為什麼討厭他嗎？因為他是自由的，而且他對此毫無疑慮。他的體質免除了他所有的責任。狼，人，狼，人，不斷隨著地球圓缺變化，他對此無能為力。這是神經生物學問題，懂嗎？太棒了。他是體質的受害者，體質是他生命中唯一在運作的力量。」

「那不是體質，是一種身分。」艾莉西亞說。

盧卡斯用氣音發出嘲弄，「說那是身分就能免受批評嗎？他有責任在身，他必須保護我姪子的安全，結果地球一發出燦爛的藍光，他就奔向狼幫，布萊斯．馬肯齊就把羅伯森帶走了。」

「這樣說不公平，盧卡斯……」

盧卡斯揮手打發她。

「我需要妳去忒一趟，幫我帶一樣東西回博阿維斯塔。」

「什麼東西？」

「正義。」

調毒師阿科西的戒指緊壓在艾莉西亞的手背上。

「好痛！」

「妳希望眼睛、耳朵、屁眼流血致死嗎？」

「我只是看看。」艾莉西亞大吃一驚，露出愧疚和憤怒的表情。這個皺紋比肉多、眼睛像葡萄乾塞入皮囊的老女人竟然逮到她了。

「看跟摸是兩回事，不要出手！」

她從列印機上取下一組塑膠針。

「妳碰了。」艾莉西亞說。

老女人揮手打發掉她。

「哎呀！我已經摸這摸太久了，免疫了。」

調毒師阿科西的家門上纏滿了絞殺藤蔓的根。這藤蔓不斷延伸，占據了科喬萊因農場的第二筒田，在此扎根，茂密生長。它的生態系統在第三次大淨化的過程中瓦解，忒就任它荒廢至今。艾莉西亞爬上纏滿根莖的階梯，穿過巨大的樹根，繞過植物或從其下方鑽過，不斷來回穿過中央鏡子陣列投下的光——從透明筒田蓋一路反射下來的光。她像是個宗教狂，朝森林深處移動，準備參加烏班達的入教儀式。忒的巨木令她對阿沙默族的力量與技術印象深刻，不過這兩百公尺的樹根、枝幹交織出的柱狀體更令人敬畏，是魔法的寄宿之地。艾莉西亞想像樹葉間有奧里莎在喃喃低語。

八十公尺高的懸崖下方有個池子，調毒者之樹的根部浸泡其中。懸崖對面則有扇門，她敲敲它。

「誰啊？」沙啞的嗓音說。那個老女人很清楚來者是誰，一切都透過雙方的副靈安排好了。

「艾莉西亞．瑪莉亞．杜．賽歐．艾利娜．迪．柯塔。」姓名與頭銜，資格和特殊能力在忒是很好的籌碼。「月之鷹的茂．迪．費洛。」

「進來吧，進來，鐵手。」

門嘰一聲敞開，不是人手操作的。當然了。艾莉西亞穿過一系列圓頂房間，大無花果樹的木髓呼出泡泡。她在最後一個房間發現那名調毒師。

「這是神祕感的機關之一，咩。」調毒師說。她是個老人，身材瘦長得像是碰上饑荒，她和聖母一樣披著白色袍子。項鍊，手鐲，戒指。她膚色黝黑、駁雜，皮膚布滿皺紋和細紋，彷彿整個人往內縮。「我的名聲很響亮。月之鷹的鐵手想找毒物之母做什麼？」

艾莉西亞把事情告訴調毒師阿科西，她皺巴巴的皮肉於是擠成一個賊笑，手中枴杖一揮，最後一個房間再過去的房間便開啟了。乾淨、清新、枯燥的白房間裡放著列印機、化學合成裝置和工作人員。（工作人員！）她的工作就是在那裡完成的。

「這樹不只是中看而已，咩。」調毒師阿科西說，她的小隊同時在伺候艾莉西亞，端了一杯茶給她，但她實在無法鼓起勇氣去喝。

「在我的基改下，它會長出超過五十種不同毒藥的原料。盡量不要碰眼睛或嘴巴，或身上的任何洞。別忘了洗手。」

製作客訂毒物的整個過程包含了大量的茶和無聊。

調毒師阿科西將針放進第二台列印機，然後用塑膠包起來。

「與羅伯森・柯塔的DNA做了連結，只有他可以拆開。」她舉起五支銀色的塑膠針。「五死，茂・迪・費洛。這是要用在哪些人身上？」

「是要用在一個人身上。」

阿科西用氣音說：「盧卡斯・柯塔恨誰恨到這個地步？非要他死五次不可？」

「我不能告訴你，聖母。」

阿科西猛然合掌，還發出小小的叫聲，「禮貌，咩，別忘了禮貌。毒必須聽聞對象的名字。」

艾莉西亞深呼吸。

「布萊斯・馬肯齊。」

調毒師阿科西發出高亢、慟哭似的叫聲。她將容器塞到艾莉西亞手中。

「拿去吧，咩，帶走它們還有我的祝福。我不收錢，這是為了向現主姊妹會致意。拿去，等那個博阿維斯塔畜生死了之後通知我一聲。我只有一個疑慮，咩。」

「什麼疑慮，聖母？」

「我做的量夠嗎？」

黑暗柔軟而稠密，被十個小而昏暗的光源打破，那亮度正好足以使艾莉西亞發現自己人在一個圓頂內，而且是小小的圓頂，從一頭走到另一頭只需要四、五步。空氣老舊、陳腐，帶著兩股顯著的味道：臭氧，還有一個辛辣、煙霧似的氣味，艾莉西亞覺得既陌生又熟悉。

「除夕夜！」艾莉西亞說：「是新年的味道。」

「月塵。」華格納．柯塔說：「大多數人說它聞起來像火藥。我不知道那是什麼，不過我們會這樣形容。」

「爆竹。」艾莉西亞說：「感覺就像派對隔天早晨，所有人都以宿醉狀態溜回家，而你聞到所有燒完的煙火。」

她輕輕鬆鬆就找到盧卡斯要華格納進駐的營地了，這時重型機具承包商正要撤出，庭園設計師和生態工程師正要搬進來。

「嘿，要幫我進行一下狼之導覽嗎？」

他幾乎露出微笑。他帶著她穿過裝飾性的草皮和樹苗、竹林和瀑布，穿過重建的涼亭和凸窗，來到世界之牆上一扇風格突兀的電梯門前。

「我有點覺得，這就是重點嗎？」

「是妳要狼之導覽的。」他召來電梯。

電梯頂端是這個布滿塵埃的黑暗圓頂。華格納說：「我們沒有爆竹。」

「我想也是。」艾莉西亞說。

「月球夫人有一千種殺人方法，而火——那是最糟的。」華格納說：「火會燒光肺裡的空氣。有個柯塔氦氣維修基地曾經起火。救援小隊抵達時發現所有東西都蓋了一層黑色煤灰。火勢會往外延燒，但要先等到它把基地內所有氧氣分子都燒完為止。窒息或燒死，選一個。」

這個男人的伴侶被布萊斯．馬肯齊的刃衛謀殺了，艾莉西亞提醒自己。還有調毒師阿科西、她以密封白金容器從忒帶回來的玩意兒、那些玩意兒能夠造就的死亡，她都無法忘懷。跟其他人待在一起可以治療傷痛，她不知道有什麼更好的特效藥。

「龍。」華格納說：「龍造型的風箏，長達幾十、幾百公尺。我們會在新年和番薯節放那種風箏，讓它沿著方樓飛上飛下，進出橋梁，還有滿滿的燈光和音樂當作輔助。」

「這是什麼地方？」艾莉西亞問。

「狼誕生的地方。」華格納說。有個聲音傳來，還有光。鐵捲門後退，摺疊板發出喀啦聲，接著艾莉西亞就站在地表了，頭上是一百萬顆星星。

「這是亞德里安娜的休息室。」華格納說：「她喜歡回望地球，喜歡看那些燈火。那些燈火是我們點亮的，我們把這句話當成一道咒語。她也可能只是要確定老巴西還在那裡？妳看得到嗎？」華格納往上指，並輕輕將艾莉西亞往自己拉近。她沿著他的手往上看，藍色的地球矗立在西方天空，它將會由盈轉虧，但它永遠會待在固定的位置，豐饒海黃褐色平原的上方。有了，在滿盈地球的腰際。那星球布滿沙塵暴、新沙漠等瘡疤，卻還是有綠意、卻還是蔚藍，老巴西還在那裡。「老馬卡拉格醫生說我有雙極性情感障礙，餵我吃藥、貼藥布，給我行為修正藥物。整個過程中，我一直試圖告訴她我沒有病，這不只是病，但就連我也不知道自己是怎麼了，直到我得知狼的存在。」

「他們……有雙極性情感障礙？」

艾莉西亞看到華格納在地球光下皺起眉頭。

「不只那樣，我們是神經人種學上的新身分。」現在艾莉西亞看到他露出一個抱歉的微笑。「狼，我們就是狼。不過我當時就知道自己是什麼了，我一直都是那樣的存在。我上來這裡，站在我現在站的地方，全裸沐浴在地球光下，一切都在發光。一切都說得通了。我感覺得到它將我一分為二，將我拆成兩個人。狼人格和黑暗人格。華格納．柯塔在那一天就死了。我不是一個人，我是兩個人。」

他站著，闔眼沐浴在光線中。他在發抖，所有肌肉、所有神經都在灼燒。

「地球光會傷害你嗎？」艾莉西亞說。

「傷害我？不，從來不會。不過它會讓我發疼，對。」

「華格納，聽我說。安妮麗絲背叛了你。」

「為什麼她要那麼做？」

「我不知道。」艾莉西亞做了一個猜測，但她不會在這裡說出來。

「他們拿刀刺穿她的脖子。她的脖子。為什麼他們要那麼做？」

華格納看起來就快崩潰了。

「我只知道她讓布萊斯的刃衛走進屋內，帶走羅伯森。她背叛了你，華格納。」

「我要布萊斯．馬肯齊的命。」華格納用氣音說。

「他會付出代價的。」艾莉西亞說：「哎，他會的。盧卡斯動作也許很慢、難以捉摸，也許會繞一大圈路，但該做的他不會漏。」

「應該要由我動手。」華格納說。

「交給盧卡斯吧。」艾莉西亞說：「你跟這件事關係太密切了。」

華格納轉頭看她，她退後。這就是狼，下顎大開，露出獠牙，陌生的光在眼珠中燃燒。**華格納．柯塔已經死了**，他說，**只剩狼人格和黑暗人格**。

「妳不准這樣對我說，這是為了柯塔一族。」

突如其來的狼化令艾莉西亞震驚，之後華格納又切換回黑暗人格應對她。

「我是柯塔家的一分子。」

地球帶來的瘋狂已粉碎。

「對，當然了。」華格納運動雙手，鐵捲門便彈回原處。黑暗令人目盲。柔軟的白光浮現了，像是巴拉海灘上空的星子。「我們該走了。」

「你還好嗎？」

「不好，不過我從來沒感覺好過。」華格納喚來電梯，門開啟了，清涼的藍光灌入黑暗又充滿灰塵的觀測室。「抱歉，艾莉西亞。」

「狼。」

「對，太多光了。」華格納關上電梯門，「我愛他，妳知道的。我愛羅伯森，我把他當成自己的兒子。我願意為那孩子做任何事。」

艾莉西亞觸碰他的手。他的皮膚很燙，她感覺得到肌肉的顫抖正漸漸消退。

「你已經做了很多。」

「最後是，感官之死。」

艾莉西亞在奧薩拉之眼後方的辦公室內，將最後一組塑膠針放到盧卡斯的辦公桌上，一組共五根。紅，綠，藍，黃，白。黑，最後的黑暗。

最初的死亡：腸道之死。中毒者將屎尿失禁，腸胃、膀胱內側都會崩落、液化。

第二層死亡：血液之死。中毒者的眼睛、耳朵、鼻子、人體的所有孔竅都會噴濺出血。

第三層死亡：靈魂之死。中毒者的心靈將墮入幻覺地獄，看見不斷增殖的惡魔、火坑，掉向越來越寬闊的宇宙。

第四層死亡：自我之死。大規模免疫系統失常，導致身體對自己的器官、血管、內部結構產生排斥反應。就連皮膚都會起水泡，血淋淋、一片一片的剝落。

第五層死亡，也是最終之死：視覺、聽覺、嗅覺都會被阻斷，中毒者感受不到其他層死亡運作的效果。這毫無慈悲可言，中毒者的心靈無助地困在無畫面、無聲響的世界裡，唯一會持續到最後的感覺是痛覺。

「幹得好。」盧卡斯．柯塔說。艾莉西亞將毒藥呈上時，他並沒有畏縮，也沒給什麼評語。他就跟自己的毒藥一樣沉靜、冰冷、無情。艾莉西亞感受到一股致命的心寒，就跟科帕皇冠飯店那次一樣；她人在套房內，暗殺蒼蠅拂過她的脖子。如果他心中產生任何疑慮，就會殺了她。冰冷，無情，連舉手都不用。「幹得好。」

「毒物之母不願收費。」艾莉西亞說：「因為……」

「因為布萊斯。」盧卡斯說：「為什麼妳不敢說出這名字？」

毒必須聽聞對象的名字，不然它怎麼會知道受害者是誰？

「我有個問題。」盧卡斯說：「如果我不把它送到我的目標對象那裡去，這美麗的正義之藥就跟垃圾沒兩樣。」

盧卡斯．柯塔拋出一個阻礙。艾莉西亞一度被絆住，後來想到了一個名字。在她看來，這安排完好、全面、美妙，而且冷血、殘忍、帶有剝削性，但也是唯一可行的一招。

「我有個建議。」艾莉西亞說。

他的監護人是單純的學者型好人，其中一個是月球學家，另一個是教詩學的教授。儘管盧卡斯盡全力展現善意，他們還是嚇壞了。兩人並肩坐在躺椅上，腰桿挺直，隨時可以逃跑，鼻孔撐得大大的，眼睛瞪得更大，時不時就輕輕撫摸彼此。

盧卡斯坐得離他們很近，膝蓋幾乎要碰在一起了。他前傾身體，手的位置也放得比他們低，以傳達親暱感。他手勢很多，不時觸碰對方。每碰一次，他們就瑟縮一次。

艾莉西亞不怪他們。就算他們將維安規格縮到最小，環區前後各一百公尺內的每扇門前都還是站著保全，西奧菲勒斯隕石坑遭到入侵了。不過那孩子不太一樣。

海德坐在艾莉西亞對面，彎腰駝背，腳張開，雙手放在膝蓋之間。身材瘦長，散發出困窘的氣息。白色連帽衣搭上內搭褲，膚色是她在月球上目前看過最蒼白的，黑髮蓋住一隻眼睛。**這讓你看起來更可愛，而且你自己也知道**，艾莉西亞察覺。男孩子可以同時散發出可愛、甜美、脆弱的氣息，接著青春期卻令他們變得可憎。

她試著不去想卡歐，他人在上頭，高空中的巴西。

她叫出簡報，發現盧卡斯的情資調查做得很全面，馬尼奧知道海德監護人不知道的事。他會寫字，寫故事。他寫完後不甘不願拿給別人看的作品，還有寫完後沒給別人看的作品，以及他永遠不會讓別人看的作品：關於海德與他死黨羅伯森的男性情誼。

「你要他帶什麼，柯塔先生？」月球學家亞君問。

「我實話實說。」盧卡斯說：「用來毒死布萊斯．馬肯齊的毒藥。」

亞君和詩學教授馬克斯都發出小小的驚呼。

「政治暗殺？」馬克斯問。海德的兩個監護人之中，他個頭較高，留著詩學教授風格的斑白鬍子。

「布萊斯．馬肯齊不死，羅伯森就沒有安全的一天。」盧卡斯說：「還有，由於我來了這裡一趟，由於華格納找上你們，你們在布萊斯．馬肯齊斷氣之前也不會有安全的一天。你們已經被牽扯進來了，很遺憾。」

「我從來沒要求……」馬克斯開口又住嘴，因為他想到自己再爭辯也無益。

「我會保護你們。」盧卡斯說：「只要情勢有需求，我就會一直罩你們，持續多久都不成問題。」

「海德呢？那他怎麼辦？你要求我們的兒子帶著致命毒藥進入馬肯齊金屬的中樞。」馬克斯說。

「我是要他去拜訪他最好的朋友。」盧卡斯說：「不會有問題的，他是根據月球受託管理機構的命令行事，不會有危險。」

馬克斯哼了一聲，輕蔑中攙著心痛。

「你說是這樣說，那你的姪子呢？你應該要保障他的安全才對。這行動會使羅伯森面臨致命的危險。」亞君說。

「羅伯森已經面臨致命的危險了，你們都知道布萊斯．馬肯齊的名聲如何。有些事比死亡還糟。」

「我願意去。」海德的聲音填滿小小的房間，劉海後方的眼神炯然、堅決。「為了羅伯森，我願意去。」

「我們反對！」馬克斯說。

「讓他說話。」盧卡斯說。

「沒什麼好說的。」海德說：「總之我要去，要有人去做才行。沒有別人能做。」

「我們是你的監護人，」馬克斯說：「你的雙親。」

亞君碰觸他歐科伴侶的手。

「這件事沒有我們說話的餘地，他想怎樣都行。」

「很高興你從我的角度看事情。」盧卡斯說：「放心，海德不會落單的，月球受託管理機構的官方信使會盡可能陪他行動。信使是我的茂．迪．費洛。」

「附屬人員在這裡，隨傳隨到。」盧卡斯帶著月球受託管理機構主管穿過鼻梁，來到朝北的眼球。他的枴杖在光滑的石頭地板上敲出響亮的聲音。「各位的會議室。網路會議不足以滿足各位需求時，可來此地開會。隱祕，妥當。」他舉起枴杖，指向眼球窗外、深淵彼岸的石像臉孔。「我的辦公室在那，眼對眼。」

「奧薩拉，光與創世之主。」安塞爾默．雷耶斯說：「我們則被分派到奧莫露，死亡與疾病的奧里莎。」

「同時也是主掌治癒的奧里莎，」盧卡斯說：「墓地守護者。」

王永晴不悅地噘嘴。

「把我們的活動分割開、從梅利迪安複製到博阿維斯塔來，實在太沒效率了。」

「我打算把整個月球受託管理機構轉移到博阿維斯塔來。把首都跟最大都市分開有很多優點，地球上有許多國家這麼做，不過各位的國家都不在其中就是了。博阿維斯塔將會成為你們的私人都市。」

「你的私人都市，」王永晴說：「而月球受託管理機構將成為你的人質。」

「這說法不太客氣，王女士。」

「但它是月球上廣為流傳的說法。柯塔先生，月球受託管理機構對此感到憂心。」

鳥兒在樹苗間鳴叫，一隻閃蝶艱難地從奧莫露朝北那隻眼睛前方飛過。他對托基尼奧動念，保全就帶椅子過來了。一切都準備好了，全都經過精心安排，盧卡斯要事情照著他寫好的劇本走，不接受任何脫軌。

「我們同意也認可你的助手過去。」莫尼克．柏廷說。

「我的茂．迪．費洛。」盧卡斯說。地球人痛恨這頭銜，認為它聽起來太中世紀，太有返祖的味道。因此盧卡斯樂於掛在嘴邊。

「還有那男孩。」安塞爾默．雷耶斯補充，「我們還會派出一支小護衛隊。」

「感謝各位。」盧卡斯說。

「我們還沒問你，這事能帶給我們什麼利益。」王永晴的雙手在腿上交疊。盧卡斯的手下立起一張桌子，供茶。「我們不是要做人情。我們是企業，具有商業上的目標。」

「我是個生意人。」盧卡斯說。

王永晴冷冷盯著他看了一會兒。

「我不確定你是不是，柯塔先生。你跟我們理解的生意人不同。最近你發動任務，主持會議，進行交易——都未經我們許可。」

「我得要些手段，王女士。」

「我們對此感到憂心。」安塞爾默．雷耶斯說。

「地球人很憂心。」莫尼克．柏廷說：「你最近派了私人助理到聖奧爾嘉，跟沃隆佐夫家進行信任供給協議。」

「月港太空電梯系統。」安塞爾默．雷耶斯說：「我知道我們得仰賴ＶＴＯ的質量投射器，視它為最終的喊價籌碼，但他們若還要壟斷月球與太空的交通——地球是不會同意的。」

「我們幫了你一個忙，而報酬是，」王永晴說：「ＶＴＯ已要求在議會內表決此案，你得予以否決。我們不玩民主那套，話說得夠明白了吧？」

「我的立場明白到不能再明白了。」盧卡斯．柯塔說。

21

瑪莉娜想起自己曾為了柯塔氦氣進行蛇海圈地任務，和卡林侯一起騎月球摩托車上路，輪胎揚起一大片灰塵，瘋狂又美好。從太空肯定看得到那些揚塵，家裡後院的望遠鏡也看得到，那會是滿月上側的兩道小疤痕。

那車子跟在她身後已有一段時間，配合她拄枴杖在小徑上一晃一晃的前進步調。碎石發出清脆的嘎吱聲，還有小石頭啵一聲從輪胎下方彈開。瑪莉娜覺得它像是槍管，指著自己的頸後。

「凱西，我知道那是妳，」瑪莉娜大吼，「從我旁邊開過去就是了！」

她聽到車子靠邊停的聲音。凱西搖下車窗大喊，「妳還好嗎？」

瑪莉娜咬緊牙根，堅定心志。節奏與擺盪，正確的時機就是一切。節奏要是亂了就會跌倒。別忘了，妳是個四足動物。妳有四隻腳。

「我很好，走開。」

皮卡車跟在她身旁，凱西還是靠在窗上。瑪莉娜還是在通往攔獸柵的泥土路上擺盪前進，那柵欄對她來說就像是世界的盡頭。

「凱西，妳到底要幹什麼？」瑪莉娜大吼。

「我覺得妳也許會想看看溪畔步道那邊的鷹巢。」

枴杖，腳，枴杖，腳。

「北方營地那個巢？」自瑪莉娜有記憶以來，那個鷹巢就一直存在於垂死的松樹上，河流淘洗過的樹枝一年一年、一堆一堆疊起，形成一個不甚牢固的巢窟。

「有第二個巢。」

「真棒。」

「牠們還在餵雛鳥。」

瑪莉娜止步，倚著枴杖。

「妳到底要做什麼，凱西？」

她妹妹打開皮卡車門。瑪莉娜將枴杖甩到皮卡車的車斗上，然後滑進座位。凱西在小徑上小心迴轉，開車通過家門，通過漆成白色的小屋，經過沒太大反應的狗兒前方，開上河畔小路。

「中村醫生要妳休息，妳的骨頭很脆弱。」

「我的骨頭是我自己的。」

河畔小徑沿著陡峭的西岸之字形前進，輪胎揚起一大片氣味濃郁的灰塵，它們很快就落定了。月塵飄得很慢，很美：閃閃發光，帶著月虹。瑪莉娜想起自己曾為了柯塔氦氣進行蛇海圈地任務，和卡林侯一起騎月球摩托車上路，輪胎揚起一大片灰塵，瘋狂又美好。從太空肯定看得到那些揚塵，家裡後院的望遠鏡也看得到，那會是滿月上側的兩道小疤痕。

凱西快速而平穩地沿著隱約可見的道路前進，那是乾水窪中的胎痕、斷樹枝、壓平的草皮組合出來的。瑪莉娜感覺得到每一顆石頭和每一道溝渠。凱西將皮卡車停在有鳥巢那棵樹的好一段距離外。那鷹巢很巨大，垂死松樹上的第二個皇冠。有些歷史悠久的鷹巢重達一公噸。下方了無生氣的草皮布滿糞便。河水流過石頭與砂礫之間，聲響猶如全新的語言。

「妳到底要做什麼？」瑪莉娜問。

「妳要回去嗎？」凱西說：「是媽告訴我的，別想否認。」

瑪莉娜試圖在破舊的椅墊上調整出一個舒服的姿勢。她現在不知何謂舒服，她在這個世界尋求不到慰藉。嘩啦水流聲，路上塵土的風味，開闊而晴朗的天空（老鷹盤旋於某處）看起來單薄、透明。光線過強，顏色太繽紛。謊言。樹木是平板的，無實體，只是膠片上的彩繪。把手伸向那山，她的手指就會穿過去。月球醜陋，月球殘酷，月球無情，但她在那裡才會覺得自己活著。

「它改變了我，凱西。不只改變我的身體。月球知道一千種殺人方法。我看過很可怕的畫面，看過人死在上頭。而且是可怕、愚蠢、毫無意義的死。月球不懂什麼叫寬恕，不過凱西，在上頭，人生很稠密，很珍貴，月球人懂得怎麼運用生命。這裡的孩子滿十七、八歲就去弄車，買醉，跑派對。上頭的孩子得全裸，在嚴酷的真空中跑十公尺。在那十公尺內，他們每一秒都活得很徹底。」

「如果妳回去——」

「我就再也無法離開了。」

這是為河畔談心而存在的空間，還能聆聽風穿過鷹巢結構的窸窣聲響。

「妳回得去嗎？」凱西不肯看著她說話。兩個女人並肩而坐，卻又同時處在不同的世界。「妳說妳搭上太空梭之後感覺就像變成了鉛，快死了，而妳還要再一次——」

「我不知道。」瑪莉娜說：「如果盧卡斯．柯塔辦得到……」關於盧卡斯的回憶令她哽咽，它來得突然、形狀鮮明，像是卡在喉嚨裡的骨頭。衣冠楚楚，時髦，鬍子修得很整齊，抹髮油，指甲磨得漂漂亮亮，西裝剪裁銳利得像是柯塔之刃。那是她在博阿維斯塔初次見到的盧卡斯．柯塔，她在奔月派對上負責外燴的工作，因而救了自己一命，不用再因付不出四大元素的使用費緩慢窒息。晚期資本主義社會式的窒息。回去過那種生活，過不知道誰付錢讓妳呼吸下一口氣的生活？對，這就是她最大的渴望。一個黑點在天空盤旋：那是她眼睛裡的死細胞在配合演出，還是真正的老鷹？

「妳說盧卡斯．柯塔差點喪命。」凱西說。

「盧卡斯．柯塔確實死了。」瑪莉娜說：「但他復活了，沒有東西殺得了盧卡斯．柯塔。」

「妳不像他那樣。」

「對，但我在地球出生，我有地球人的生理構造。我可以做充足的訓練。」

「妳那天被撞進水溝裡就是在訓練嗎？」凱西問：「妳今天出門也是為了訓練嗎？」

那是一隻鳥，盤旋於空中，翅膀張得開開的，感受風，摸索下降的路徑。

「當時我還沒決定。」

老鷹來到河流轉彎處，滑翔到下方谷地去。

「妳決定了？」

「我倒地那一刻就決定了。那裡醜陋、殘酷，我隨時都感到害怕，但在那二十四個月內，我同時覺得『活著』的感覺達到前所未有的強烈。我就像在演伍迪．艾倫的《影與霧》那部片，凱西。」

老鷹悄悄逼近，張開翅膀減速，落在鷹巢邊緣，爪子抓著鱗片和血塊。

「妳看。」凱西輕聲說。幾顆頭從鷹巢邊緣冒了出來，老鷹將魚撕成蒼白而淌血的肉塊，放到開啟的嗉囊中。

健行枴杖比腋下枴杖更穩、更精良，不過瑪莉娜走上艙梯前往前甲板時，還是一樣，一次只能跨出一步，搖搖晃晃的。凱西已經在欄杆邊了。這是一個家族儀式：在渡輪繞行班橋島時捕捉太空針塔露面的瞬間。海灣的氣溫從來不曾溫暖過，瑪莉娜將單薄的外套拉得更緊一些。在她外出的這幾年，越來越多乏味的塔像保鑣似地圍在西雅圖知名地標的四周，甚至越過艾略特灣，來到西西雅圖。一輛自動駕駛貨船請求先行通過，駛向海峽以及更遠處的海洋。它像是一塊移動的金屬，長著懸崖的臉。渡輪晃呀晃地駛過它的餘波，這時凱西發出大叫，「它出現了。」

卡爾札家族一年最多搭兩次渡輪前往市區，有時會是睽違一整年的旅程。儘管那一座座塔是抵達西雅圖的燈標，他們看到瑞尼爾山才真正感覺到城市的歡迎。媽住院時，他們變得更常跑這一大段路；山景成為一種神諭。如果它清朗地聳立，覆雪的山頂落在超越任何人想像的高處，那麼事情就會很順利。如果它四周布滿雲層，如果下起雨來，那就要做好挫折和失望的心理準備。

不過它總是在。瑞尼爾山是半夢半醒的女神，它坐在一旁，低頭俯瞰它的城市和島嶼。

「山上的風景很清晰。」瑪莉娜說，但儘管兩年不見，她也看得出雪融得更多了，冰河退到更高處。她無法想像無雪的瑞尼爾山，她承受不了。那就像沒戴皇冠的皇后。

渡輪盪入港口，乘客湧向車輛和出口。凱西替瑪莉娜在步行者人潮之間清出一條路，不過瑪莉娜覺得身體在狹窄通道內的推擠使她感到安心。月球擠滿人，全是人，只有人，滿坑滿谷。

三輪摩托帶著他們穿梭在黑塔之間，其他行人和騎腳踏車的人，現在似乎都會戴氧氣罩了。又有新的致命細菌演化出來。月球居民最害怕的事情是新的地球疾病傳入月球的密封城市，在梅利迪安方樓居民的肺之間傳遞，且在醫療資源控制住疫情前，就一路擴散到南后的高塔去。月球上的瘟疫。

VTO辦公室坐落在聯合湖的精華地段，宛如玻璃和鋁拼裝成的小首飾。水上飛機不斷起降，旁邊占據整面牆的投影是循環太空船飛向地球的動畫。

「幫我一下。」

凱西幫瑪莉娜拿枴杖，讓她脫下外套。她穿著柯塔氦氣的T恤，豪氣地行走在大廳內，與準月光菜鳥擦肩而過。有人和她對望，有人轉過頭來看她。

「我和醫療中心有約。」瑪莉娜對接待處的人員說。

「瑪莉娜．卡爾札。」他是標準的VTO男孩，高大，氣質浮誇，有迷死人的顴骨。他拋了一個地點給瑪莉娜的情報助理助手，「歡迎回來。我們的回頭客不多呢。」她握住枴杖時，他又補了一句：「就像復古的T恤一樣少見。」

等待區鬧烘烘的，隨時擠滿準備要上月球賺大錢的人。來自世界各國、膚色各異的年輕人，緊張又激動。除了心理測驗外，他們也得接受生理測驗。不是所有人都能忍受緊密、幽閉空間式的月球社會。在這幾道白門後方，受試者的希望可能會遭到粉碎，也可能更加高漲。

「柯塔氦氣。」坐前排的年輕女子轉過頭來看瑪莉娜，未來可能成為她火箭上鄰座同伴的人，並念出T恤上的字句。

「我以前曾幫他們工作。」瑪莉娜說。

「哪個辦公室？」

瑪莉娜用拇指指了一下天花板。

「總部，我以前是個塵工。」

「妳在上頭工作過？」

「兩年，最長年限。」

「那我有個問題。」女人說。

「問吧。」瑪莉娜說。

「如果妳去了那裡，何必回來呢？」

一扇白色的門開啟了。

「瑪莉娜．卡爾札？」

機械手臂縮起手指，折回白色牆面的縫隙內，牆板關上、密封，留下純然平整的表面。瑪莉娜從掃描台上旋身坐起，她的健行枴杖放在門邊。走回它旁邊的路程，感覺比走過來還要漫長。

「醫生，我的身體狀況還好嗎？」

羅伯特．古鐵雷斯醫生眨了一下眼睛，重新把數值鏡片叫出來。

「在火箭升空時的存活率為百分之八十八。」他說：「前往軌道的最大G力是二G，相當於月球重力下的十二G。過程中不會舒服，但妳有非常優良的肌肉裝甲。妳一直在練身體。」

「長跑。」瑪莉娜說。她知道醫生聽不懂，而且興趣缺缺，根本不想過問。

醫生眨掉鏡片。

「我有一個問題：為什麼要回去？」

「這是精神狀態評估的一部分嗎？」

「我從來沒碰過想要回去的人。我碰到的一些遊客、企業主管、大學研究者、月球開發法人員工會兩地跑，上頭待六個月，下來待三個月。但在那裡工作滿兩年的人？我沒碰過還想回去的，他們一旦下來就會長住。」

「也許我當初根本不該下來。」瑪莉娜說。

「有人在上面，對吧？」古鐵雷斯醫生說。

「對。」瑪莉娜說：「但我下來之後才把事情看清楚。」

「看清事實的代價很昂貴。」古鐵雷斯醫生說。

「只是得多花錢罷了。」瑪莉娜說。

古鐵雷斯醫生微笑，瑪莉娜心想，也許她對他的原始印象是錯的。門開了，梅琳達進入白色房間。自從她的車尾燈轉過泥土路、消失在樹林後方後，瑪莉娜就把這位回歸地球事項聯絡員拋到腦後了。

「羅伯特，你好了嗎？」

「她狀況很好，可以飛。」古鐵雷斯醫生說。

「瑪莉娜，借一步說話。」

瑪莉娜跟著她在走廊前進，健行柺杖的尖端在木頭上敲出喀啦喀啦的聲響。

「要咖啡嗎？」梅琳達問小心翼翼坐到沙發上的瑪莉娜。她們在一個明亮的小房間內，望向窗外可俯瞰聯合湖風光。矮沙發對月球女子來說是鋪了軟墊的捕蠅器，進得去但出不去。

一名女子端了咖啡過來，她的套裝彷彿寫著**政府**兩個大字。她倒了兩杯咖啡。

「謝謝妳，梅琳達。」

她將咖啡杯滑到矮桌另一頭的瑪莉娜面前。

「我叫史黛拉．奧修阿拉，我為國防情報局工作。」

「我就覺得可能是這樣。」

史黛拉．奧修阿拉丟了兩顆糖到咖啡中，攪拌後啜飲一口。

「最近鄰居一直對妳懷有敵意。」

「你們會追蹤所有月球回來的人嗎？」

「會，許多回歸地球的人會發現，重新融入地球生活是很有挑戰性的一件事。月球通常會灌溉民眾心中的異端政治思想。極端自由意志主義，渴求烏托邦社群，無政府工團主義。還有一派拿司法系統開刀。」

「我只想融入大家，幫自己打造新生活。」

「但那不是真話對吧，瑪莉娜？」史黛拉・奧修阿拉放下杯子，「妳打算回月球，前所未有的行動。」

瑪莉娜的咖啡失去了美妙和懷舊的滋味。

「妳想做什麼？」

「我想支付令堂的醫療費用。」

「我會支付她的醫藥費，妳不用扯到我媽。」

「妳可以付她醫藥費，或者，回到月球。妳沒辦法兩者都支付。」

「妳看了我的帳戶？」

「妳申請了月球至地球交通貸款，我們當然會產生興趣。」

這位政府的手下說得對，這些數字兜不攏。瑪莉娜沒把月球飛行交通費的漲幅，以及醫藥費的攀升計算進去。此刻，當瑪莉娜首度來到這個湖畔辦公室接受飛行前評估時，VTO也正準備將貸款撥給將來有可能上月球的勞工。先前，她在深邃、私密的夜色中填寫申請單，擔心自己的祕密會曝光：月球工人瑪莉娜，卡爾札家族長久的經濟支柱，可能沒她自己想的那麼有錢。

「我只是想盡我所有責任。」

史黛拉．奧修阿拉盯著她的鞋子看，嘴角抽動了一下。

「妳得知道，妳的貸款申請不太可能過。」

瑪莉娜感覺重力伸出手，將她體內所有的堅強都扯了下來。房間晃動，地板朝她衝來。

「什麼？」

「ＶＴＯ並未同意放款。」

「不過是十萬元。」

「不管是十萬還是十塊，答案都一樣。」史黛拉．奧修阿拉說。她啜飲杯中咖啡，不過飲料已變冷、變質。

「我不懂。」瑪莉娜結巴著。她的世界內爆了，所有希望都掉入心中的大洞。

「返回地球然後又要回去當月光菜鳥，這種人對ＶＴＯ而言不是安全、穩定的投資對象。」

史黛拉．奧修阿拉盯著她的眼睛。

「我要妳幫我們做一些工作，瑪莉娜。會有報酬，足以彌補妳的資金缺口，而且還會有剩。」

憤怒從她心中的破洞湧出。

「妳叫ＶＴＯ拒絕撥款給我，對不對？」

史黛拉．奧修阿拉嘆了一口氣。

「妳的地位特殊，我的組織若不善加利用，就顯得太散漫了。」

「妳要我當間諜。」

史黛拉．奧修阿拉皺起臉來。

「我們不會用那樣的字眼，瑪莉娜。我們是對情報感興趣，新消息，內部情報。我們的政府在月球受託管理機構中的位階不高。上頭的情勢非常重要，俄國和中國卻只給我們一些鳥飼料。」

「妳的意思是，我應該要盡一個愛國者的義務？」

「那也不是我們會用的說法，瑪莉娜。」

瑪莉娜覺得自己被困在深深凹陷、吞人的沙發內。

「監視我的朋友。」憤怒鮮紅、滾燙，而且……喔，充滿喜悅，不過她得按捺住才行。她把「**監視我心愛的人們**」這句話吞了回去。

「令堂將獲得最妥善的照顧。」史黛拉．奧修阿拉說。

如今，那熾熱的憤怒給了瑪莉娜力氣，她得以起身離開窒息的沙發，走向房間另一頭的健行枴杖。

「我們會自己照顧好自己。」瑪莉娜的手穿過穿環，握住把柄。

「我和妳一起走。」史黛拉．奧修阿拉在瑪莉娜踏上走廊時補了一刀。喀啦，喀啦，喀啦。間諜，偵察者，叛徒。她怎麼會有那種膽子？傷痛與恥辱帶來加倍熾熱，因為那女人說得對。她的錢只夠去月球，或照料母親。若不二選一，她就只能背叛那個家族。接納她、使她重新振作、信賴且信任她的那個家族，他們把性命都託付給了她。

「還好嗎？」凱西問。瑪莉娜正一擺一擺地通過滿懷希望、眼中只有月球的人龍，朝停放在門廊的車子走去。「妳去了好久。」

「手腳都還在，活跳跳的。」瑪莉娜說：「幫我一個忙，好嗎？」凱西拿枴杖，等瑪莉娜費力地套上外套。外套太小了，而且在這座城市穿太熱了，但她覺得她引以為傲的柯塔氦氣T恤變成了背叛的商標。

雲氣聚集到瑞尼爾山四周，善變的女神。瑪莉娜轉身背對那座山，背對太空針塔，背對艾略特灣上那些惡棍般的高塔。背叛者之城。她抓著欄杆，望向海灣另一頭的故鄉山脈。她將拉鍊拉到頂，海灣上總是很冷。好夾克總不令人失望。

渡輪繞過班橋島的南角後，凱西才開口說：「妳心情爛透了，姊。剛剛是不是碰到了什麼壞事？」

水母在蔚藍色的海水中翻騰，像是一條條鯨脂與毒液組成的破布。

「我要妳借我十萬元。」

「原來是這樣。」

「凱西，事情是這樣的。」瑪莉娜緊握深色木頭欄杆，指節發白，「事實上，國防情報局想把我變成間諜。」

石岸上有一排木屋，雅致又散發貴氣。在過去是成排的樹木。

「他們不稱之為間諜活動，我只是一個情報源。我要把柯塔家的情報透露給他們，而他們會照顧媽。」

渡輪準備在布雷默頓碼頭靠岸時，引擎的音調變了。

凱西不自在地在欄杆邊調整站姿。

「我得問——」

「柯塔家族是我見過最自我中心、自戀、狂妄、古怪到不行的一票混蛋。」瑪莉娜說：「跟他們分開的每一秒鐘都讓我痛苦到不行。」

廣播系統宣告船已入港，船頭推進器啟動，整艘船震動著。黑色浪濤打向碼頭的水泥消波塊和橡膠緩衝物，濺起高高的浪花。

「我不知道耶，瑪莉娜。」

「我得盡速行動，凱西。」

「瑪莉娜，我不知道耶。」

坡道刮過碼頭的水泥。瑪莉娜是最後一個站在欄杆邊的人，凱西停在停車場內的車子清晰地映入她眼簾。那輛車很快就會帶她們穿過群山和水流，回到森林作為屋簷的那間房子裡。

22

家人擺第一，家族永遠是最重要的。
背叛的訊息是手寫的，昂貴紙張上的古體字。
音符般的文字，出自她的手筆。

海德皺眉，集中注意力的眼神閃閃發亮，鼻孔撐大。

艾莉西亞很清楚，當你擔心受怕、準備面對世界上最可怕的事情且無路可逃、無法拖延時，你就會對瑣事產生強烈的連結。你的音樂，你的聊天記錄，你深愛的節目。但天啊，一個十三歲的少年到底可以玩多少輪「奔龍」遊戲？

月球受託管理機構的機動車駛離希帕提婭聯軌站，在太陽環的光滑黑玻璃上往東移動。這風景會將人的靈魂逼往內側，推向黑暗的倒影和自我毀滅。天啊。她會在自己的想法之前冠上這個發語詞：天啊，這是月球人的想法。諸神，聖人，奧里莎，一大碗瘋狂加滿燉豆和肉的巴西黑奴飯，融合成某種奇特、新穎的狀態，一加一大於二。她也是受到融合、混合、熔接的一分子。她有多久沒想起故鄉了？有多久沒想起巴拉的翠綠、蔚藍，有多久沒想起舉杯祝賀她上太空的海洋塔居民、帥氣又虛榮的諾頓，還有瑪莉莎和卡歐？遺忘之日一溜煙就聚積成月，某天你發現時間已過了好幾年，再也回不去了。

「海德。」

沒回應。

「海德。」

他的視線往外界飄，注意力從遊戲轉移到艾莉西亞身上。

「東西都還在嗎？」

海德大大張開嘴巴，艾莉西亞看到他的舌頭下方和兩側臉頰有許多色彩繽紛的尖形小團塊。紅，綠，藍，黃，白。她看不到黑色那個，融入人體內的黑暗了。有了，最後一枚死亡毒藥。

「去你媽的，海德！」

他將小容器吐到手上。

「我只是想試試。妳完全沒注意到我把它們放進嘴裡，對吧？我從羅伯森那裡學了幾招，然後想出了這個法子。我不能把它們藏在屁股裡，因為我無法在沒人注意到的情況下把東西拿出來。如果是用這招，我可以在抵達那裡後就把它們偷帶進去，見到羅伯森後再拿出來。我只要閉緊嘴巴就行了。」

「你要是吞下去怎麼辦？」

「羅伯森的ＤＮＡ是密碼，只有他能打開它們。它們只會通過我體內。」

你相信這個說法？

「還要多久才會抵達神之若望？」

「十分鐘。」

「夠久了。」海德在位子上坐好，重新把視線聚焦到遊戲上。這男孩真怪，刻意表現出笨拙的模樣，激發別人來關照他。搭車離開西奧菲勒斯的路上，她試圖找他聊天，吸引他的注意力，想了解他，結果他忽視她的每一次嘗試。他的安靜、內向斥退了艾莉西亞。她永遠不會和他成為朋友，但反正她也不是十三歲，不是個男孩，不是羅伯森．柯塔。要了解一段友誼，交友者雙方都得掌握。不過他確實是個朋友，艾莉西亞見過最偉大、勇敢的朋友。

機動車減速了，顛簸輕輕將海德推出他的遊戲世界。月球受託管理機構的儀隊就位，隨著機動車轉軌晃動身體，駛上通往神之若望的支線。他們是聶爾森．米德羅斯所能找到的，非隸屬柯塔一族的最精銳傭兵。如果真的開打，他們只撐得住四十秒，而他們都知道。機動車駛入隧道，煞車進站，燈光閃爍、減速。

「好啦，海德。」

他沒回應。

「海德？」

艾莉西亞回頭望，發現他的雙手空空。

艾莉西亞痛恨神之若望，恨那反覆回收利用的渾濁空氣，恨那多孔的石頭內深深滲入食用油的氣味，還有管理不當的排水管散發出尿味。她恨月塵的味道，還有沙子輕柔刮磨鞋跟的感覺，那可是她從邦維特勒百貨公司買來的鞋子。她討厭街道散發的卑賤感，層層高樓矗立在頭上，像是在審判下方的人，過於低矮的太陽線使人產生幽閉空間恐懼症——假天空上頭的一個個網格，她都看得一清二楚。她討厭居民經過時瞥她的眼神，討厭他們從巷弄、樓層梯或從上方行人穿越道投過來的視線。她若看過去，對方就會別開眼。她知道他們會說什麼：**茂．迪．費洛？世界上只有一個茂．迪．費洛，**

就是打造這個地方的女人，打造了一個氦氣帝國的女人，而且她靠的還是別人抽走珍貴資源後剩的月壞。亞德里安娜・柯塔。

她的護身符和魔法小物無懈可擊：馬肯齊氦氣的新任第一刃衛胡珊・艾爾・伊布拉什在車站迎接她和海德。上一任刃衛芬恩・華恩如今成為哈德利的第一刃衛了。

馬尼奧在月球受託管理機構的機動車進站時告訴她：**當初那五十名馬肯齊刃衛就是在這兩個月台下車，壓倒柯塔氦氣的防守勢力，襲向康達科娃大道。在妳右方標示出來的位置是盧卡斯・柯塔往昔的公寓，他擁有地月兩界最頂級的音響室。**她忍不住望過去了。她看到有煙燻痕跡的窗戶，焦黑的內裝，想像自己還聞得到燒焦木頭和有機物融化的氣味。胡珊・艾爾・伊布拉什很擅長跟人閒聊，風範迷人，兩名馬肯齊氦氣刃衛緊跟在後，態度慎重，馬尼奧這時又低聲說了另一個故事。這座城市的每一寸土地都銘刻了馬肯齊的背信忘義史：每扇門、每條巷子都寫著冤屈的記憶。**盧斯球場：神之若望美洲豹隊主場，美洲豹隊的前身為青年隊。**

「等一下。」

馬尼奧標出已關閉、密封的博阿維斯塔機動車站，不過那裡有樣東西並不存在於它的歷史記憶之中。幾盞生化燈在牆角排成半圓，光線搖曳——紅、綠、金。當中有些廉價列印的小雕像，懶洋洋地倚靠著不安穩的底座。

「請等我一下。」艾莉西亞從護衛隊旁邊退開，蹲到生化燈前面。海德也過去了。幾張畫像曾被掛在壓力密封處：白衣女子們身上掛著串珠，看起來像是巴伊亞州的女人。聖母，聖女，現主姊妹會，排放在一個破碎三角形肖像畫的四周。兩男，中間有個女子，上頭還有個空位，是肖像被撕掉後留下來的，黏著劑摸起來還黏黏的。那張照片正面朝下地落在祈願物之間。艾莉西亞輪流觸碰各張照片。那這就是拉法了，金童拉法。面帶微笑，受人歡迎，但艾莉西亞看得出他雙眼深處潛藏著惡魔。而這個是卡林侯，鬥士。他很俊俏。艾莉西亞永遠見不到他了，想到這裡就不甘心。還有她：五官深邃、膚色黝黑的女子，黑髮中攙著輻射照出來的銀髮，帝國建立者的眼神。這肯定就是亞德里安娜・柯塔了，在月壤上挖出一代王朝的鐵手。她不曾雇用犯罪者，對傷害自己弟弟的凶手施行正義制裁。她只鍛造、履行自己的正義。

艾莉西亞不需要把那張落地的肖像畫翻起來，她知道上頭是誰。鐵手，萬人迷，鬥士。背叛者。等著看吧，神之若望。

「柯塔小姐，我們得走了。」

「當然。」

她捏了捏海德的手。他嚇了一跳，瞥了她一眼，令她後悔採取動作。他太驚訝了，藏在他嘴裡的死亡毒液可能會害他噎到。

就快到了，她用私頻說。

馬肯齊占用了面向大道的辦公室，整排加起來有半公里長。霓虹商標有三層樓高，戒備森嚴。艾莉西亞看得出那些受雇者是小聖者，他們鬼鬼祟祟地偷瞄，懷著罪惡感與希望。

「柯塔小姐，您只能在此止步了。」

她向海德點頭。這在他們預料範圍內，不過他開始害怕了。

「去吧，海德。不會有事的。」

其餘的人被請上座，穿著馬肯齊氪氣制服、打扮整齊的爽朗工作人員送上茶。胡珊・艾爾・伊布拉什輕輕搭著海德的手，護送他穿過自動門。

房間白而亮，裝著象牙色的假皮軟墊。沒有窗戶。海德在強光中眨眼。羅伯森試穿著白色短褲和無袖T恤的幽魂，膚色和髮色與白上加白形成強烈對比。

「我讓你們獨處，」艾爾．伊布拉什說：「五分鐘。」

門關上了。現在來到無法練習的部分了，不容出錯。現在，他們的的友誼將被放到刀尖考驗，羅伯森必須接受、理解他的行為，完全不能低語或瑟縮。花招時間到了。

「嘿。」

「你好啊。」

海德擁抱羅伯森，他的身體仍像是一帶骨頭和鋼索。他將他拉近。

就是現在。

他吻了他，吻他的嘴。他用舌頭將第一劑死亡毒液推到羅伯森的嘴唇上，快點，快點，拜託快點。監視攝影機正看著，人工智慧正利用祕密訊號上下掃描著他們。量子處理器在一旁待命，隨時準備以壓碎嬰兒頭骨之勢破解加密訊息。羅伯森猶豫了一下，接著海德感覺到他的身體放鬆了。羅伯森張開嘴巴，海德的十指在羅伯森身後交扣，轉動頭，使這個吻更深、更久、更熱情。他一個接一個地，將死亡毒液傳入羅伯森口中。

「你沒事，你沒事，我好開心！」海德口齒不清地說，此刻仍緊黏著另一個男孩。這是在掩護他，同時也緊張兮兮地傳達出純粹的寬慰。「你還好嗎？他們對你好嗎？食物吃得習慣嗎？他們准你四處跑嗎？華格納要我傳話，他說他很愛你——他們不准他來。你知不……知道，怎麼啦？」

羅伯森板著臉點頭，眼睛瞪大。

「我很好，我很好。」

會不會有人工智慧聽出他的嗓音變化？會不會有機器解讀他的彆扭行徑，發現謊言的成分？這些都是他想像出來的嗎？

「你要不要喝西班牙豆漿？」羅伯森說：「我這裡有個廚房，小小的。」

真難聊天，對話沉重得像鉛，字句粗糙，令人不適。海德喝著西班牙豆漿，調味正合他的口味。他發現羅伯森也啜飲了一口，瞪大眼睛。沒事，他很冷靜，控制得當，彷彿朝五樓水槽做了一個貓掛上牆。真聰明，太聰明了。他喝了西班牙豆漿，所以他嘴裡不可能有任何東西。他們忘了羅伯森會耍花招，也擅長誤導。

「這裡有個健身房，要去看看嗎？」羅伯森說。羅伯森在神之若望監獄擁有的房間，加起來超過西奧菲勒斯的一整區。「我應該要做重訓。」羅伯森帶海德去看自由重訓器材、跑步機、踏步機。「這裡有好多器材可以練我的屁股。」他打住，皺眉。「抱歉，我去個廁所，馬上回來。」

來到移位的階段了，從嘴巴移到其他藏匿處。不能藏在廁所，他們一定會搜索（布萊斯・馬肯齊就算在裡頭裝攝影機，海德也不會意外），他們永遠不會發現。

「抱歉，我的肚子怪怪的，一陣子了。這裡的水不太對勁。」

門開了。

「抱歉，時間到了。」胡珊・艾爾・伊布拉什說。

「再親我一次。」羅伯森說。當然了，吻為這個戲法畫下句點。**謝謝你**，羅伯森用嘴型說，然後吻了海德。**華格納說，你不孤單**，海德也用嘴型回應。戲法完成了。羅伯森用雙手抱著海德的臉。大眼睛，雀斑。海德的心臟快爆開了。

「吻別吧。」羅伯森說，並開始親吻海德，激烈得像是世界即將毀滅，而這是他們一起做的最後一件事。

泥巴稠密，灰灰的，層疊、交摺處照到光便會發出雲母亮澤。這是一個極度精密的生態環境，成分有礦物補品、皮膚保養品、去角質霜、潤膚劑、抗真菌與抗細菌膏，還有噬菌懸浮液，可對付地球來的最要命、最難纏的疾病。馬肯齊氦氣的總統級套房內有的池子，裡面注滿了這些玩意兒。布萊斯・馬肯齊慵懶地躺在一波灰色泥巴中，撈起一把爛糊，開始用它按摩自己下垂的胸部。哈德利戰役的恥辱像死去的肌膚細胞那樣乾淨溜溜了。

「極樂。」他低聲說：「極樂。」

泥巴是利用彈運從皇家堡壘運過來的，有人先幫他倒好，加熱至溫度等同人體、觸感如藥膏的程度，等他來泡。移動帶來疼痛、不便、不適、消化不良。過去兩年，布萊斯待在泥巴池裡的時間越來越長了。

「把他帶過來。」布萊斯下令。

「要怎麼準備？」胡珊・艾爾・伊布拉什說。

「泳裝。」布萊斯的嗓音粗啞，上頭結滿欲求。胡珊・艾爾・伊布拉什點了一下頭，離開了。布萊斯撐起身體，坐到池邊。泥巴從他小丘般的肚子和胸部上滑落，泥巴在他脖子的肉褶和層層下巴間閃爍。他在顴骨上抹了幾條泥巴，像戰士妝那樣。他的呼吸沉重但穩定，心臟承受著絞痛的箝制。還能跳個十萬下，他的醫生安撫他。神之若望的人最好祈禱醫生沒說錯。他感覺到自己的陰莖在溫暖、厚重的泥巴中搏動。

「布萊斯。」

胡珊・艾爾・伊布拉什站在男孩身後，一手按著他的肩膀。

「謝謝你，胡珊。」布萊斯仔細打量羅伯森・柯塔。泳褲布料很少，純白色的。腳沒套任何東西：對象若遮住腳，他就無法高潮，一直以來都是這樣。「嗯，過來，過來，讓我好好看看你。」他嗓音裡的欲求節節高升，他自己聽得出來。他要在此奪走盧卡斯・柯塔的一切。

「我不是叫你練壯一點嗎？你瘦得像個該死的娘們。」

沒回應，眼神、嘴唇透露著輕蔑。太棒了，不爽的表情最可愛了。瓦解對方的不爽是一件好玩的事。

「嗯，我想也只能這樣了，好，脫掉泳褲。」

「什麼？」

「原來你會說話，真是奇蹟中的奇蹟。我說泳褲，脫掉它。」

他露出相當驚駭的表情。打中了，扎實的一擊。還沒完呢，還會有一擊，接著一擊，再一擊。

「喔，去你媽的小鬼，你以為事情會怎麼發展？給我脫個精光。」

「呃，你可不可以……？」男孩甩動他的手指——**看那邊，看那邊**。輪到布萊斯露出不可置信的表情了：**你在說什麼？**「脫的時候不能被你看到。」

「小鬼，你該做的，就是脫掉泳褲。」

「對，對，我會，但是……」

「喔，去你媽的。」

布萊斯翻向一旁。他會讓這個柯塔小鬼付出代價的。他姓馬肯齊，過去、現在、未來都會是馬肯齊。家族在他掌握之中。

「那就下來和我一起泡吧。」

當羅伯森聽到布萊斯下令要他脫個精光時，他以為自己的心臟就要停了。將死亡毒液藏進小四角褲是簡單的花招。他將裸露的針頭插到富彈性的白色織品上——他知道使用毒液的時機來臨時，自己根本沒有時間解開塑膠容器。裸露的針頭，就在他的肌膚隔壁。他得謹慎、精準地移動。跑酷玩家或魔術師不會做出任何不謹慎、不精準的動作。

將武器拋在布萊斯的浴池地板上，並不在他的計畫之中。

他必須快又穩，安全至上。如果他猶豫、不慎、不專注，那麼嘔吐、出血、把內臟全拉到橡膠地墊上的人就會變成他自己。一次一劑，小心行事，然後再處理下一個。他將第一個死亡毒液（紅色之死）從泳褲上抽出，纏到頭髮上。要記得它的位置，將它烙印在身體記憶內。失手的代價你承受不起。藍色之死，綠色之死。

「快好了。」他說。接著是白色和黑色，埋入他的爆炸頭。「好了。」

他從來不曾覺得如此赤裸、無防備、原始。他是皮，是肉，他什麼也不是。他在泥池旁蹲下，無法碰觸那泥巴。它根本是汙染物。碰了它，他就再也無法變乾淨了。那男人慵懶地窩在裡頭，微笑著，而他根本無法看對方一眼。這已經不是汙染了，是腐敗。

「現在這樣不是好多了嗎？」布萊斯滑到羅伯森下方，衝著他微笑，噘起肥嘟嘟的嘴唇。「現在親我吧，用你親那個該死的娘炮朋友的方式。」

羅伯森湊近他。

「不，我不會照做。」

他伸手。完美的身體記憶帶領他握住紅色之死，將針刺入布萊斯左眼。

「這是拉法的份。」他對著痛苦弓背的布萊斯大吼，針在他流血的眼球上搏動著。接著他的吼叫停了，身體抽搐，散發惡臭的液態糞便浮到池子表面。第二死亡在羅伯森指間，他乾脆俐落地將它刺入布萊斯的右眼深處。

「這是卡林侯的份。」

布萊斯的雙手瘋狂、盲目地擺動著。羅伯森輕易地抓住對方的一隻手，解開髮間的下一劑死亡。血液沿著羅伯森的手腕往下流：布萊斯的表皮開始流血了。表皮、耳朵、淚溝、開闔的嘴角。血流下他顫抖的臉頰，滴到起伏不定的泥濘表面上。他的腸子和膀胱仍不斷將內容物排入池中。

第三劑死亡，靈魂之死，刺入他的左眼球，就在第一劑死亡的隔壁。

「這是南后跑酷玩家的份。」羅伯森開始歇斯底里地吼叫。

一個微弱的嗓音發出長而尖細的哀慟嚎啕。要不是針將布萊斯的眼球固定在原位，它們應該會上翻露出眼白。

「這是熊的份。」羅伯森咆哮，淚水使他半盲，他必須繃緊全身的肌肉才能維持修養。他將第四劑死亡刺入對方身體深處：自我之死。

他的雙手不再伸向羅伯森了，它們發抖，哀求著。布萊斯的喉嚨抽搐著，鮮血淋漓的嘴唇嘔出一大團帶血的嘔吐物，它滾下他黏膩的胸口。泥巴浴池化為惡臭沼澤，裡頭裝滿屎尿、血液、嘔吐穢物、液化的器官。羅伯森穩健的手指從爆炸頭中拉出最後一劑死亡，將這黑針拿到布萊斯盲目的眼前。

「這是我的份。」

他將針深深插入布萊斯的左眼。不知怎麼地，一個微弱的嗓音穿過幻覺地獄、疼痛、感官失能，從某處鑽了出來。

「去你。柯塔。炸彈。城市。連結。我的心臟。炸彈！」

羅伯森定格在原地。浴池門甩開了，羅伯森轉身看到胡珊．艾爾．伊布拉什衝了過來，手舉雙刀，於是急忙退開，接著一個近似哨音的呼嘯聲傳來，某物裹住胡珊的喉嚨，天然岩塊甩了過來，砸碎他的頭，彷彿砸芒果那樣。

一個馬肯齊氦氣的刃衛衝進房間，拿刀刺穿胡珊的身體，從脊椎刺入肺部，不過對方臨時拼湊出的流星錘其實已經搞定了一切。

「你還好嗎？」葡萄牙文。**華格納說，你不孤單**。

「這裡被裝了炸彈。」羅伯森低聲說。他沒力氣了。

布萊斯．馬肯齊微笑著，滑入骯髒汙水中，滑入他的死亡。

刃衛伸出一隻手。這裡有炸彈，炸彈，所有人都得出去，她卻向他伸手？

「炸彈和布萊斯的心臟連結在一起！如果他死了……」

刃衛把羅伯森從地上拉起來。泥巴吞沒布萊斯．馬肯齊的臉，灌入他張開的口中。

「喔，那些炸彈啊。」她有小聖者的口音。現在從外頭傳入羅伯森耳中的，是戰場上的人聲、叫聲、噪音嗎？「我們幾個月前就發現，並拆除了。」羅伯森蹣跚地跨出一步。刃衛脫下外套，讓羅伯森的手滑入袖子裡。他現在開始發抖了，大幅度的顫抖在他全身上下肆虐。「來吧，柯塔。」刃衛說。她協助他穿上泳褲，讓他雙手環住她的脖子，接著一跛一跛地走向門口。

「柯塔。」羅伯森低聲說。世界看起來又巨大又渺小，感覺離他很近，又彷彿無限遙遠。他止不住發抖。「柯塔。」他開始崩潰抽泣，停不下來。怒火已經耗盡了，灰燼也變得冰冷、無生氣。

「帶你去喝杯好喝的熱茶吧。」刃衛說。

「西班牙豆漿。」哭泣的羅伯森叫嚷著，「我要喝西班牙豆漿！」

華格納．柯塔從來不曾把查巴林放在心上。他們是第五元素，剝奪者與回收者，清潔者與除骨者，砍下肉，提取脂肪。生命、記憶都被縮減成化學元素。

這是所有人的末路：化為表格上的碳、氧、氮數字；殘存的痕跡。死者的碳會變成生者的3D列印機內的原料。

他的生命也會這樣終結。化為一個固定量，一個配額，轉變為某人的宴會禮服、某人的推拉玩具、某人殺戮用的刀子。

查巴林很謹慎，查巴林一絲不苟。公寓內並沒有殘留任何血液，半個皮膚細胞都不剩。完全沒有發生過謀殺案的痕跡。謀殺、綁架案。血液、謀殺犯、刀子的氣味肯定滲入牆面、地板了，華格納想像那氣味。查巴林真了不起：這公寓只有柑橘的氣味，還有隨時都揮之不去的月塵的帶電氣味攙雜其中。

這公寓。

他們的公寓。

查巴林把所有家具都清空了，只留下建築本身，這讓他很開心。

海德在門邊發現了她，就在這。華格納站在那位置，回想她的手指，它們如此靈巧，能從彎曲的木頭和繃緊的鐵絲上召喚出世界上最美妙的音樂。它們試圖堵住可怕的傷口，顫抖，漸漸失去力氣，指節、手掌到手腕都染上紅色。

他不能想太久，不能想得太深入。

沒人該以那麼淒慘的狀態死去，不管他做了什麼壞事。

布萊斯的刃衛也好，傭兵也罷，他希望那個對安妮麗絲行凶的人會在神之若望復甦後，嘗到幾分類似的痛苦。

華格納得離開這棟公寓了。他的注意力落到架子上的一張紙條。它不可能逃得過查巴林的回收程序，唯一的可能性是它不歸他們管。那是一張紙條，對摺了四次。

對不起，華格納。我永遠不會獲得原諒。我背叛了你，背叛了羅伯森。如果不這麼做，他們會傷害我的家人。

家人擺第一，家族永遠是最重要的。

背叛的訊息是手寫的，昂貴紙張上的古體字。

音符般的文字，出自她的手筆。

華格納將紙條揉成一團，原本想將它丟到公寓的另一頭，好對查巴林的完美工程表示輕蔑。不過就算她做出這些背叛的行徑，也不代表她活該倒在地上，被陌生人發現死狀。

布萊斯．馬肯齊死了，羅伯森安全了。現在他可以關上身後的公寓門，搭彈運回到家人身邊，回到家人所在的城市了。

23

她在墜落的過程中看到頭髮，看到馬肯齊的綠眼睛，看到雀斑。看到羅伯森。露娜尖叫嘻笑，而他接住了她，緊緊擁入懷中，她都感覺得到他的心跳、呼吸及身體的顫抖了。接著他們兩人一起發抖，又哭又笑。宴會上爆出歡呼和喝采，樂隊舉起樂器演奏響亮又歡樂的音樂。

我不是鬥士，他在搭探測車離開彈運站後說。

我是月狼，他在探測車下坡開往神之若望四號氣閥時說。

我其實不算是柯塔家的人，外氣閥的門如斷頭台落下、氣壓平衡程序開始後他說。

你是柯塔家的人，他們說，並塞一把刀到他右手，塞另一把刀到他左手。

我不是領頭的，他在內氣閥開啟時說，**我不是鐵手**。

你帶頭，鐵手說，**這是你的戰爭**。

我會罩你，聶爾森．米德羅斯在華格納耳邊低聲說，**不然你只會愚蠢地死在敵軍刀下**。

接著月狼深吸一口神之若望的惡臭與香氣，發出呼號，帶著保全衛上康達科娃大道。

神之若望解放戰進展迅速，勢如破竹。搭乘探測車的柯塔小隊攻占城市的地表氣閥，忒的傭兵搭專車抵達戰場。一艙、一艙物資在彈運的電磁之手傳遞下抵達現場，VTO日雇型鋪軌皇后再將它們交給大道上的攻擊小隊。不過戰事並未發生，神之若望自己解放了自己。盧卡斯的塵工以及臥底特工掌控了城市的空氣、電力、水力。小聖人將工作、學校、家庭抛到腦後，湧向公共列印機印出刀子和護具。神之若望復活了，馬肯齊氦氣的刃衛將刀子收回鞘內。無意義的死亡不會帶來任何利益。董事會一聽說布萊斯·馬肯齊死於柯塔之手就開溜了，中階主管遞交辭呈，離開辦公室。

康達科娃大道的兩道牆壁間擠滿保全、塵工、小聖者，華格納帶領解放軍進城時，歡呼聲、口哨、喝采從高樓層以及行人穿越道上撒下，像雪花一般。每過一分鐘，音量就變大一些。當他抵達遭砸毀的馬肯齊氦氣總部大門時，全神之若望的人都跟在他身後了。他舉起一隻手，士兵止步，聲音止息。馬肯齊氦氣的霓虹招牌在垂死邊緣閃爍著，大多數燈管都被彈弓和快速列印的石弓射壞了。

兩道人影穿過破門：一個刃衛和一個男孩。女人依舊將他攬在懷中，護著他。他瘀青，染血，呈現崩潰狀態。女人對他低語，他抬起頭來，眼睛放出光彩。

華格納鬆手讓刀子落地，衝向羅伯森，將這傷痕累累的細瘦男孩一把抱起。

「喔，你沒事。」他呼吸困難，眼淚滾下臉頰，「你這孩子，你這孩子。」

神之若望回以呼喊聲。

革命真是不潔。他穿過解放行動的殘渣：水瓶，刀子，俱樂部的門框和窗框碎片，一塊塊燒結物被挖起來投擲，標語，衣物，落單的鞋子，兩具屍體。盧卡斯看了十分懊悔，他原本希望可以完全不流血地拿回城池。沒人流血，除了非流血不可的那些人之外。他仍聽得到前方人群在歌唱、吟唱。多麼醜陋的城市，神之若望。他住在這裡時從未認識到它的醜陋。征服者之眼望著征服的代價。

征服者，恭迎盧卡斯元帥。這假想令他微笑。他踢起幾顆石子到大道上，群眾的歡呼聲越來越接近，越來越響亮，波濤般起伏著。那混蛋做得很好，不能讓民眾太愛他。等查巴林溜出洞穴和隧道，清空殘骸，重建工作也完成後，他得把華格納·柯塔調回梅利迪安。讓他進文書部門，不要給他太繁重的工作，讓他有充分的時間跟那些狼朋友搞在一起。

至於那孩子，時機成熟時，他就擔任鐵手。

羅伯森．柯塔辦到的事，盧卡斯不確定自己辦不辦得到。

托基尼奧在盧卡斯意識邊緣待命，亮出一個標記，不過盧卡斯不需要它提醒。他知道該在哪裡，在什麼時間抬頭看。空洞的窗戶，煙燻黑的牆面，內陷的雙開門已失去動力。地月兩界最高級的音響室。他要荷西在客廳拿出吉他，以免吉他盒的形狀影響聲學效果。都沒了。他不會重建它，因為住在博物館內沒有意義。博阿維斯塔現在是他家了，他要把這個粗鄙的城市重建成它該有的樣子：堅韌、有活力、混沌、充滿節慶氣息。他還要處理神之若望的惡臭，總是得想點辦法。

丹尼．馬肯齊就是將卡林侯倒掛在這座橋上。電線穿過他的阿基里斯腱，血從喉嚨流過手臂，再從指尖滴到地面上——就在這裡。據說他像惡魔般奮戰，殺了二十個馬肯齊刃衛，然後才被丹尼打倒，割開他的喉嚨，傷口見骨。盧卡斯卻也出力將這個丹尼．馬肯齊安置到哈德利去，這點艾莉西亞也指出來了。

舊月球已死，他第一次在該死的地球與金融家、政府代表、軍方顧問開會時，它就已經死了。新月球尚未誕生，它的曲調還未被譜完。

鄧肯．馬肯齊和布萊斯．馬肯齊死了。丹尼．馬肯齊具備羅伯特．馬肯齊老派冒險精神的衝勁，而低調幹練的女人們將打造一個新的馬肯齊金屬。沃隆佐夫朝宇宙伸手。陽家受到了羞辱，不過他們已經準備與地球上的長年仇家展開總體經濟戰。熟睡已久的大學有了動靜。阿沙默家，誰知道他們有什麼計畫和盤算？柯塔家呢？氦氣時代已經結束了，柯塔氦氣不會回歸了。

事情始終與柯塔氦氣無關。

「家人擺第一，」盧卡斯說：「家族永遠是最重要的。」他的眼角瞄到一樣新玩意兒，他記憶中的神之若望並沒有那種東西。他走向舊博阿維斯塔機動車站外的遮板。這是為現主姊妹會設立的神殿。為了從布萊斯·馬肯齊手中解救路卡辛侯，她們不惜犧牲生命。不只是為了路卡辛侯，也為了柯塔家。他的家族。金三角。拉法，還有誠實、正直的卡林侯。盧卡斯沒向卡林侯坦承過，但他其實很欣賞這位弟弟。卡林侯知道什麼該做，也會去完成。心中沒有疑慮，不會有問題。正中央是他媽的肖像，探勘礦藏時期的老照片，那時盧卡斯還是一個異常安靜、眉頭深鎖的小寶寶，生活在育嬰室。

「媽。」

其中一張肖像消失了。當然了，打從他將強納森·阿猶德擠下鷹巢、坐上月之鷹大位的那一刻起，全月球都認為他是叛徒。盧卡斯蹲下，撥掉自己褲子上的灰塵，拿起他的肖像。多麼肅穆，多麼正經八百。他將它壓回牆上，直到黏著劑固著。他舉了一下帽子。

「嗯，我回來了。」他說。

兩具硬甲衣，一具藍白相間，一具粉中帶紫。兩者站在電梯平台上，牽著手。電梯緩慢地沿著無空氣的科里奧利西坑壁氣閥豎井上升。

藍色和白色是遠端大學的代表色，粉紅與紫色是路卡辛侯·柯塔在氣閥附設太空衣室裡挑的。

「你還好嗎？」露娜·柯塔發問的同時，觸覺模擬系統的絲質網絡包覆住路卡辛侯。

「好癢。」路卡辛侯說。

「只會癢個一分鐘。」露娜說。她現在是觸覺模擬系統的老手了，也是很熟悉整件硬甲衣的操作方式。一個真正的塵工。「如果你覺得怪怪的，我們可以放棄。」

「我不要放棄。」路卡辛侯說，他的臉抽搐著。蛋白質晶片在他大腦中打造新的通道時，仍會造成痙攣和抽筋。「露娜，如果我……」

「我會在你身邊。」

太空衣開始密封他的腿、屁股、軀幹時，他看起來非常緊張。接著是手腳、肩膀，頭盔闔上時，他發出了小小的喊叫。

「你還好嗎？」露娜用公頻問他。路卡辛侯右手套的拇指和食指圈成一個O，這是加壓太空衣穿著者的手勢，歷史悠久，代表一切都沒問題。不過在氣閥另一頭，在電梯平台時，他都朝露娜多跨近一步，鏗鏘，並伸出手。她握住他的裝甲手套。每件硬甲衣都一樣大，裡頭裝的身體和心靈才有尺寸的差異。

電梯攀升，兩件太空衣浮現在地表上，四周是科里奧利隕石坑壁的雜物和廢料。

「來到世界的頂端了！」露娜在電梯平台停止、鎖死後說。上頭的景象萬分驚人，目光所及之處遠超過近在咫尺的地平線，掠過一個個隕石坑、隕石坑內的隕石坑、紋溝與破損的坑壁。它們排列得像是戰士的披甲，掛在半空中的太陽使之埋沒在強烈的陰影中。再過去，在視野的邊緣，是遠端月面的群山。

「你還好嗎？」露娜問，並捏捏路卡辛侯的手。觸覺模擬系統會將它轉變成慰藉。

「我沒事。」

「我們試著走走吧。」露娜說。她帶領路卡辛侯跨出幾步，走下電梯平台，踏上隕石坑。坑頂是一個波浪狀的高地，左右兩側都有點弧度，但小到幾乎無法察覺。通訊天線占據更高處的山頭，東坑壁的陰影橫亙隕石坑內的平原。露娜向他指出赤道一、車站、從科里奧利的大學校園與轄區往下駛的纜車，散發出魔法盒的光芒。路卡辛侯像被下咒似的，看得出神了。露娜再度捏捏他的手。

「看上面。」

「上面？」

「看上面。」

她看到他的頭盔後仰了。長長的沉默，後面接著更長的、驚豔的嘆息。

「什麼也沒有，只有星星！」

從羅茲德斯文斯基到薛丁格隕石坑，從東方海到史密斯海，曼德爾施塔姆的生物實驗室和穆斯科文的天線陣列——整個遠端月面都陷入騷動中。那是無聲、悠然、熟慮型的騷動，不過艾芮兒在大學的廳堂裡待得夠久了，察覺得到會議電話次數增加、資深學者和教職人員忙亂地進出車站、勇士學者被召回又被派出去。足以毀滅世界的政治衝擊打中近端月面，整個月球都像聖殿之鐘一般響個沒完。這次的震盪比馬肯齊繼位者之戰還要大。

她喜歡那個詞，她也許會請碧賈浮傳給智海的歷史學院。

維迪亞．拉歐，碧賈浮宣告。

「靠。」

行星狀態觀測最好待在自己的床上做。艾芮兒轉身鑽出被窩，叫來衣物。

維迪亞．拉歐已經等十分鐘了，碧賈浮在艾芮兒著裝時宣布。

「先化妝。」艾芮兒說。

等她穿好衣服、化好妝時，她已經知道是什麼衝擊月世界了。

「這孩子真是太、太聰明了。」她調整帽子時低語。

「你的三皇預測到這個了嗎?」艾芮兒昂首闊步進客廳時問。

「我已經沒有三皇的連線權限了。」維迪亞．拉歐說:「月球政治進入了重大階段。」

「大多數人只會視為一次健全的管理權轉移。」

「月之鷹是獨立、公正的角色,不介入企業政治。」

「強納森．阿猶德就非常熱心地在干涉企業政治,他可是和馬肯齊家的人訂了婚約啊,我的老天。」

「提出暗示、洩漏情報、刺殺敵手又拿下他的企業總部,這三件事是不一樣的。」

「蛇海土地授權的『風聲走漏』正是柯塔與馬肯齊開戰的導火線。」艾芮兒說。

「他也建議柯塔和馬肯齊聯姻,終結流血衝突。」

「而且很清楚這種事永遠不可能成真,很清楚這安排的反作用力會引發戰爭。你的看法是?」

「開始了。我看到的那些畫面,那些未來揭開序幕了,堆滿骷髏的城市。布萊斯．馬肯齊之死是開頭,接著月球受託管理機構癱瘓盧卡斯的政治力,他們已經命令他否決沃隆佐夫家的月港提案了。他會站到地球人那邊,對抗龍。他會批准月球交易所提案,也會在地球人打算**合理化市場**時批准大屠殺。」

「維迪亞。你每次闖進我的人生時,我都會問:你為什麼會在這裡?」

「我要妳阻止他,因為妳是唯一一個辦得到的人。他必須從鷹巢退位,但又不能真的那麼做,因為地球人會掌權。他需要一個可以信任的繼位者,艾芮兒。」

「離開,」艾芮兒下令,「滾。」她的用字遣詞突然變得激烈,使維迪亞．拉歐大受震撼。沒看過我這樣,對吧?從沒想過我會展露出沉著、算計、公事公辦之外的模樣吧。但這一面在我體內,一直都在,深埋多年,像地層那樣。它們彎曲,壓力不斷累積,在地表處裂開了。瑪莉娜看過我這一面,亞別

娜也看過。現在你看到了。「我聽夠你的屁話了，夠了。我的家人不是給你玩扮家家酒的娃娃。滾！」

老天，她真想喝杯馬丁尼，宇宙中最好、最純粹、最超凡的事物。牆縫般的窄窗外，纜車沿著纜索上下移動。嘉年華會般的照明，歡宴生活。她應該要向維迪亞．拉歐道歉。她會的，但不是現在。讓他再痛苦一會兒，誰叫他要裝聖人。他說得對，艾芮兒始終知道最終戰爭將會是盧卡斯和她之間的事。兄與妹，人形殘骸形成的礁岩，毀了他們的是家族。

「萊姆氣泡酒。」她命令碧賈浮。「裝在馬丁尼酒杯裡。」拿在手中的感覺很棒，觸感也很棒，很好。清晰與精確在此。她很久以前就知道自己該做什麼了，如今她想到了做法。她往外看，遠眺科里奧利隕石坑，啜飲馬丁尼酒杯中的飲料，種種想法飄向她。

荒唐至極，但現在只有荒唐的招數有效了。

「碧賈浮，幫我找達柯塔．凱爾．馬肯齊。」

不過心跳一拍的時間，勇士學者就出現在艾芮兒的鏡片上了。

「要我幫什麼？」

艾芮兒微笑。

「提出決鬥。」

空調產生微妙的變化，一扇門開啟了。

「露娜？」

「姑姑。」

「進來吧，小天使。」

「我聽到妳在大叫。」

「妳剛剛在偷看嗎？」

她停頓了一下，小聲地說：對。

「妳去哪裡都鑽隧道嗎？」

「對。」

露娜站到她身旁，艾芮兒伸手撥這女孩的頭髮。

「我還以為路卡辛侯安全之後，妳就要把這妝洗掉呢。」

「他還不安全。」

艾芮兒輕笑。

「說得對。不過他會沒事的，就快了。」

女孩撥開布幔般層疊的飾帶，牽著勇士學者走入嘉年華會之中。十幾個音響系統播出的音樂襲向他們：車站廣場的老派森巴樂對抗著一街橋的放克樂；虛張聲勢的重低音與東二街的無恥浩斯樂夾著大道對峙；新熱帶主義者在第一服務十字路口的講道壇上大肆播放號角音效，旁邊則有大批手球狂熱者一邊吹口哨一邊推著馬車經過，以里約放克轟炸眾人。鼓聲，鼓聲，鼓聲，到處都是鼓聲。女孩和勇士學者手牽手，輕盈地掠過這些節奏與節拍。她們鑽進一整群行進鼓手之間，緊貼著彼此，有如鼓棒與鼓皮，外人完全看不到她們的蹤影。有音樂的地方，就有人跳舞。神之若望是工人之城，不是跳舞之城——這反而更適合派對。城市的律動充滿欣喜，不受抑制。各種音樂，都有人隨之舞動。播放里約放克的音響旁有套著熱褲、鑲著亮片的肉體撞擊、擠壓彼此；老派森巴掛有身體彩繪、羽毛，遊行舞者抖動著臀部；情侶隨著巴莎諾瓦與巴西爵士甜蜜搖擺。鼓隊樂手的跺步與滑步。汗水與香水。

髮絲飛揚，腿張開，扎馬步。搖啊，晃啊。眼睛瞪大，瞳孔擴張，舌頭伸出；身體湊近彼此，配合彼此的節奏，前後搖擺。幾乎觸碰到，但永遠不會真的交會。女孩和勇士學者飄過這一切，鬼魂般。大道上的紙帶、攤販小吃的食物包裝紙、丟棄的雞尾酒杯淹過腳踝。女孩踢開它們，踢出一條路。

還有聲音，聲音，聲音。壓過節拍的吼叫，面對面的吼叫、笑聲、歡呼。女孩再怎麼大聲說話，勇士學者都聽不到——她們只能靠副靈往來訊息，靠表情、觸碰、念頭來溝通。

神之若望的充氣英雄在狂歡者的頭上擺動：手球明星，音樂家，肥皂劇演員，沙地摩托車手，谷夏頻道上的網紅，舊地球的傳奇人物，例如賽車手艾爾頓·冼拿、雙手握拳放在屁股上的巴西隊長、球王比利、瑪莉亞·放克·藤原、只有一條腿的薩西·佩雷雷和他的帽子與菸斗。奧里莎：凶狠的贊果、優雅的葉瑪亞。不僅如此，空中還有一個披著鐵甲的拳頭，握得緊緊的。是鐵手。其中一個巴西隊長脫隊了，某個小孩為他解開了錨。它緩緩朝太陽線升起，和雲集的逃脫氣球會合。四樓行人穿越道上，有孩子拿彈弓朝它射擊。

女孩停下腳步，看一顆龍氣球盤繞過三街橋，俯衝，在她面前懸浮了一會兒，眼睛發光，嚇阻她前進，接著它往上升，飛走了，一百公尺長的身體從她面前掃過。它從城市頂端怒視她，接著搖搖擺擺地飛向下方大道。

還有食物！喔，食物。全城的熱食店把他們的桌椅都收起來了（這可是嘉年華！），砰砰砰地在櫃台上排出二十道料理。這裡有塔可餅，那裡有盒裝麵；水餃和沙拉，當然還要有搭配的湯品；甜點和果仁蜜餅，大餅和咖哩豆腐。巴西風味炭烤店聚集最多人，電烤網飄出的煙霧使空氣中充滿危險的非法香氣與肉味。這裡有肉，真肉！

女孩的腳步蹣跚——她上一餐是在半個月球遠的地方吃的，而且她很愛甜點。勇士學者捏捏她的手，她想起來了：她有任務要辦。她們繼續往前推進，朝糾結的人體以及嘉年華會中心的照明移動。沒有飲料，食物還算什麼食物？神之若望以千家塵工酒吧為傲，他們紛紛湧到街上開起陽春的小分店：一張摺疊桌，在兩個支架上擺一塊門板，放一輛格格不入的探測車，利用車後方調酒。酒吧人員萬分集中精神地混、攙、泡，從高處倒飲料，注入涓流到冰塊上，加水果和裝飾。不過他們也是這嘉年華會的一分子，當他們攪拌、搖杯子、送飲料時，頭還是會跟著節拍一點一點，身體擺動，默念歌詞。

女孩和酒吧保持好一段距離，帶著勇士學者繞了一大段路，多上一樓，沿著高處的街道移動。她見識過酒精的威力，看過它使人變成非人。女孩熟悉這座城市，但走在高處街道也是不太自在的事情。這裡的人塗著身體彩繪、戴面具，盯著快步走過的她和勇士學者看。面罩後方的眼睛充滿渴求。上層的人都有追求的事物：藥物ＤＪ的新貨、伴侶、一夜情；每個人都在估量、盤算。一張狼臉出現在她眼前，她小小驚呼一聲，停下腳步。

「妳的臉。」狼面具湊近，打量她。那是一個男人的嗓音，他身上除了一條丁字褲外一絲不掛，皮膚塗成狼灰色。他蹲下來面對女孩，肌肉的輪廓線迎著光，變得顯著。「妳扮什麼？」

勇士學者往前一步。

「死亡。」她說。狼跳了回去，舉起雙手哀求。

「抱歉，抱歉……我不是故意的……靠，那不是扮裝。」

「不是。」勇士學者說。

「我們盡快回樓下吧。」女孩宣告。走下樓層梯，目的地就在不到一百公尺外，不過這裡是舊馬肯齊氮氣辦公室附近，人潮最洶湧。女孩發出小小的惱怒吼叫。

「我們永遠過不去的。」她說。

「可以的。」勇士學者說，並往前走了一步。

女孩帶了行囊來參加這場嘉年華會：一個長而扁平的盒子，以背帶背在身後。勇士學者回頭幫忙，女孩也接受了。樂聲響亮，鼎沸人聲使人恍惚，擁擠程度驚悚，不過人群還是會讓路給勇士學者。女孩緊跟在後，聞到汗、伏特加、廉價香水的味道，接著她進入大廳了。她從沒見過這地方變成馬肯齊氦氣時的模樣，因此她不知道霓虹燈上的字母最近才替換，門、牆壁、玻璃上的商標和牌子才剛匆忙撤掉。她抬頭看著一閃一閃的霓虹燈：C、H、C、H。黃、綠、黃、綠。

西裝剪裁銳利的保全走了過來，擋住入口。

「這場地有著裝主題，」其中一個人對勇士學者說：「而且有年齡限制。」

「你知道你在跟誰說話嗎？」勇士學者說。

「他們現在知道了。」她的副靈向保全亮出她的身分。

「萬分抱歉，柯塔小姐，我們歡迎妳入內。」

「達柯塔是我的私人保鑣。」露娜說。

「我不是妳的保鑣。」達柯塔．凱爾．馬肯齊在她們穿過去企業化大廳、走向氣派的樓梯時說。穿過幾扇門後，嘉年華會的歡聲雷動被溫和的說話聲、玻璃杯相扣的聲音、巴莎諾瓦取代。著衣主題是一九四〇年代電影明星貴氣。男人打白色領帶、穿白色燕尾服，鞋罩和高禮帽，枴杖和手套。亮白的牙齒，彷彿鉛筆畫出來的小鬍子。女人穿著晚宴、雞尾酒會禮服優雅飄移，橫掃會場，雍容華貴，布料緊密地愛撫她們，綻出打褶和荷葉邊。一大群發光的副靈在她的視野內翻騰。露娜．柯塔定格在原地，灰色洋裝和主打實用性的靴子使她看起來像個遠端月面的鄉巴佬。達柯塔．馬肯齊也突然止步，她穿著方便活動的馬褲、靴子、格紋上衣。一名年輕女子彎下腰，對露娜的臉露出讚嘆的表情，微笑，她黝黑的皮膚在象牙色禮服的襯托下泛著光。

「這臉部彩繪太厲害了。」她低聲說，接著看出彩繪下方的那張臉，驚訝地往後彈。她的震驚像漣漪一樣往外傳，玻璃杯在唇邊停頓，對話蒸發為簡短的流言蜚語。樂團放下樂器，停止演奏。

「我想妳的花招成功了，小騙子。」達柯塔說。

接著某人從愣在原地的一大票社會名流中衝了出來，猛力將她抱起，拋向空中。她在墜落的過程中看到頭髮，看到馬肯齊的綠眼睛，看到雀斑。看到羅伯森。露娜尖叫嘻笑，而他接住了她，緊緊擁入懷中，她都感覺得到他的心跳、呼吸及身體的顫抖了。接著他們兩人一起發抖，又哭又笑。宴會上爆出歡呼和喝采，樂隊舉起樂器演奏響亮又歡樂的音樂。羅伯森退開了，穿著白襯衫和白色燕尾服的他既優雅又彆扭。在露娜看來，他彷彿每根骨頭都斷過，後來重排又排歪了。一個蒼白的黑髮男孩走了過來，站到他身邊。

她記憶中的臉孔紛紛鑽出人群。

她看到鐵手艾莉西亞穿著緊身長禮服，戴歌劇手套。她看到月狼，在她生命外圍揮之不去的黑色傳奇，她從不認識的叔叔。她看到一隻浣熊，牠帶著面具似的臉從褲管完美遮蔽的腳踝間探出來。一隻鳥飛過她的頭頂——她看到她母親了，一身金衣有如太陽，精心設計的髮型有如雕塑，飛蟲蟲群在其四周形成光環。

她看到盧卡斯叔叔了。他已不是她上次在鷹巢婚禮時見到的模樣，那時他神清氣爽又沉著，還找她爸說笑。歲月壓在他身上；他的身體寬闊，肌肉發達，但它們同時成為他的重擔。他身體僵硬，彎曲，倚著枴杖，臉部皮膚鬆弛，有黑眼圈。

很抱歉打擾妳的快樂團圓，達柯塔用私頻說，**不過我們來這是為了辦事**。

「盧卡斯叔叔，」露娜宣告：「聽好了。」

「我是達柯塔．凱爾．馬肯齊，遠端大學神經科學院生物控制系的勇士學者。」達柯塔宣告，「在眾多證人面前，我受命向你提出決鬥請求。目的是決定盧卡斯．柯塔二世監護權的最終歸屬，地點在雙方都能接受的法院，採雙方皆同意的法制，艾芮兒．柯塔將在一百二十小時內與你進行決鬥審判。」

音樂突然停了，盧卡斯．柯塔微笑著。

「我接受。」盧卡斯說。

眾人倒抽一口氣，有人的玻璃杯摔碎在地。露娜取下肩上的盒子，雙手呈給盧卡斯。

「你會需要這個。」

盧卡斯收下禮物，露娜發現那比他料想的還重。

「小心點。」露娜在盧卡斯打開盒子時說。他舉起隕石鍛造的鋼刀，刀刃閃耀於鏡球與宴會照明中。這讓他喘不過氣。

「卡林侯的刀。」

「聖母奧敦拉給了我柯塔戰刀，說只有大膽、無私、不貪婪也不懦弱的柯塔家人才可以使用它，他將為了家族而戰，英勇地保衛家園。」

盧卡斯在燈光下轉動刀子，著迷於它的陰毒之美。接著他將刀放在掌心，遞還給露娜。

「我不配拿這把刀。」

露娜推開他的手。

「收下吧，你會需要的。」

24

月塵歸月塵，真空歸真空。

規矩是這樣的：地位顯赫到一定程度的九十幾歲女性，再無需表現出匆忙，也不能跑跳，頂多可以大驚小怪地加快步伐，但那就是極限了。淑女從不趕路。

陽夫人趕著路，鞋跟喀噠喀噠地敲在宮殿的彎曲迴廊上，不怎麼光彩地疾行著。她的隨從拚了命跟上，動作介於走路和跑步之間。亞曼達以加密頻道傳訊要求她立刻過去。她女兒的套房太近了，等三輪摩托顯得浪費時間，但又遠到她無法避免倉促糗態。搭轎子吧，像古代中國的老佛爺那樣。就是它了。一如沃隆佐夫過去總是靠它在聖奧爾嘉遊蕩，地球人的肌肉與年輕人的熱情是它的動力。背信忘義的沃隆佐夫家。陽夫人絕對不會忘記他們在哈德利戰役時蒙受的恥辱。在VTO的棄守下孤立無援，只得搭著加墊牢籠前往哈德利。那些姓馬肯齊的，行禮時總是帶著嘻笑。丹尼．馬肯齊咧嘴笑時露出可怕的金牙。趁你還能笑儘管笑吧，金童。權力不在你手上，等那些女人利用完你之後，就會發動董事會政變，到時候你失去的可不只是手指而已。贖金低得形同侮辱，等太陽企業和VTO打完違約官司後就能賺回來，不過這是另一個不可原諒的冒犯。該死的澳洲人。

陽夫人吩咐她那些時髦的年輕男女在亞曼達．陽的公寓外待命。知遠在，還有黨信。整個董事會都在，令人驚喜的是馬里亞諾．加百列．迪馬里亞也在。

「達瑞斯怎麼了嗎？」陽夫人立刻提問，「他碰上什麼事了？」

「達瑞斯很好。」知遠說：「馬里亞諾捎來了月之鷹相關情報。」

「陽夫人。」馬里亞諾低頭鞠躬，「董事會已到齊，現在我可以報告消息了。盧卡斯・柯塔遞交傳票給亞曼達・陽，即柯塔、陽、露娜・柯塔訴訟案中的原告，傳喚她至克拉維斯法庭參加決鬥審判。決鬥的時間地點由三方共同決定，但必須在一百二十小時內舉行。」

「決鬥？」亞曼達・陽說。

「決鬥審判。」陽夫人說。

「我知道那是什麼意思。」亞曼達・陽理智斷線。

「荒唐。」知遠說：「已經有好一陣子沒有決鬥，上次是……」

「是卡林侯・柯塔將哈德利・馬肯齊切開，傷口一路從卵蛋延伸到喉頭。」亞曼達・陽轉開電子菸，深吸一口，緩慢呼出。「柯塔家在這方面聲名遠播。」

「他知道案情不利於他。」陽夫人說。

「又或者，他需要趕快擺平這件事，」陽黨信說：「在五天內。」

「顯然，他自己也接到了挑戰書。」陽夫人說。

「這場遊戲中唯一的風險承受者是他妹。」亞曼達・陽說。

「我看不出艾芮兒・柯塔提出決鬥挑戰能有什麼法律上的益處。」知遠說。

「你沒見識到艾芮兒・柯塔在初審時是怎麼讓她姪女作證的。」陽黨信說：「她使情勢大大地有利於她。」

「帶個扈衛去吧，孩子。」陽夫人對孫女說。

「我已經找江映月了。」

「江映月，向丹尼・馬肯齊與二十個骯髒羊夫投降的江映月。」陽夫人說：「全月球最高明的劍鬥士，稱霸近端和遠端月面的高手，就坐在妳面前。和他簽約，付他五百萬比西，登記到法院列表上。盧卡斯，或者任何被他說服、代替他上陣的陰險小人都會敗在我方手上。」

馬里亞諾・加百列・迪馬里亞再度恭敬地低下頭去。

「您真是太看得起我了，陽夫人，但我無法接受你們的合約。在這起官司中，我已經是受雇之身了。」

坐在奢華軟墊上的眾人露出驚駭表情。知遠起身，黨信的副靈呼叫保全。陽夫人一動念，走廊上的隨從就進門了。但這麼做又有什麼用，只會製造出毫無意義的流血衝突。如果馬里亞諾・加百列・迪馬里亞有意犯下暴行，這房間，甚至全恆光宮內沒有人能阻止他。

「亞曼達，我來這裡是為了正式提出決鬥請求。」

「不管盧卡斯・柯塔付你多少錢，我都可以開五倍價碼。」亞曼達・陽說。

「荒唐。」陽夫人說：「他不需要妳的錢，這是私人交情問題。馬肯齊決鬥審判時，他是卡林侯的副手。他在七鐘院內指導過卡林侯・柯塔，往日忠誠難以磨滅。」陽夫人狠毒地補了一句，「不過他對他現在的學生似乎就沒那麼死忠了。」

「我會全心指導達瑞斯受訓。」馬里亞諾・加百列・迪馬里亞說：「如果他想繼續的話。」

「他不想。」陽夫人厲聲說：「而且恆光宮非常重視個人忠誠度，你已經成為我的敵人，陽家的敵人了。請離開。」

馬里亞諾・加百列・迪馬里亞向所有人鞠躬，隨即離開。

「盧卡斯・柯塔想嚇倒我們。」陽夫人說。

「我建議別接受決鬥挑戰。」知遠說。

「我同意。」亞曼達．陽說：「我們和他在法院見，我們這家人不會再跑了。」

「他會把我們剖成兩半。」陽黨信說。

「他當然會。」陽夫人說：「我們無法防禦。不過別人就算了，你們應該要知道一百二十小時在法律上是很長的一段時間。也許盧卡斯．柯塔在說謊，也許在吹牛。也許馬里亞諾．加百列．迪馬里亞的傳奇只是誇張的渲染，他實際上沒那麼厲害。也許盧卡斯．柯塔根本不會出庭。」

「什麼意思？」陽黨信說。陽知遠點點頭，他聽懂了。

「盧卡斯．柯塔在月球受託管理機構有重要的表決案要處理。」他說。

「正是。」陽夫人發現自己的手在摸找小酒壺。現在要是能啜飲一口琴酒，將會是多麼美妙、多麼歡喜、多麼鎮定又安撫人心的一件事啊。不行，這也是有規矩的。家門顯赫的老佛爺若到了九十幾歲，是不能在光天化日下飲酒的。「現在我得告退，去找三皇談談了。」

又來了，石門後方的聲音。又來了，鞋跟喀噠，枴杖喀哩，敲在平滑的石頭上。又來了，肚子、膀胱內的懸浮感，逼得艾莉西亞以手指緊壓著兩件式香奈兒洋裝的腰部，釦子扣得很緊的位置。她快吐了。

「要我宣布你到場了嗎？」

盧卡斯．柯塔搖搖頭。

「我要妳坐在高處座位，觀察整個空間，向我報告狀況。」

「報告什麼？」

「任何引起妳注意的事情。」

這天是投票日，是決定月球未來的日子。月球受託管理機構的所有成員都出席了，龍從他們所在的城市和宮殿遠道而來，穿金戴銀。套著窮酸西裝、俗氣鞋子的地球人紛紛從中階主管公寓搭車過來。他們知道月球的慣例，卻還是無法充分理解：位階越高的人住得更低，遠離輻射。對地球人來說，高度永遠與地位成正比。原告和被告都雇用了律師團和顧問。遠端大學也派人來旁觀了，儘管半個世紀來他們一直痛恨涉入月球政治。

「妳有疑慮？」盧卡斯問。

艾莉西亞露出苦惱的表情。

「丹尼．馬肯齊會出現。」

「丹尼．馬肯齊此後會出現在任何地方。」盧卡斯說：「這世界很小，往後人生妳會不斷遇到熟悉的臉孔。愛他們，恨他們，上他們，殺他們。不斷反覆。」

艾莉西亞走樓梯前往上層座位。

你聽得到嗎？她用加密頻道說。

一**清二楚**，盧卡斯回答。

真是一場大戲，艾莉西亞說。露西卡．阿沙默將她的動物護衛留在會議室外，但她和她的夥伴仍在座位上形成繽紛的奇觀。肯特袍，高級幕僚，非比尋常的髮型設計：翅膀、倒轉金字塔、辮子瀑布、盤高的辮髮。艾夫根尼．沃隆佐夫按照慣例坐在右側，而年輕的掌權者窩在高層座位區，擠成一堆，造型無懈可擊，連一個分子都沒有出錯，而且非常賞心悅目。艾夫根尼左右兩側分別坐著一個虛擬替身：生化機器人，像素肌膚拼湊出另外兩個VTO人員的身影——VTO地球的謝爾蓋．沃隆佐夫，通訊延遲為兩秒，還有VTO太空的瓦列里．沃隆佐夫。艾莉西亞從未見過謝爾蓋．沃隆佐夫，比起另外兩個元老，他較不醒目也不那麼戲劇性。他背負著重擔，受政治和重力的侵蝕。艾莉西亞在聖彼得與保羅號中心的圓筒狀森林見過瓦列里．沃隆佐夫，不過他的虛擬替身形態更加駭人。細長的四肢、脆弱單薄的脖子、虛假的寬闊胸膛使他變成一具噩夢傀儡，本尊正在衛星軌道上操控它。他的腳沒觸地，更加放大恐怖感。

馬肯齊占據會議室內的一大區，領導者不再是灰衣人鄧肯．馬肯齊了。哈德利的白衣女子將議會席次與馬肯齊金屬的未來納為己有。白衣、白襯衫的中心有顆蛋黃：丹尼．馬肯齊，穿著金褐色人造花呢布的上等西裝。艾莉西亞的注意力卡在他隔壁的女子身上，象牙色洋裝和她的黝黑皮膚形成強烈對比。是艾琳娜，聖奧爾嘉的艾琳娜．埃富．沃隆佐夫—阿沙默，她準備被許配給科米—莉．馬肯齊時，曾用演肥皂劇的誇張態度跑去找艾莉西亞泣訴。現在站在哈德利金童隔壁倒是如魚得水，當她在他耳邊低語時，他微笑，露出金牙。那是艾莉西亞熟悉到不行的微笑。

艾琳娜發現有人在看，接著發現視線從何而來了。她抬臉向艾莉西亞問候，兩人短暫相視而笑。不過艾莉西亞會收到王朝聯姻宴會的邀請嗎？她沒有把握。

低語從大門旁冒出來，隨即沿著會議室繞圈、傳開。陽家人到了。不偷雞摸狗，毫不愧疚，沒有任何一席是代理者，以龍的身分降臨。首先是一票副官和助手，男孩、女孩、第三性，美貌足以和沃隆佐夫匹敵，個人風格跟馬肯齊家有得拚，髮型：如雕像、上凝膠、精心設計、對抗引力與慣性，與阿沙默互別苗頭。接著是顧問和律師，風度翩翩，形象專業，鑽石般耀眼。最後才是恆光宮的代表團。低語變成了嘈雜，艾莉西亞打電話給盧卡斯。

盧卡斯，太陽企業像搖滾巨星那樣進場了，你的前卑鄙女王。

陽家人溢出他們被分配到的座位；太陽小隊有幾個人坐上高層，助手擠到沃隆佐夫家的傭兵旁。

亞曼達．陽坐到艾莉西亞正下方，轉身，笑得像個謀殺犯。

「鐵手，我知道妳可以跟盧卡斯說話，告訴他，他如果不撤銷決鬥挑戰，太陽企業將投廢票。」

「妳在虛張聲勢，這樣做只會將勝利拱手讓給地球人。」

「等我們收到一份太陽環合約之後，我們就勝利了，我們需要的就只是這個。至於沃隆佐夫和馬肯齊的太空夢被閹割，能怪罪到我們頭上嗎？我們不會有損失。」

艾莉西亞把這段話的大意報告給盧卡斯，兩者的副靈清楚推算出盧卡斯的選擇分別會帶來什麼後果。陽家投廢票，提案就不會通過。盧卡斯投贊成票等於跟地球人宣戰，投反對票則是與沃隆佐夫家和馬肯齊家為敵。盧卡斯若投廢票，所有人都撻伐他。

VTO簡報小組就位了，工程師和設計師聽取完指示，做好了準備。

你要怎麼做？艾莉西亞問。

回覆立刻就來了。

「盧卡斯說，法院見。」

亞曼達．陽那完美的妝容先是露出困惑的表情，接著轉為迷惘，最後是盛怒，艾莉西亞覺得賞心悅目。坐在亞曼達身旁的陽夫人轉向艾莉西亞。

「妳這骯髒的貧民窟小妓女。」她低聲說：「穿得人模人樣坐在那裡，以為自己是號人物。妳什麼也不是，不過是個荒謬的小丑，披著偷來的絲綢的賊。妳看到這房間裡的人了嗎？人人都在取笑妳，都知道妳是個笑話。鐵手。四歲小娃的吹噓之語，幼稚，空虛，跟所有姓柯塔的人一樣。你們只是一堆爛泥，我會見證你們塵歸塵的那一刻。我唯一的遺憾是，那些該死的馬肯齊竟然沒搞定他們的工作，從那個愛打扮的蠢矮子執行長到他喵喵叫的崽子都是廢物。」

「各位，」廣播系統打斷了陽夫人的毒舌，「月之鷹降臨了。」

盧卡斯穿過會議室，走到座位上，每雙眼睛都盯著他看，每個人都前傾身體，全神貫注。整個會議室氣氛緊繃，充滿電力，能量飽足，彷彿是核融合控制容器。盧卡斯等待鼎沸人聲緩和下來。他站著，一手撐著枴杖。

「各位，我重新評估了自己作為月球受託管理機構主席的立場，發現自己態度有所軟化，無法公正無私地執行職責。我們的法律系統允許歧視和偏見的存在，這狀況應當接受評估與彌補。我自願接受評量，隨後做出補償，因此我得暫時中止我身為月之鷹的功能與職責，延後本案投票表決時間。」

他轉身走出新月亭，枴杖一路敲出喀喀響。青天霹靂使眾人沉默，接著緊繃的弦斷裂了，休會的會議室內爆出吼叫以及疑惑的吶喊。各代表都站著，伸出手指表達指責，但盧卡斯．柯塔已經離開了。

來找我，盧卡斯說。

讚死了，艾莉西亞回答。

艾莉西亞撈起包包，彎腰湊向陽夫人耳邊。

「去妳的，老太婆。我們打敗過妳，接下來也會不斷、不斷、不斷打敗妳，妳會死得像是被毒打一頓的流浪狗。」

保全在大廳與艾莉西亞會合，送她前往鷹巢，盧卡斯已在辦公室內的辦公座位上等她了。桌上有兩個杯子，冷卻器裡有個小酒壺裝著他設計的琴酒。他倒酒，將酒杯推向桌子另一頭的艾莉西亞。

「我知道妳不喜歡，但妳就喝吧。」

她舉杯。

「恭喜，那是我看過最具無賴精神的舉動。」

「我只不過爭取了一些時間，沒什麼。如果我得靠無賴精神保命，那應該就得指望我妹了吧。」

「我不懂。」艾莉西亞禮貌性地啜飲了一口飲料。純琴酒，有花香又帶澀味的玩意兒。

「至於審判呢。艾芮兒提出決鬥挑戰，也知道我聘用了馬里亞諾・迪馬里亞。就算她換掉亞別娜在預審時找來的扈衛，改讓達柯塔・凱爾・馬肯齊上陣，她還是打不倒我的人馬。她還有其他招，我算不到的招數。我想不出那會是什麼。」

「只要你能將投票表決時間拖到審判之後……」

「這已經成定局了，我們四十八小時內就會上法庭。」

「天啊。」她又用了這個發語詞。「你準備好了嗎？」

「有誰能準備好嗎？莉，我不知道接下來到底會發生什麼事，這帶給我解脫。」熵式的寒意攫住艾莉西亞的脊椎。這是一個重大的覺悟，長大成人的標記：掌權者總是且戰且走。艾莉西亞伸長手拿起小酒壺，琴酒凍得剔透，洗滌人心，冰冰涼涼。她倒滿盧卡斯的酒杯。

「那我們該怎麼辦？」

「我們等待，我們聽巴莎諾瓦。」盧卡斯啜飲一口酒，飲料給舌頭的刺激令他喜悅地發出嘶聲。

「我們喝琴酒。」

艾芮兒先聞到氣味，然後才目睹到畫面：香水、汗水、灰塵、剛列印出的布料、髮膠、化妝品、刮鬍凝膠混合成的令人振奮的味道，只有群眾才會散發出的味道。搭電扶梯從梅利迪安私人機動車站上樓的途中，她的微笑綻開了，嘴角透露喜悅。城裡的人為她梳妝打扮。

當前排攝影無人機捕捉到艾芮兒那頂愛黛兒．利斯特設計款帽子的人造羽毛時，不耐的低聲交談化為一片轟鳴，與攝影無人機的嗡嗡聲唱和，接著是激動的對話，並在她走下手扶梯時轉變為狂喜。

沒有任何手球隊會受到這種規模的歡迎。車站廣場塞滿推擠、伸長脖子的人，大家都瞄一眼今年最大號的話題人物。有人呼喚艾芮兒的名字，她在電扶梯頂端止步，擺了個拍照用的姿勢。上千個鏡頭捕捉她的身影，不過心跳一拍的時間，穿查爾斯．詹姆斯套裝、菲拉格慕鞋、提古馳包包、抹帥氣口紅的艾芮兒．柯塔便登上了上百萬個新聞頻道。

「媽的閃邊去。」達柯塔．凱爾．馬肯齊用氣音說，差點在電扶梯的推送下撞上艾芮兒。

許多人呼喊她的名字，渴望她微笑，看他們一眼，甚至只是給他們一丁點注意。各種問題密集轟炸：艾芮兒噘嘴，微笑，舉起戴手套的手，甩出一根白金電子菸。眾人倒抽一口氣，接著在她吸入長長一口菸、呼出馨香煙霧時如癡如醉地喝采。艾芮兒．柯塔回來了。

「不覺得很棒嗎？」艾芮兒在煙幕後方說。

「妳的交通工具應該要到了。」達柯塔以抱怨的語氣說。

喧囂又高漲了起來：輪到露娜抵達電扶梯頂端了，大家還是用同樣帶著哀求的嗓音呼喚她的名字。有人大喊：「露娜，讓我們看看刀子。」眾人的興頭來了，紛紛跟著喊：刀子！刀子！露娜緊抓著箱子，移動到她教母旁的安全位置。

沉默突然降臨，彷彿車站廣場瞬間減壓了。

他來了。

路卡辛侯跨出電扶梯，遲疑了一下，因為圍觀者的規模震懾了他。眾人屏息。他蒼白、細瘦得像是病人，療程使他的頭髮東缺一塊、西缺一塊，不過他在黑色鬍碴上剃出了鋸齒狀的裝飾性紋樣和同心圓。他的瞳仁黝黑，顴骨簡直可以切碎夢境。他的外套翻領上還別著那個老奔月別針。他站在那裡，細看人群，彷彿舉棋不定，接著他微笑了，揮手了。人群中爆出歡呼聲。艾芮兒向他使了個眼色，要他站到自己身旁。無人機呼嘯而過，人群往前擠，保全上前保護路卡辛侯小隊。吼叫聲，陰森逼近的臉孔，推擠的肉體——問題，問題，問題。

「天啊！」艾芮兒對著這片混亂喊道：「我好想念這些！」

達柯塔穿過與大道等高的漢穎阿姆斯壯套房時一路嘟囔，對著辦公室皺眉，不屑深深凹陷的沙發與寬闊的扶手椅，朝私人浴場咆哮（它附有三溫暖和可容納五個人的漩渦按摩池），對著可在上頭行走的床鋪翻白眼。每個房間都有客製化的列印機，她看了嘟起嘴，還懷著厭惡嘲笑專屬管家，逼得他逃之夭夭。

「這帳最好不是算在大學頭上。」她對艾芮兒說。

「是我訂的。」亞別娜．曼努．阿沙默說，她深陷在大如探測車的扶手椅當中。

「階級以階級行為體現。」艾芮兒說：「大眾觀感是我們的半個戰場。」她用電子菸尖端輕點達柯塔的手肘。「還有，別擔心你們的學術預算，谷夏頻道會出全額，我們會給他們獨家新聞作為回報。」

兩道煙霧從艾芮兒鼻孔中飄出。

「我要把那玩意兒塞到妳的屁眼裡。」達柯塔含糊地說：「別在這裡抽菸，那是反社會行為。」她站到艾芮兒和陽台之間，「也別跑到外面去，外頭可能有十幾部無人機等著。」她對亞別娜說：「還有，在妳們為了公關花招興高采烈之前，有沒有找過人來徹底做過安檢？」她用拇指比了蘿莎莉歐．迪．齊奧爾科夫斯基一下，此人正朝廚房移動，準備找吃的。「這是妳們雇的人嗎？」

「嘿！」蘿莎莉歐．迪．齊奧爾科夫斯基對達柯塔出聲抗議，「我是簽約扈衛。」

「妳是勇士學者學院中輟生。」達柯塔說：「大學不會招攬妳。」

「別用博士學位壓我。」蘿莎莉歐輕蔑地說：「我可以撂倒妳。」

「妳？」

「速度和技巧永遠可以戰勝體型和自大。」蘿莎莉歐大搖大擺走出烹飪空間，兩名女子大眼瞪小眼。扈衛比勇士學者矮了一個頭，不過她散發出龐克的凶殘氣息。

「兩位。」艾芮兒說：「蘿莎莉歐會繼續擔任柯塔小隊的扈衛。」

「妳很清楚，馬里亞諾．加百列．迪馬里亞在決鬥場上會切碎她。」達柯塔．凱爾．馬肯齊說。

「如果妳們不用腦應戰的話，馬里亞諾．加百列．迪馬里亞會切碎妳們當中的任何一個。」艾芮兒說：「現在請妳們去別的地方喝個茶吧，我五分鐘內就要接受第一個訪問了，室內擺設不能有罌粟的味道，我得把它清掉。所有人都得出去，除了路卡辛侯和亞別娜。露娜，妳也不例外。」女孩露出不爽的表情。「愛麗絲，帶露娜走。」

愛麗絲教母牽起露娜的手，哄她往門邊走。

「嘿。」走廊上的蘿莎莉歐蹲下來，讓自己與露娜等高，「那是裝刀的盒子嗎？我可以看看刀子嗎？我是說，可以拿拿它之類的嗎？」

艾芮兒聽到露娜說：「不行。」勇士學者與扈衛的拌嘴開始朝大廳移動了。

達柯塔聽說過這種奇妙的生物，但在這之前從未見過他們。月狼和他的兒子在旅館大廳就像是兩潭黑水，賓客與工作人員之類的人都閃避著他們，彷彿他們身上有輻射。

華格納．柯塔當然不是狼，是神經系統處於特定狀態、生活在特殊社會結構中的人。羅伯森．柯塔也不是他的兒子，不過達柯塔聽說華格納比拉法．柯塔和瑞秋．馬肯齊更像他的家長。然而他們在別人眼中就只能是狼與其子。

受到嚴格限制的強烈能量在狼體內熊熊燃燒著：達柯塔那受過訓練的知覺觀察到銳利的洞察力和磨練過的身體能力，連她都沒得比。那麼，他就是處在光明期了。至於那男孩，她從沒見過那麼傷痕累累的孩子。被撕成兩半，再用包縫法縫起來，縫合處幾乎就要散開了。她深深地同情他們，狼與其子。

「我是達柯塔．凱爾．馬肯齊，艾芮兒很高興你們來了，請跟我走。」

其他賓客只會迅速瞥他們一眼，低聲交談，不過聲音並沒有小到令達柯塔聽不見的程度。**是他……那個男孩殺了布萊斯．馬肯齊。針插在他的眼睛。他的眼睛……**

他們的動作很靈巧，狼與其子。靈巧得像刺客。

接二連三的問候使華格納大感驚訝。達柯塔看得出來，他並沒有預期到大家都會到場。露娜，路卡辛侯，他姊。

「弟。」

「姊。」

達柯塔察知他們的猶豫、畏縮、短暫的不自在與不熟稔，藉此填補了柯塔家族史的漏洞。華格納被迫成為局外人，艾芮兒使自己成為局外人。

「上次見面時，妳還躺在神之若望醫療中心的病床上。」華格納對艾芮兒說。

達柯塔抬起一邊眉毛。這家人真怪。馬肯齊家直來直往，會在家人面前說出真心話。柯塔一族跟他人的關係總是難以捉摸。上一刻他們愛你，下一秒又變成具輻射性的冰塊。憎恨在他們心中會醞釀多年，代代相傳。她看著羅伯森擁抱路卡辛侯——這兩個男孩子都很俊美，內心受創，跟彼此不太熟。

達柯塔溜到蘿莎莉歐旁邊講悄悄話。

「借一步說話，到陽台去。」

達柯塔關上窗，吸入梅利迪安獨有的香氣。大道上的嘈雜翻過灌木叢形成的障壁，聽起來溫暖又帶有人性。

「盯著狼和那個男孩。」

「那不是我的工作。」蘿莎莉歐開口。

「如果你的雇主遭到暗殺，妳就沒工作了。」

「華格納和羅伯森？」

「那孩子殺了布萊斯·馬肯齊。他脫到光屁股還把心式的五死毒液偷偷帶進布萊斯的私人黏液池。當他被人發現時，他體內已經沒剩任何骨頭或內臟了。只剩一張裝滿液化脂肪的皮。」

「他們是家人……」

「家人就是最可能宰了你的人。睜大眼睛，手別從刀鞘移開。」

什麼是藍月？艾莉西亞問，酒保就調了一杯給她。圓錐狀的冰涼杯子，自家琴酒（十五種植物調製），藍色的古拉索酒緩慢滴到湯匙背面，呈鬚狀的液體緩慢、妖異地注入烈酒中，纏繞、分解成天空藍，太陽線的藍，然後加上一球橘皮。

她啜飲一口，不喜歡。

「我不懂。」

「柯塔家回來了。」酒保說。

艾莉西亞還是不懂，不過他遲到了，所以她終究喝完了。喝完之後他一樣還沒到，因此她又點了一杯，依舊不懂好在哪裡。她打算等到這杯見底，如果他仍然沒出現，她就要收起衝過來找他喝一杯的勇氣，轉頭就走。

聶爾森．米德羅斯推薦她來這家酒吧，他的品味很可靠：對愛出鋒頭的人而言位置夠下層，對上城區原生居民來說位置夠高。樂聲傳來，使她微笑：拍子，她可隨之舞動的節奏。腳踏地，搖頭晃腦。她坐到吧台位置，點他們的招牌雞尾酒。

藍月剩下半公分時，他到了。其他客人交頭接耳：**那是他，那她是誰？**

他滑上她隔壁的位置。他不一樣了，變了。她無法指出具體細節，只感覺得到大概。印象。更沉了，而不是更豐富。緩慢，但深奧。停在當下，而非焦躁不安。

音樂令他皺起眉頭。

「如果你不喜歡音樂，我們可以去其他地方。」

「我現在不喜歡任何音樂。」他用拇指比了一下屋頂。滿盈後過五天的地球高掛在中央灣上空，這是狼與黑暗人格的臨界點。「時期過了。」

華格納．柯塔在那天就死了，他曾在博阿維斯塔那個布滿塵埃的觀測室內說。**我不是一個人，我是兩個人**。

「抱歉。」他說，起身，後退，「我們走正規方式吧。」他親吻艾莉西亞兩邊臉頰，拘謹正式。他指了一下椅子。

「請。」艾莉西亞說，而他再次入座。

「很抱歉，我遲到了。羅伯森陪露娜久一點。」

「他……」

「回旅館了。」

「你沒跟……」

「跟狼幫在一起？不，他不能接受。」

「我是要說盧卡斯。」

「盧卡斯不能接受。」

他的微笑變了，帶著防衛，壓抑感情。

「羅伯森想跟他玩跑酷的老朋友碰碰面，他住上城區時就認識他們了。我叫保全別讓他出門。」

「你有保全？」

「暫時擺在那裡。我想喝個一杯，艾莉西亞・柯塔。」那突兀中藏著迅速、歡快的月狼的餘音。

「我喝了幾杯藍月。」艾莉西亞說。

「我老是喝不慣。」華格納說，然後點了卡比羅斯卡調酒。艾莉西亞也跟進，玻璃杯叩出清脆的「叮」一聲，音樂在她肚子裡縮成一團脈動著，帶給她近似懷孕的舒適感覺。伏特加潤滑了他們的對話，不過他們還是不時會中斷交談，在華格納思考問題、岔開話題、雞同鴨講、針對她普通的想法拚命挑毛病之時。在這些空檔，艾莉西亞會納悶：同時愛黑暗人格和狼是可能的嗎？如果她只能選一個，她要選哪一個華格納・柯塔？非月狼愛得了月狼嗎？接著她想到有個女人問了同樣的問題，而且找到了解答。那女人是他過去深愛的對象，她背叛了他，付出可怕的代價。如今，艾莉西亞・柯塔在心中把弄著妥協與調節。

他看著她，眼睛瞪大，很不自在。

「抱歉，我的思緒飄走了。」他不肯罷休。「我只是在想明天的事。」讓他多說點話。「你也想過，對吧？」

「布萊斯向盧卡斯提出決鬥挑戰時，我人就在克拉維斯法庭。」

「可以談談嗎？介意嗎？當時狀況如何？」

華格納深入記憶，挖出那些黑暗時刻。

「很快。」他說：「比妳料想的還要快。當我是另一個我時，我很快，但我還是沒刀子快。刀子比意識流動的速度快。一失誤，專注力一鬆懈，你就死了。完全沒有高潔、榮耀可言。」

「你有沒有看到……結果？」

「他死的場面？死就是結果，每次決鬥審判都會有結果。刀出鞘，有人會死。我看到卡林侯將刀插入哈德利．馬肯齊的喉嚨中，他還朝哈德利母親的臉踢了一大片血。我看到他握住刀，變成一個我不認識的人。」

「你們的法律怎麼會容許這種事情發生？」

「我常常想這件事。我不是律師，不過我們的法律不禁止任何事情，什麼都允許，只要雙方達成協議。如果律師說你們不能打到見血，藉此判定何方勝訴，那麼法律上就出現了無法協議的例外，那麼法律就失去重要性了。不過我認為這裡有更深一層的教訓：允許以暴力解決爭端的法律，顯示了暴力永遠無法解決任何事情。暴力會一再、一再重演，接下來的幾年、幾十年、幾世紀都會重演，奪走許多性命。」

喝完四杯卡比羅斯卡調酒後，艾莉西亞沒胃口喝第五杯了。酒吧內擠滿陰影。

「明天就有個暴力重演之日。」艾莉西亞說。華格納察覺了她真正想說的話。

「確實。」

「我有個問題：你會坐在哪一頭？」

「羅伯森會跟海德坐在一起。我會跟妳還有盧卡斯坐在一起。」

「盧卡斯要我當副手，我不知道那是什麼意思。」

「拿刀，確保扈衛遵從法官判決。必要時，安排查巴林來帶走屍體。」

「靠。」

「法官會引導妳。」

艾莉西亞猶豫著。

「華格納，等這件事結束後——不管結局如何，我們可不可以……你懂我意思。」

「可不可以再見面？」

「對。」

「我想。」

「我也想。」

艾芮兒在酒吧攔截到亞別娜，用兩根手指輕觸她手腕背面。「在妳去找路卡辛侯之前，我得跟妳談一下。」進入套房會被夾在柯塔小隊和勇士學者之間，沒什麼隱私可言，不過艾芮兒帶亞別娜到浴池去。她們坐在池邊。藍光，旋繞的陰影，還有臭氧的刺激。

「這溼度會毀掉我的髮型。」亞別娜開口，接著看到她從未看過的艾芮兒的表情。淘氣的聰慧感、神氣活現、古靈精怪、裝出來的憤世嫉俗都不見了。亞別娜看到的是警戒，甚至是恐懼。

「明天在法庭上不管發生什麼事，都不要阻止我。」

「妳打算做什麼？」現在輪到亞別娜警戒起來了。這不是艾芮兒的嗓音，不是她的用字遣詞。

「最了不起的無賴精神，是對自己耍無賴。」艾芮兒說：「妳在科里奧利問過我一次，說我把路卡辛侯和露娜藏到自己的羽翼下，是否有為人母的感覺。我想妳問錯人了。

「妳也知道，亞別娜．曼努．阿沙默，我這輩子一直是個自我中心又傲慢的怪物。我自己知道，一直都知道。我假裝自己愛這怪物，也讓許多人深信我真的愛。但為了說服我自己，我付出了代價——逼走在我們最困頓時待在我身旁、支持我、愛我的人。」

「瑪莉娜。」亞別娜說：「妳試圖阻止她回地球時我在場。」

「她去地球是因為我逼走了她。如果一切重來，我願意做任何事挽回她，因為沒有人從地球回來過。」

「盧卡斯就回來了。」

艾芮兒微笑。

「他回來了。再提醒妳一次，明天不管發生什麼事……」

「我都不要試圖阻止妳。」

「如果妳試圖阻止我，說什麼拯救之類的屁話，我就會叫達柯塔砍死妳。姓柯塔的不管救贖。」

「我以為柯塔家的人不插手政治。」

「我想，歷史會顯示我們手不乾淨。現在去找那帥氣男孩，吻遍他全身，說妳愛他吧。」

艾芮兒打開浴池的門。

「對了，妳的頭髮看起來真的很像列車殘骸。」

他嘗起來不一樣了。

路卡辛侯以前總是有一股甜味。當亞別娜舔掉他二頭肌、後腰上的汗水時，口中會有蜂蜜的味道。他的皮膚柔軟，有香草和糖的香味。

他嘗起來不一樣，聞起來不一樣，感覺起來也不一樣了。亞別娜緊緊擁抱他，感覺到他的僵硬，時而拉近時而抽離，彷彿這是他們第一次擁抱，彷彿他從來不曾跟人擁抱。亞別娜知道大學如何重建他的人格：她是快照、網路留言、分享文章與貼文構築成的亞別娜．阿沙默。他還記得自己在忑的迷惘歲月，記得自己在阿沙默一族的庇護下過著無聊又沮喪的生活嗎？他還記得自己劈腿阿德拉加．奧拉得萊，事後用蛋糕和性愛向她謝罪嗎？他還記得自己在她的脈輪上抹了奶油，並依序舔掉它們嗎？心輪，一路到海底輪，過程中他們笑個不停。他還記得他們分隔兩地時，她將他的虛擬化身套上了美妙的雙性人模組，而他覺得很刺激嗎？他認為自己擁有這些記憶，但他要如何相信它們呢？

他看起來不一樣了。豐唇，帶著傲氣的顴骨，永遠會使任何男孩、女孩心碎的睫毛都還在，不過他最美的部分是他的眼睛，那也是變化最深刻的部分。它們已經死了，什麼也看不見。

他的行動方式也不一樣了。

「我有幾個研討班的同學現在在二十二樓的酒吧。」她說：「要不要溜出去？」他露出猶豫的表情。她的手指沿著他的鼻梁往下畫，掠過他的嘴唇、下巴、喉嚨。「只有幾個人，不會太多人。」不對，不是猶豫。是害怕。

「如果我……」

「你想要怎樣都行。」如果是以前的他，他會直奔梅利迪安二十二樓參加派對，如果自己不在邀請名單上就大鬧、砸場──如果是以前的他。亞別娜的突米打電話給她的朋友，他們和橫幅、飾帶、吸入劑正等待著兩人的到來。**他不想去**。「那，要不要我帶你去某間熱食店，我們靜靜喝杯茶？」她看到他打了個冷顫。「或甚至出去散散步就好？你一定很想離開這裡吧，我很確定。出去呼吸一下新鮮空氣是好事。」他偷瞄了一眼套房外的陽台，以及更遠處的城市風景。大道上的人聲和嘈雜誘惑著他。他搖搖頭。

「達柯塔說外面不安全。」

「我們帶蘿莎莉歐去，她跟達柯塔一樣厲害。你甚至不會知道她跟來了。我姑姑也會給我一些額外的保護，阿沙默式的。」她拍拍自己手腕上的大珠寶手環。路卡辛侯的決心動搖了，但接著亞別娜又看到恐懼在他眼中重新凝結。

「也許改天吧，我真的很累。我想我該睡了。」他猶豫著，亞別娜知道這停頓代表什麼，她屏息以待。太可愛了。「我有點……害怕。」他咬著下唇，真俊俏。「我知道我們在忒的時候……妳懂我要說什麼。」他的視線穿過長睫毛而來。「我不想一個人，我落單太久了。妳可以陪我一起睡覺嗎？」亞別娜無法呼吸，心臟像是高速運動的一道光，像慶典飛船那樣亂竄。在此刻，她不是同世代政治科學志願者中最耀眼的明星，不是艾芮兒．柯塔的法律代理人，辯倒亞曼達．陽和月之鷹的律師，不是未來金凳的翠綠嫩芽；她只是一名女子，和她喜歡的男孩待在一塊。自從在奔月派對那晚，她將阿沙默家的贈禮刺穿他耳垂的那刻起，她就愛上他了。月塵歸月塵，真空歸真空。

「好。」她說：「好，我陪你。」

25

有個活動即將發生，您也許會想見證。

「活動？」瑪莉娜從沒聽說過車子發瘋，不過在太陽與月亮之下，凡事總有第一次。她的旅程不能在這裡結束，不能被發瘋的人工智慧放逐於加拿大的荒野，多年後狼咬過的屍骨才被尋獲——甚至可能永遠不會有人發現。車門開了。

下車會有最佳視野，車子說。

瑪莉娜從被壓扁的夢中驚叫醒來：屋頂垮了，雪崩，梅利迪安的天花板塌陷，它們像動作片中的三維作戰區那樣襲向她。光，她將火花眨出視野外。視神經好痛，她緊閉雙眼。光好亮，來得好突然，她都看得到自己眼皮上的血管了。

「瑪？」

「凱西？」

瑪莉娜勉強睜開眼睛，斜望一旁。房門是個黑色的長方形，旁邊的人影是她妹。

「我一直叫妳，已經叫五分鐘了。」

「怎麼了嗎？」

那道影子移動了，瑪莉娜只敢完全睜開一隻眼睛。

「來喝杯茶吧。」

瑪莉娜睜開另一隻眼。

「現在時間——」以前，副靈會在她問題問到一半時就告訴她，也會以輕柔的警告訊息喚醒她，說她妹醒在凌晨三點二十七分跟她喝杯茶。「讓我穿件衣服。」瑪莉娜赤腳走進廚房時，水壺燒的水已經滾了，光源是網路連線的廚房設備狀態燈。房間有香草茶、花香、小水果的氣味。凱西放下兩個馬克杯，瑪莉娜放下茶包：滾燙的受洗。

「我做了一件事，希望自己不會後悔的事。」凱西說，並將一張列印出來的單子推給桌子另一端的瑪莉娜。瑪莉娜在藍色微光中瞇眼看。那是一張通知書，顯示十萬元匯入她在梅利迪安的懷塔克里戈達德帳戶了。

「我從幾個舊帳號中搜括了一些錢。」凱西說。

「我一開始工作就會還妳。」瑪莉娜說：「一分錢都不少。」

「只要是在歐香開始上大學前就沒問題。」兩杯香草茶冒出煙霧，沒人動它們。「我存到妳的月球帳戶，因為妳說國防情報局在監控妳的美國帳戶。我認為妳得動作快一點。」

「我可以立刻轉帳給VTO。謝謝妳，凱西，謝謝。」

凱西舉起一隻手。

「我同時認為妳得趕快上路。他們一看到款項轉給VTO，就會猜到發生什麼事了。」

「妳的思考方式很柯塔。」她的嗓音開始哽咽了，眼眶盈滿淚水，字句打結。

「我一直在思考。」凱西說：「結論是加拿大，VTO在安大略有個發射。我知道這和訂機票不一樣，但妳得盡快從那裡上太空。」

凱西說得快，字句糊在一起。瑪莉娜清楚得很：如果她放慢速度，就會絆倒自己，淚水潰堤。

「他們會守著國境。」瑪莉娜說。

「所以妳才得動作快，明天上路。」

「明天？」

「搭渡輪到維多利亞。進入加拿大後，妳就安全了，妳可以悠悠哉哉的晃到安大略去。但妳得在買票前抵達加拿大，因為買票會觸發他們的監控機制。」

「明天？」

雨又開始下了，屋頂上響起輕柔的沙沙聲。瑪莉娜聽著每一顆雨珠敲打出的聲音，心中懷著麻木的震驚：這將是她最後一次聽到雨聲了，她很清楚。沒時間舉辦各種告別活動了，這將是她的最後一場雨，最後一次聽見風穿過樹林的颯颯聲，清脆的風鈴。最後一次坐在這張桌邊，躺在床上，待在屋簷下。她走不了，太突然了。她需要時間整理所有記憶，收拾好它們。

「明天怎樣？」歐香穿著一件尺寸過大的T恤站在門邊，狗在她腳邊。「我聽到說話的聲音，還以為是，呃，壞人。」

「我要回月球了。」咒語解除了，那雨只是通過谷地的短暫陣雨。

「明天？」

「這很難解釋。」瑪莉娜說。

「但妳回去之後就得一直待在那裡了。」歐香說。

「對。」瑪莉娜說：「我會想妳，非常非常想妳。可是上頭有我愛的人。我聽過一個故事，說愛爾蘭人如果要離開愛爾蘭前往美國，大家就會幫他守靈，彷彿他死了似的，因為他們知道他們永遠不會再見面了。紐約守靈，大家以前都這麼稱呼。妳們不會再見到我了，所以我們來舉辦一個新月守靈吧，辦一個像樣的卡爾札家派對。歐香，去拿蠟燭，凱西，播點音樂，飯菜我來負責。」瑪莉娜撐著桌面起身，搖搖擺擺地走向冰箱，將內容物移到桌上：醃菜、起司、麵包、優格、火腿，所有東西都隨機地擺放成豪華自助餐。瑪莉娜開酒，慷慨地倒了好幾杯。狗狗們不斷繞圈，搖尾巴，耳朵豎起。

「怎麼了？」現在輪到薇薇爾站到門框之間了。

「我要辦一個道別派對！」瑪莉娜說：「薇薇爾，凱西，去叫醒媽，讓她坐上輪椅，推她過來。」

當她媽的輪椅通過門楣時，瑪莉娜已在廚房內擺滿蠟燭。紅酒杯上有搖曳的焰光，音響播放著舊時代的跳舞音樂，桌上堆滿好料的。女人們吃吃喝喝，狗狗們快樂地在桌腳間鑽來鑽去。她們還舉杯敬月亮，敬月球夫人！直到灰濛天光填滿窗戶。

前往維多利亞的渡輪是一艘細長、高速的雙體船，大膽漆上英國國旗的船尾掀起大片白色水花。今日海峽的浪很大，西風灌入半島和溫哥華島之間，連綿波濤湧向海灣，船身反覆在白色浪頭上顛簸。大多數乘客都在外頭，緊抓著欄杆，試著不讓彼此意識到自己正在暈船。瑪莉娜是船首休息室裡的唯一乘客，雙手插著口袋，頭垂到胸前。她希望艙壁能擋在她以及身後大浪彼方的事物之間。

所有人都來到了渡口，包括狗和媽。凱西開皮卡車載媽過來，歐香帶著薇薇爾乘坐平常代步用的那輛小車。凱西宿醉太嚴重，歐香年紀太小，因此車子的自動駕駛系統扛起駕駛工作。廚房內仍散落一大堆空杯、空瓶、空炸物包裝。天氣好得不得了，因此是最不適合離別的日子。根據計畫，瑪莉娜要晚點抵達，在最後一刻以現金購買票券，穿越國境。她們的道別短暫而唐突，讓她非常開心。所有道別都該是突如其來的。

薇薇爾不流露任何感情，但歐香放聲大哭，導致她的決心也瓦解了。媽說話不怎麼有條理又含糊，但瑪莉娜在媽眼底看到一道黑色光芒，水銀般變幻又帶著亮澤，她因而得知媽諒解她，也同意她這麼做。

接著輪到凱西。

「我好怕。」瑪莉娜說，兩人擁抱許久，抓著彼此的前臂。

「有什麼好怕的？我們都排練過了。妳在加拿大解決出境問題，透過VTO地球上太空。」

「然後我就飛走了，而他們會來找妳算帳。」

「他們不會的。」凱西說。

「如果他們來了怎麼辦？」

「月球的錢可以請到好律師。」

「他們可能會糾纏妳好幾年，他們報復心很重。」

「那我們就追隨妳。」凱西朝渡輪即將停靠的碼頭點了一下頭。

「到月球？」瑪莉娜說。昨晚的紅酒和突如其來的離別使她的腦袋轉不過來。凱西笑了。

「呃，我們會先去加拿大。」她從姊姊身上退開。「去吧，船到了。現在就走。」

廣播開始給大家通關、出境相關指示，乘客在甲板前列隊，丟下咖啡杯，動手翻找文件。

就是現在了。

瑪莉娜溜上甲板，逆著人潮移動，來到船尾。黑色水體另一頭矗立著她家鄉的高山。這幕令她無法承受。她知道自己無法承受，所以她等到自己的流亡成為無限期放逐之後，才去看那畫面。瑪莉娜讓健行枴杖的套環滑下手腕，然後將它們擲向白色浪濤之中，一支，兩支。乘浪飛行的海鷗俯衝過去，發現那是對牠們無用之物，發出怨忿的啼聲。船搖搖晃晃地越過沙洲，進入碼頭。瑪莉娜一個重心不穩，差點撞上艙壁或欄杆，後來才找回平衡。她抬頭挺胸，自信滿滿地走向艙梯。

如今瑪莉娜坐在一輛車內，穿過森林。車子在這條長而筆直的林間道路上已經行駛好幾個小時了，風景使她打了好幾次瞌睡，頭點個沒完，口水流個不停，半夢半醒。安大略西北角的北極森林是行星上僅存的連續林帶，發射站就在裡頭的某處。

泥土在輪胎下發出嘎吱聲。二十分鐘前她看到一輛ＶＴＯ巴士，但之後就再也沒看到任何車了。車子靠邊，停了下來。

「現在是怎樣？」

有個活動即將發生，您也許會想見證。

「活動？」瑪莉娜從沒聽說過車子發瘋，不過在太陽與月亮之下，凡事總有第一次。她從維多利亞搭了另一艘渡輪前往溫哥華，在那裡花了三天向ＶＴＯ加拿大預約行程，然後花了三個星期在多倫多進行飛行前訓練。她的旅程不能在這裡結束，不能被發瘋的人工智慧放逐於加拿大的荒野，多年後狼咬過的屍骨才被尋獲——甚至可能永遠不會有人發現。車門開了。

下車會有最佳視野，車子說。瑪莉娜走出車外，但一手握著門把，一察覺到危險便能盪回車內。

她正眼看著路前方。「到底是——」瑪莉娜開口，接著就聽到了，一道遠雷，被數百萬棵樹分解成低沉嗡鳴的呼嘯聲。就在她想通自己聽到了什麼的同時，一道火焰與煙霧之柱升向她頭上，越來越高，最後越過世界的邊緣。現在，蒸氣開始在西風中散去，不過她仍看得到太空船：一顆冰冷亮麗的鑽石，射向遠方，射向月球。

26

人潮與嘈雜使他卻步了，艾莉西亞都看在眼裡。他瞪大的眼睛流露恐懼，腹部肌肉緊縮，壓力逼出的汗水如珍珠般在他的眉梢碎裂。

機器已經工作了一整晚，費勁地將直徑十公尺的碟狀綠色橄欖石地面磨成亮晶晶的殺戮舞台。除塵機器人群聚在矮而粗的多利斯柱、原石屋頂、排成弧形的長椅、樓梯的輪廓線與縫隙之上，它們的靜電魔杖吸滿月塵，閃閃發光。加熱系統花了超過四十小時，才將室內加熱到人體肌膚的溫度。嵌壁燈開啟，在一排排座位間投下一片片光亮與陰影。強力探照燈在決鬥場上投下耀眼光芒。通風口開了，磨地機器人朝暗處蹦跳而去。幾不可聞的嘶嘶聲變成哨音，最後變成尖嘯：房間在重新加壓中。

克拉維斯五號法庭是從月球夫人的真皮上開鑿出的圓形劇場——鑿工粗獷的洞穴，由古典希臘建築的特徵賦予其紀律感，設計上是為了呈現法律的矛盾性：原始與拘束，慎重與死亡。這裡從未啟用，始終埋在黑暗之中，由真空封印。直到今天。最後一架除塵機器人在石門解鎖、開啟時鑽入維修管道中。

艾芮兒·柯塔緩慢走下階梯，手指拂過石椅、柱槽。她走到決鬥場中央，手放到眼前遮光，細看一排排座位和燈光定位。她走三階來到法官席，手掌拂過法官桌面的曲線，坐到三個法官席的中間那個，觀察下方的法庭。接著她不斷在座位區來回走動，不時止步觀察視角、感受氣氛。

地面上有個區塊退開了，達柯塔·凱爾·馬肯齊走上隱藏階梯，從暗處來到亮處，英勇地踏上決鬥場。

「還好我穿機能性強的鞋子。」她說。

「下面如何？」艾芮兒從座位區最上層發問。

「太小了。」達柯塔說：「妳每次開庭前都會這麼做嗎？」

「我得在舞台上走走，」艾芮兒說：「得了解觀眾視角、聲響效果，我的聲音會傳多遠，這裡有幾大步寬，有多深，往上和往下各能走幾步。我得知道法官坐在這裡會看到什麼。」

「這不是舞台。」達柯塔說。

「不是嗎？」艾芮兒再度穿過座位往下走，將包包放在左方第一排座位，右邊數來第二個位置。「站前排中央是菜鳥才會犯的錯，妳得成為他們視野邊緣的一個小黑點，讓他們分心，讓他們隨時伸長脖子看妳做了什麼，看他們錯過了什麼。」

「那有什麼用？」達柯塔坐上法官桌，擺盪她套著靴子的腳。

「什麼意思？」

「我是指逼法官東張西望的小聰明，那有什麼用？我不是法律專家，但就連勇士學者都知道法律團隊需要戰略，需要像話的論證。我目前知道的部分只有：『我向我哥提出決鬥審判挑戰，他雇用的劍鬥士自封月球上第一高手，不過呢，哈！我掌握了觀眾視角。』」

艾芮兒拿出隨身鏡檢查自己的嘴唇、眼睛，啪一聲闔上，滑入自己的包包內。

「妳說得對。」

「所以呢？」

「妳不是律師，是我見過最需要舔陰的女人。脫光衣服，撥弄小豆豆，享受，叫出聲來。我剛剛就做了，開庭前最棒的準備作業。你們勇士學者都這麼緊繃嗎？」

達柯塔的嘴還沒闔上，門就開了，亞別娜探頭進來。

「我遲到了嗎？」

「我們早得很不道德。」艾芮兒說。

蘿莎莉歐．薩爾加多．歐漢隆．迪．齊奧爾科夫斯基跟著亞別娜走下樓梯，對法庭的建築構造皺起眉頭。

「這一定是男人設計的，沒炮打的男人。」

她讓一隻腳踩上亮如鏡面的決鬥場地板。

「什麼鬼？」

「不是地板出問題，是鞋子有問題。」達柯塔說。

「我的鞋子永遠不會有問題。」蘿莎莉歐說。

艾芮兒示意亞別娜坐到她左邊。

我們現在在這裡幹啥？告訴我，她用私頻問艾芮兒，**蘿莎莉歐嗑了一大堆強化藥物，茫茫然的，要她跟全梅利迪安幹架都沒問題，但她似乎不知道自己有可能死在這裡。**

蘿莎莉歐不會被宰掉，艾芮兒透過碧賈浮回答，**手癢想幹架的勇士學者也不會。**她接著大聲說：

「露娜和路卡辛侯呢？」

「在路上。法官同意愛麗絲教母陪伴兩人入場。」

「我要他們最後進來，」艾芮兒說：「露娜跟我們待在一起。」

「妳要把那小孩帶到這？」達柯塔說。

「刀在她那。」亞別娜說。

達柯塔・凱爾・馬肯齊搖搖頭。

「你們這些人，」她說：「你們這些該死的人。」

「抬頭。」艾芮兒說：「法庭表情。」

陽黨信和她的法律團隊在法庭外等待。亞曼達・陽已經當過鎂光燈焦點了，那次她面對一個阿沙默兔崽子，吞下敗仗。專業人士會接手。一名新進律師扶陽夫人走上三輪摩托。克拉維斯法庭禁止私人保全入內，以免決鬥場上的暴力行為野火燎原，燒進城內。不過法律團隊人數並無限制，因此陽黨信讓武士以新進律師的名義入場。言語之爭無效，這次是刀劍之爭。前庭塞滿旁觀者和社會名流。這些假法律團隊成員上前清出一條通往大廳的路。叫聲與呼喚四起：陽黨信的助手毫不讓步，緊握衝擊棍的手快狠準。

最後一輛三輪摩托抵達了，陽夫人等待太陽小隊的最後一個成員步下花瓣般的塑膠機器。

「陽夫人……」江映月開口。陽夫人舉起一隻手。

「別挑現在。」

陽夫人停下腳步，欣賞五號法庭：低矮的原石屋頂，彷彿即將坍塌；又矮又醜的柱子和一排排座位；炫目的圓形決鬥場，上頭無處可躲。這是恫嚇式的建築，它成功嚇倒了江映月，使她偎向陽夫人。

「我知道我們不會真的交戰，」她低聲說：「我為什麼會在這？」

「我們不能不帶扈衛前來，那樣見不得人。」陽夫人用氣音說。「我們家族已經承受夠多羞辱了，不能表現出早已認輸的樣子。」

她坐到第二排，亞曼達・陽隔壁。陽黨信示意江映月跟著自己坐到外圍的位子去。法務人員坐前頭。陽夫人向法院另一頭的艾芮兒・柯塔點頭示意。「率先到場」這步走得精明，她選擇了她要的位置。待在法院外圍肯定有其理由，而且是有說服力的理由。阿沙默家的女孩和她在一起，陽夫人沒向她問候。遠端大學的勇士學者，這麼一號人物令人眼睛一亮，不過她不可能是艾芮兒・柯塔的扈衛。大學不插手近端月面的政治。看來，她們把工作交給那個上城區的蕩婦了。竟然信任那種貨色？

陽黨信在座位上轉身面對亞曼達和陽夫人。

「盧卡斯來了。」

人潮與嘈雜使他卻步了，艾莉西亞都看在眼裡。他瞪大的眼睛流露恐懼，腹部肌肉緊縮，壓力逼出的汗水如珍珠般在他的眉梢碎裂。

她的手指和華格納交纏，給他短暫的慰藉：他不是一個人面對暴徒。他捏捏她的手，然後在八卦記者和攝影機注意到前分開。

更爭奇鬥豔的奇景占據了他們的注意力：交談聲如漣漪般，即刻從群眾前排傳到了後端去。**馬里亞諾・加百列・迪馬里亞，盧卡斯・柯塔雇用了馬里亞諾・加百列・迪馬里亞**。

人群為這位傳奇劍鬥士讓開一條路。盧卡斯跟在後頭，穿著他在日蝕派對亮相時的微噴錦緞灰西裝，優雅但嚴肅。接著是艾莉西亞和華格納。沒有律師，沒有人類律師也沒有人工智慧。羅伯森在鷹巢，與海德以及海德的監護人（盧卡斯把他們從西奧菲勒斯接過來了）待在一塊。

羅伯森和艾莉西亞的爭論沿著鷹巢的陽台和樓中樓延燒。

「你不可以來。」

「他是我堂哥！」羅伯森吼回去。

「盧卡斯不要你去。」

「我想去。」

最後她找海德、馬克斯、亞君談，要他們幫她說情。她還多加了一個安全措施，就是請鷹巢的保全小隊駭進羅伯森的副靈「鬼牌」。他的錢不能用，網路斷線，如果他試圖使出跑酷花招，以鷹巢牆面和太陽線為目標往上跑，聶爾森．米德羅斯會在三十秒內銬住他，拖走他。

她的論點站不住腳，因為羅伯森見過、做過的事，比他在五號法庭決鬥場所能見識到的任何場面都還要駭人。艾莉西亞很樂意讓他去，自己留守，但月之鷹的鐵手必須跟在他兩步之後。如影隨形。

華格納在樓梯頂端坐下。盧卡斯看也不看，用枴杖指了一下：**坐我旁邊**。艾莉西亞再度和華格納十指交扣。她看到了，靠。艾芮兒．柯塔看到了。

盧卡斯指了一下，要艾莉西亞坐到他後面那排。他向前妻點頭，向妹妹點頭致意。就點那麼一下。陽家的人馬占據了整個法庭，艾芮兒和她的跟班坐滿了幾排椅子，不過沒有任何一方人馬的規模跟月之鷹小隊一樣小而精實。

「給我看看。」

艾莉西亞舉起小小的手提箱，她從鷹巢帶到法庭的。無個性、無害、防撞的碳纖維與鈦金材質。儘管在人工智慧管理檔案的年代，大家還是習慣帶這樣的手提箱出庭。如此設計是為了神不知鬼不覺地遞給他人，裡頭裝著柯塔家的隕鐵戰刀。

「別離手。」

艾莉西亞將手提箱放到旁邊的椅子上。

所有人都抬頭，坐挺了。法庭網路公告：路卡辛侯·柯塔到場。

先進門的人是露娜，一分為二的臉露出凶狠的表情，裝戰刀的盒子掛在她肩上。接著路卡辛侯，遭物化之人，勝利者的獎品。他精心打扮，梳了一個奔放不羈、只可能存在於月球重力下的油頭，刮了鬍子，穿著好鞋，佩帶奔月徽章。不過在他踏上陡峭的樓梯前還是猶豫了一下，低頭張望，亞別娜都注意到了。他身後的愛麗絲教母發現他舉棋不定。她的雙手原本端莊地交疊、收在袍子內，此時伸出來攙扶他，抓握他。亞別娜的心臟彷彿要從嘴裡跳出來了。路卡辛侯吸了一口氣，走下樓梯。

露娜坐到亞別娜隔壁，路卡辛侯則坐到更右側去，那一區的地面上有法庭扈衛出入口，他們一上來就可以在他身邊圍成一圈，保護他。亞別娜和他四目相交時，他微笑了。

法院向大眾敞開門時，大廳內規律起落的嘈雜聲變成了咆哮。急切的旁聽者前胸貼後背地踉蹌走下危險的階梯，並在狹窄的走道上推擠、搶奪座位。門關閉時，群眾已盤據在階梯上，站著的旁聽者也多達五排，塞在後方。五號法庭像顆鼓似的咚咚響，接著沉默降臨。法官進場了。

跟在打頭陣的扈衛後方，長井理惠子法官、瓦倫提娜·亞斯法官、克維果·庫瑪法官入座了。理惠子法官掃視人滿為患的法庭。

「陽、柯塔、柯塔案之最終審判將於克拉維斯法庭召開。」她說：「所有當事人或其代理人都到場了嗎？」

三方當事人與愛麗絲教母含糊應答。

「所有當事人都同意此案由長井、亞斯、庫瑪進行裁決？」亞斯法官問。大家稱是或點頭回應。旁聽者深吸一口氣，大受震驚：這一切真是缺乏正式性。他們當中九成的人都沒進過法庭，甚至沒同意過尼卡赫婚約。

「三方也同意以決鬥方式進行審判。」庫瑪法官說。

旁觀者呼出一口氣，而當事人口齒不清地表達同意。

「本席不得不指出，這不是柯塔家第一次以暴力解決訴訟案，我們深感遺憾。」理惠子法官說：「這是一種退化、貶低人性的處置手段。克拉維斯法庭同時對陽家感到失望，歷史如此悠久的家族竟然被捲入醜惡之中。然而，此處置的合法性已成立，法官也受制於自己的契約，因此此案將以舊時代的方法進行審判。」

旁觀群眾之間傳出緊張而歡快的說話聲。機制啟動了，沒有退路，無處可逃了。刀出鞘了，石頭上將濺血。

「我想，陽家與柯塔家互相控告案應該要先處理？」亞斯法官說：「誰代表盧卡斯．柯塔？」

馬里亞諾．加百列．迪馬里亞從座位上起身。歡快的交談聲變成了低語。所有近端月面居民都聽說過七鐘院傳奇。他整齊翻起的褲管下套著一雙不怎麼搭的抓地鞋，顯示他的著衣方針是方便戰鬥。

「陽黨信？」

「亞曼達．陽表明……」陽黨信開口，結果陽夫人那獸爪似的手落到她肩膀上，貓科動物般緊抓著。

「江映月將會代表亞曼達．陽。」她說。

陽黨信猛然轉身，露出空洞而不解的表情。**我們答應要罷手的**，她用私頻說。旁聽大眾感覺到這是脫稿演出，紛紛交頭接耳。

「我們說好要……」江映月開口。

陽夫人舉起一隻手，一把套著刀鞘的刀便被一排排陽家助理法務人員往下傳，最後交到江映月手中。

「陽夫人……」

「有什麼問題嗎？」

「陽夫人，我無意冒犯，但我不是迪馬利亞的對手。」

「妳在哈德利使家族蒙羞。」陽夫人用氣音說：「妳在馬肯齊面前讓我們丟臉，妳得將功贖罪。向世人證明，恆光宮仍有榮耀和膽識。」

「陽夫人，你們有什麼打算？」法官席上的亞斯法官問。

「我們準備好了。」陽黨信說。

恐懼在江映月臉上凝結成決心。她將刀子還給陽夫人，跨入獸籠中，因為根據悠久的扈衛傳統，決鬥者不能帶自己的武器上陣。法院地板敞開了，她走入黑暗中。濃密的沉默籠罩五號法庭。

「副手。」庫瑪法官說。陽夫人將刀交給亞曼達。

「做妳分內的工作吧。」

「痛苦尖叫而死吧，妳這乾癟老太婆。」亞曼達．陽將刀子一把抓過去，大膽穿過最低處地面，來到法官席前。所有刀子都得給法官檢查，確保上頭沒有未經雙方協調同意的毒物。

盧卡斯向決鬥場另一側的鐵手點了個頭，艾莉西亞拿起手提箱。她轉身面向階梯時和華格納四目相交，他看不下去。

艾莉西亞穿過決鬥場地面，心臟撲通狂跳。天啊，這真是危險，這整個競技場變幻莫測。所有人、所有事物都是克拉維斯法庭的審判對象。只要稍稍違反規定，稍微有個疏忽或冒犯吃虧的那方，刀子就會呼嘯出鞘，向她做出正義的制裁。

她將手提箱放到法官桌上，鎖發出的喀啦聲極為響亮。她拿起刀子呈給法官時，競技場傳來古怪的聲音——倒抽一口氣和哀嚎各半。法官傳遞刀子，做做樣子端詳它，刀鋒隨著他們的動作反射耀眼光芒。真正負責嗅聞、品嘗、分析的，是埋在桌子裡頭的聰明機器。

「隕鐵。」庫瑪法官說。

「與它成對的刀子在哪？」亞斯法官問。

「這東西不乾淨。」理惠子法官說，她急著要讓刀子遠離自己的皮膚，差點把它扔向艾莉西亞。

「有血的味道。」

馬尼奧引導艾莉西亞到副手的定位。她瞄了亞曼達．陽一眼。那女人彷彿隨時要吐了，隨時會恐懼地哭出來。她恨自己得穿著香奈兒套裝站在這裡拿刀，從來沒有一件事讓她恨成這樣。但她還是站在那裡。地板開啟了，鬥士現身。觀眾發出如雷的叫喚。

華格納低下頭去，雙手掩面。

江映月從亞曼達．陽手中接過刀子，掂掂它，感受重量和平衡點。她纖瘦，肌肉精實，健壯，穿著卡布里內搭褲、露臍上衣、吱吱作響的抓地鞋（剛列印好的）。艾莉西亞一眼就看出她不會耍刀。

馬里亞諾．加百列．迪馬里亞脫到剩下黑色短褲和抓地鞋，身體彷彿就是刀子的化身：肌腱，節瘤，金屬般的筋脈，疤痕。他散發出絕頂高手的悠然自得。

他的黑眼珠轉向艾莉西亞，而艾莉西亞呈上手提箱。他舉起柯塔之刃，結果有人大喊。是一個孩子。

露娜・柯塔大步走上決鬥場。

「你不准碰我的刀！」

「妳說什麼？」

嬌小的露娜毫無防備，卻又徹頭徹尾地目中無人。馬里亞諾・迪馬里亞的嗓音中沒有半點高傲。

「那把刀只有柯塔家的人能用。」

馬里亞諾轉頭看盧卡斯，點了個頭。這名扈衛將刀子還給艾莉西亞。觀眾緩緩呼了口氣。一把未出鞘的刀子滑過競技場地面，馬里亞諾將它撈起，拔刀，舉刀，在競技場的熾熱強光下檢查它。他輕輕點頭鞠躬。在競技場另一頭，觀眾看不到的那一頭，達柯塔・凱爾・馬肯齊點頭回禮。

「你們同意嗎？」

「我不反對。」陽黨信說。

法官檢查得很馬虎。

「我們受夠各種干擾和戲劇效果了。」理惠子法官說：「如果你們非得用這種方法追求公義，那最好速速了結。繼續吧。」

艾莉西亞的心臟漏跳了一拍。現在只剩刀子了，只有刀子會決定一切。石頭地板上將會濺血。現在她才發覺自己很懦弱。當初吉拉特將卡歐丟在巴拉的一條排水溝裡等死，毀掉他的未來，她發誓要討回公道。她跑去找蘇赫・奧斯瓦多，要他痛宰那對兄弟。她很滿意，做得很對——而那行徑跟她此刻譴責的血腥司法根本沒兩樣。

「副手退下。」亞斯法官說。

艾莉西亞回到座位上。不對，有差別，差別很大。她沒勇氣用自己的雙手討回公道。

「決鬥者上前。」庫瑪法官說。

馬里亞諾・加百列・迪馬里亞和江映月走向決鬥場中央，兩人將刀舉到眼前行禮。

「開始。」理惠子法官說。

刀光殘影，身體舞動，距離近得像在做愛。血液飛濺，江映月的刀脫手了，滑過閃亮的石頭地面。她杵在那裡，震驚地發著抖，呼吸紊亂，血液從二頭肌流到手腕，然後從抽搐的手指滴到地面。

群眾一片沉默。這不是他們期待的，他們沒被娛樂到。

碧賈浮叮了一聲。是達柯塔・凱爾・馬肯齊，私頻。

那個迪・齊奧爾科夫斯基碰上他，只會變成地上一堆冒煙的肉塊。

對，艾芮兒回答。

開除她，雇用我。

不要。

達柯塔・凱爾・馬肯齊湊上前。

「妳知道自己在做什麼嗎？」

艾芮兒望向路卡辛侯，他在法院扈衛的包圍下表情驚恐，臉色慘白。華格納雙手掩面，艾莉西亞提心吊膽，面無血色。愛麗絲教母已放下兜帽，掩藏自己的五官。

「我隨時都清楚得很。」

江映月蹣跚地朝自己的刀走去。

「別管它了。」馬里亞諾說。江映月左手拾刀，衝向決鬥場另一頭的馬里亞諾・加百列・迪馬里亞。他輕輕鬆鬆側身閃過，江映月接著發出走投無路的吶喊，出刀一劈，他又躲過了。行動有如動念，甚至比動念還快。他彷彿憑本能行事。

「住手。」他說。

江映月在越來越黏稠、越來越大攤的血泊中打滑、踉蹌地衝向馬里亞諾・加百列・迪馬里亞，瘋狂揮刀。

「夠了。」

馬里亞諾棄刀，跨入江映月的防線內側，猛折她的手腕。喀嚓聲迴盪在聳立的柱子、低矮而雜亂的天花板之間。

「你們滿意了嗎？」他對陽黨信說。他沒流汗，沒表現出任何悲痛的情緒，身體更是沒有半點費力的跡象。「妳滿意了嗎？」陽黨信瞥了一眼陽夫人。那老女人搖搖頭。

「我滿意了！」亞曼達・陽的喊叫聲從最低處的決鬥場一路傳到法院石門。「原告是我，不是我的法律顧問，不是我祖母。而我滿意了。」

「那麼，我根據交戰方簽訂的合約，駁回亞曼達・陽對盧卡斯・柯塔二世監護權的主張。」理惠子法官說。圍觀群眾發出錯愕又結巴的哀嘆，片刻後更外圍的觀眾發出回響，使之倍增，然後一波波地在梅利迪安的方樓間擴散，在熱食店、酒吧、辦公室、住家之間傳開，還化為列車、探測車上、太空衣頭盔內的串流影像。羅茲德斯文斯基傳到南后，聖奧爾嘉傳到神之若望。

大家都知道陽家敗訴了。

醫療人員湧向江映月，圍住決鬥場上這個渾身是血、站著發抖、手已殘廢的女子。膏藥消除疼痛，U形針抑止失血，各種管線中和她震驚的情緒。太陽企業的醫療人員護送機器擔架鑽入克拉維斯法庭的地下室。

「大家同意休庭三十分鐘清理殘局嗎？」理惠子法官的嗓音帶著明顯的厭惡。

艾芮兒起立，「如果在場人士同意，我希望即刻進行最終處置。」

眾人倒抽一口氣。亞別娜打開私頻，突米對碧賈浮。

妳在做什麼？

跟著我的腳步，艾芮兒說，**別發問，別遲疑，可以嗎？**

我可以。

「盧卡斯先生呢？」

盧卡斯站了起來，眾人的七嘴八舌停了。

「馬里亞諾還能戰鬥的話就能照辦？」

「我能。」扈衛宣告。

眾法官安靜了一會兒，以私頻進行協商。

「如果雙方皆同意，我們不會反對。」庫瑪法官說：「柯塔先生，我想你會沿用代理人？」

「我會。」

亞斯法官轉身面向艾芮兒小隊。

「誰代表妳？」

沉默維持了好一段時間，接著蘿莎莉歐站了起來。

「我是蘿莎莉歐・薩爾加多・歐漢隆・迪・齊奧爾科夫斯基，此原告的簽約扈衛。」
「請上前。」
「先別急。」
艾芮兒踩上圓形競技場的邊緣。
「誰代表我是一回事，誰上場作戰又是另一回事。露娜。」
女孩被點名了，她蹦跳下樓，來到艾芮兒身旁。
「麻煩妳。」
露娜解開雙刀之一的其中一把，艾芮兒撈起它，刀刃切開空氣時發出人耳可聞的嗡鳴。
「根據我的家族傳說，這把刀只能由大膽、無私、不貪婪也不懦弱的柯塔家成員持有，他將為家族而戰，英勇地保衛家園。我就是那個柯塔，我將和你對決，馬里亞諾・加百列・迪馬里亞。」
五號法庭爆出歡呼。

艾莉西亞懷疑自己的嘴巴張得開開的。她感覺到自己瞪大眼睛，心臟撲通狂跳，耳中有高頻耳鳴。就跟五號法庭裡的所有人一樣。
這女人真是太、太聰明了。如果盧卡斯拒戰，他會輸掉官司；如果他應戰，他就等於是要月球第一劍客對付一個殘廢女子，她連刀刃在哪一頭都不太確定。而且那是他妹，全月球都在看著。
「柯塔先生？」
「茂・迪・費洛。」盧卡斯伸出手，「刀。」
艾莉西亞翻轉刀子，遞給盧卡斯。沒多問，沒遲疑，沒解釋。他下令，她聽令。盧卡斯撐著枴杖起身。

「大膽、無私、不貪婪也不懦弱，」盧卡斯說：「願意為家族而戰，英勇保衛家園的柯塔家成員。迪馬里亞先生，退下。現在輪到我舉刀了。」

他將刀子水平呈向法官。

「我們達成協議了嗎？」

「法官無意見。」理惠子法官說。

「妹妹？」

艾芮兒微笑。這是她計畫好的嗎？她知道逃離陷阱的唯一方法，就是讓盧卡斯拿刀嗎？艾莉西亞呼出長長一口氣，發現自己之前一直無意識地憋氣。不只她，全第五法庭裡的人都一樣。這已從喪失理智晉升到神話了。

「我跟你打，盧卡斯。」艾芮兒說。

「速戰速決吧。」盧卡斯說：「副手。」

艾莉西亞再度站上決鬥場，接過盧卡斯手上的西裝外套、吊帶、領帶、襯衫。他脫衣脫得很俐落，交給艾莉西亞前都會先摺好。競技場的另一頭，艾芮兒以勇士學者為副手。她摘下愛黛兒・利斯特設計款帽，甩開菲拉格慕鞋，抖落查爾斯・詹姆斯外套，讓裙子滑下。她在時裝下穿著雋永的鬥士制服：短褲，背心。竊竊私語在法庭上傳開，大家對脊髓連結、光滑的塑膠、隆起的瘀青疤痕指指點點。盧卡斯在決鬥場上試走了幾步，接著決定脫掉自己的牛津鞋。他整個人就像一團笨重的肉球，過去的肌肉軟化成質量。粗大的地方很不對勁：為了對抗地球引力，大腿與小腿肌肉發達；為了維持身體挺直，脊椎附近也有一整排肌肉。這展現了地球對月球人肉體造成的影響，以及月球對於該肉體回到適當環境時的催化力。超級英雄的體格，但還是得拄枴杖走路，以保護自己磨蝕的膝關節。

「麻煩。」盧卡斯將枴杖交給艾莉西亞，然後細看刀子。「妳知道該怎麼進行嗎？」他問妹妹。

「試著用它宰了我。」艾芮兒說。

法官催促他們完成所有正規儀式。盧卡斯和艾芮兒舉刀行禮，退後，開始繞圈。

「我們這樣太荒謬了。」盧卡斯說：「廢人耍刀。」

「總有人得出第一招。」艾芮兒說。

「對。」盧卡斯說：「說得對。」他倏地蹲下，用盡全身力氣將柯塔之刃捅向競技場地面。抛磨得光亮的橄欖石裂開了，碎屑飛濺，隕鐵斷成兩截。一塊碎片劃破了盧卡斯的臉頰。艾芮兒向他行禮，反轉刀刃，刺向堅硬的石頭。刀尖斷裂，飛遠；石頭冒出火花。第五法庭內的人全站了起來。

「我們來談談吧。」艾芮兒大喊，壓過鼎沸人聲，入迷、辱罵、惱火、激動、不解的說話聲。

「不對，」盧卡斯吼回去，「我們來交易。」

法庭下方有扈衛桌，機器人和無人機打掃得不怎麼細心。房間小又布滿灰塵，空氣不新鮮。盧卡斯・柯塔坐在石製衣櫃邊緣，艾芮兒坐在房間裡的唯一一把椅子上。艾莉西亞已將衣服扔給盧卡斯，他扣釦子時謹慎又懷著敬意，表現得像個服裝專家。他仍打著赤腳。上方法院依舊鬧烘烘的，噪音形成這個小房間的天花板。

「如果是肥皂劇，劇情還會更誇張。」盧卡斯・柯塔說。

「感謝誇獎。」

「妳冒的險可大了。」

「本來就沒有風險可言。家人擺第一……」

「家族永遠是最重要的。妳想開什麼條件？」

艾芮兒仍做鬥士裝扮。身為曾在聖彼得與保羅號的健身房內鍛鍊身體六個月的人，盧卡斯十分欣賞他的手臂和上半身的線條。上次見到她時，她還在坐輪椅。在更早的黑暗期，她只有那個月光菜鳥服侍她——她叫什麼名字去了？他想不起來。她在上城區有個小如衣櫃的住處，裡頭掛滿繩索，讓她可以在房間之間盪來盪去。

那就是訓練。

身體就是這麼運作的。

「你一直盯著我看。」

「抱歉。」盧卡斯沒注意到自己的視線已飄到脊髓連結那裡，停著不動。「我還不習慣它。」

「你比較希望我用舊式的義肢嗎？」

盧卡斯再度看著那醜陋、答答響的玩意兒，伺服電動機與促動器發出劈哩啪啦聲。她妹躺在神之若望醫療中心的身影又浮現他眼前了。她從創傷病床上坐起身斥責他，說他不該試圖自己去談他兒子的尼卡赫婚約。

「妳會……」

「一直這樣嗎？我得撥六個月的時間讓大學重新培養我的神經組織，不然一直都會這樣。」

「如果得鬥劍的話，」盧卡斯說：「我會瞄準它。」

「很合理的目標。」

「妳的條件是？」

「我們別自欺欺人了。路卡辛侯能走跳，微笑，迷倒所有梅利迪安人，但他要在法律地位上取得獨立會是很久以後的事。」艾芮兒說：「我有你要的東西，你有你不要的東西。」

「鷹巢？」

「鷹巢。」

「妳不想要鷹巢。」

「對，我不想要。我知道你為了對付布萊斯・馬肯齊，一直被月球受託管理機構逼著做某些事。你拖延了時間，但問題會一直在那裡。我無法打包票，說自己不會做得比你差，但我有辦法嘗試。你永遠無法，只要路卡辛侯還在身邊，你永遠會為他操心。我沒有小孩，沒有愛人，沒有束縛。我是鐵打的。」

「妳打算怎麼做？」

「為月球人行動。我們不是工業前哨基地，不是地球的殖民地。」

「艾芮兒・柯塔，獨立鬥士。」

「如果我手上有電子菸，我會對你吐個煙圈，老哥。我的提案如下，你帶路卡辛侯以及任何你想帶的人回博阿維斯塔，在豐饒海建立一個稱你意的帝國。我則收下月之鷹的頭銜、榮耀和責任。直截了當的交換。」

「這樣合法嗎？」

「沒有法律禁止這行為。」艾芮兒說：「這裡是月球。」

「任何事都有協商空間。」盧卡斯說：「有個附加條件。」

「說來聽聽。」

「帶走艾莉西亞。」

「你的茂・迪・費洛？」

「妳會需要援手的，她懂生意。就這麼講定了？」

「一言為定。」

在五號法庭地下這個擁擠、滿是灰塵的小獸欄內，盧卡斯・柯塔與艾芮兒・柯塔握了握手，短暫擁抱。艾芮兒沾溼水龍頭下方的一條抹布，將斷劍碎片劃傷的傷口擦乾淨。血一路沿著脖子、胸口往下涓流，注入他褲子的鬆緊帶。

「這裡應該要有急救箱才對。」艾芮兒抱怨。

「人要是在這裡受傷，急救箱根本幫不上忙。」盧卡斯說。他們望著彼此，臉皺縮起來，憋住的喜悅漸漸變成咯咯笑，然後是令人胸口發疼、喘不過氣的大笑。無賴精神，最飛躍的一步棋。柯塔家回來了，盧卡斯擦擦眼角。

「我們現在應該要讓他們再等久一點嗎？」

「喔，應該要。」月之鷹說。

27

每一雙眼睛的右下角，都有四個小圖示，有生以來，有記憶以來一向如此。空氣、水、傳輸、碳：四大元素。

那四道小亮光同時消失了，各地皆然。

眾人先是陷入恐慌，因為半世紀以來，那代表生命、健康、財富的幾道光從來不曾暗去。

接著全月球的人都屏住了呼吸。閉氣，不知道自己還會不會有下一口氣可以吸。閉氣，直到眼球突出，大腦沸騰，心臟尖叫。直到他們再也憋不住。

只要月球仍掛在天空，柯塔與柯塔之戰時拍下的影像就會永遠流傳下去。

斷劍掉在裂開的晶亮石頭地面上。

法官站了起來，試圖對陷入騷動的法院大吼。

一顆半黑半銀的懸浮球體展開翅膀，從空氣中吸取色彩，化為藍色月蛾。

一個九歲女孩擦去臉上的骷髏彩繪。

一名父親將兒子擁入懷中，忘卻其他世俗之事。

「我記得我說過，妳要是敢在我的法庭上再耍一次花招，我就會叫法庭扈衛切開妳肚子。」第五法庭下方的附屬房間與走廊如蜂巢般繁複，律師室是那裡的其中一個房間，就跟鬥士棚一樣狹小、擁擠、布滿灰塵。長井理惠子法官坐在洗手台邊緣，看著艾芮兒・柯塔脫掉布滿汗漬的戰鬥服，扔進反列印機中。她溜進淋浴區，接受預先設定好的三十秒熱水淋浴。

「我會擺平扈衛。」艾芮兒在激流中大喊。

「妳已經折斷妳的刀子了。」理惠子說。

「勇士學者會擺平他們。」

「八成會吧。」

吹風機的熱風吹拂著艾芮兒。她後仰，讓黑髮往後傾，手指穿過髮絲，抖動、弄鬆它們。接著，她穿上列印機推送出的袍子。

「我記得上次我也給過妳這個。」

理惠子法官從皮包裡拿出一小罐十草琴酒。

「謝啦，但我不喝酒了。」艾芮兒說：「妳帶著它上法庭對吧？」

「我知道妳一定會無來由地耍出無賴招數。」

「如果我沒那麼做呢？」

「我會喝了它，緬懷妳。」理惠子法官的語調沉了下來。「地球人陷入恐慌了，到目前為止已經發了超過五百份令狀。克拉維斯法庭的人工智慧正在過濾，不過妳應該要把那勇士學者留在身邊當家臣。」

「他們阻止不了我，他們也不能指望沃隆佐夫的太空炮。」

「他們幾秒鐘內就能布署一萬五千部戰鬥機器人。」

「是嗎？」艾芮兒露出狡詐的微笑。

最後一件事，盧卡斯在他們準備走向決鬥場、撼動全月球前說，**妳會需要這個。**

碧賈浮跳出檔案傳輸視窗。

這是什麼？

用於地球機器人的咒語，我跟亞曼達．陽做了交易。

能做什麼？

能讓一萬五千部戰鬥機器人做它們能做的事。

屋頂滑開了，落在扈衛棚內的方形亮光逐漸拉長。艾芮兒說：**你自己的降鐵。**

「妳再度驚豔了法庭內的每一雙眼睛。」理惠子法官說：「妳那模樣嚇壞了我。」

「我們都得成長。」艾芮兒說：「所有人都得成長。依法行事，不要依刀子行事。」列印機又動了起來。

「這是妳的第一個政令？」

「是第二個。」艾芮兒拿起剛列印好、還帶點水氣的皮埃爾．巴爾曼設計款洋裝，「五〇年代風潮回來了。」

電梯關門，將那部三輪摩托抬向加格林大道的高處。艾芮兒從皮包中拿出電子菸一甩，還原它完整展開的長度，頹廢感十足。

「介意嗎？」

「介意。」盧卡斯．柯塔說。

艾芮兒朝上方吐煙，開啟車頂。

「看我。」

她後仰，吐出緞帶般的白煙。

「於事無補。」

法庭外的人群似乎沒有要解散的跡象，人數和噪音不斷等比增加。加格林大道人滿為患，牆面和牆面之間填滿身體。梅利迪安半數居民都在這裡等待著，他們對五號法庭誕生的新秩序懷著疑問、要求、憂慮、恐懼、意見。

柯塔與家臣們在維修出入口搭乘特許三輪摩托，以大車隊的陣仗離開法庭，然後搭電梯上樓。每輛車都走不同路線，沒半輛車前往鷹巢。地球人派出機器人時，第一個會襲擊的地方就是鷹巢。他們甚至不前往車站，因為谷夏頻道的機器人已群聚在那裡。各班三輪摩托將會在VTO月球飛船的碼頭會合，尼可·沃隆佐夫已幫奧廖爾號加滿燃料，部署好機組人員，準備升空載他們到博阿維斯塔。

載著前任與現任月之鷹的三輪摩托奔馳在高層街道，一偵測到八卦頻道的無人機逼近便上樓、下樓，轉彎再轉彎。巴莎諾瓦與電子菸的煙霧充斥著這鈦金屬與碳纖維組合成的小球。摩托突然急停，轉彎，駛上一輛纜車的貨物甲板，旋向兩公里高的高空。

月球開發法人的機器人逼近中，碧賈浮和托基尼奧同時宣告。

「時候到了，該給妳這個了。」三輪摩托穿越閃亮虛空的途中，盧卡斯·柯塔說。

大量資料傳輸使碧賈浮亮了起來。資訊，密碼，特權，連線權——月之鷹執政所需的一切權限都快速地湧向碧賈浮，使它下陷於急流中。

「你把我變成神了。」艾芮兒說。煙霧從她嘴角瀉出，而她漸漸理解自己被賦予的權限有多麼巨大。「我在白兔閣給強納森·阿猶德施政建議的同時，他可以做這些……」

「神只能有一個。」盧卡斯說：「那就是一神教的弱點。收下這個。」

最後一個傳輸。

「這是什麼？」

「讓妳一個人握有行政權，其他人都被阻斷。」

艾芮兒露出痛苦的表情。

「猶豫什麼？」盧卡斯問。他閉上眼，深呼吸。播到〈三月水〉了。

「這給我強烈的無可轉圜的感覺。」

「本來就該這樣。動手吧。」

托基尼奧奏出一個吉他和弦，然後說：**取消行政權授權**。盧卡斯叫出圖像化介面，看著他的權力逐漸瓦解，馬勃菌般緩慢爆開的垂死編碼。背景音樂是依莉絲·雷吉納悲切、哀戚的樂曲。薩烏達德式哀愁。

「感覺如何？」艾芮兒問。

「妳是說，我覺不覺得自己像是失去神力的超級英雄？不，我不覺得，完全不覺得。」他沒把自己的感受告訴妹妹：他像一顆新年氣球一樣，充滿光，輕盈無比。他可以讓寬慰的淚水如珍珠般源源不絕地滾出，只要他想。他知道什麼叫蒙福了。

纜車進站，三輪摩托轉彎駛上六十三樓西側上坡道。

「我現在對強納森·阿猶德之死感到悔恨。」盧卡斯說：「阿德里安·馬肯齊的奮戰程度簡直可說是惡魔。我想我一直以來都有一個原罪，就是低估敵人。」

三輪摩托駛上貨物電梯，來到月船碼頭。奧廖爾矗立在聚光下，閃耀無比，有如燃料槽、推進火箭節點、支架、圓桿、通訊天線、太陽能板、幾乎完全摺起的散熱板組合成的幻獸。

一個環境艙開啟著，坡道延伸至地面。所有人都在裡頭：勇士學者、艾芮兒的上城區扈衛、亞別娜．曼努．阿沙默、愛麗絲教母、月狼、露娜、鐵手、路卡辛侯。

「上去，上去！」尼可．沃隆佐夫走下坡道，護送艾芮兒和盧卡斯入艙。他穿著極富藍領階級感的短褲、T恤、工作靴，依舊無視大眾品味與流行。「像拍婚禮照那樣站成一圈吧，我們有個發射窗！」

內氣閥門傳來騷動。奧廖爾的停放處是個巨大的氣閥，外氣閥在上方，連通地表。內氣閥通向都市，而它的門正嘎吱嘎吱地開啟著。

「機器人！」尼可．沃隆佐夫大喊。十幾部機器人在緩慢開啟的門後方攢動，刀刃開闔，發出竊笑的喀嚓聲。

「我有個命令要給它們。」艾芮兒說，並命令碧賈浮啟動盧卡斯給的補軒。機器人的腳和刀刃擠入逐漸開啟的縫隙。

「盧卡斯……」艾芮兒說。

「我駭了一萬五千部33a型戰鬥機器人……」盧卡斯開口。

「這些不是33a型，」達柯塔．凱爾．馬肯齊說：「是舊的三型基本款，對忒發動攻擊的那批。」

「舊型還剩多少？」艾芮兒問。

「之後再討論。」尼可．沃隆佐夫大喊，「所有人立刻上來！」他關上艙門的同時，太空船上層結構的多重槍管便展開了。

「什麼鬼玩意兒？」盧卡斯說。

「我們從馬肯齊氦氣那裡偷來的。」尼可．沃隆佐夫大喊。腳如匕首的機器人狂奔著，在停泊區踩出鏗鏘聲。「既然他們能把我們的太空船打成蜂窩，那我們也要能打回去。抱歉啦孩子們，如果這讓你們想起不好的回憶。」

「我不記得忒的事。」路卡辛侯說。

「我記得。」露娜說。

五個響亮的爆炸聲接踵而來。「一炮幹掉一個機器人。」尼可．沃隆佐夫說：「這裡有很多精密器材，我們只能在開火確定能解決問題時開火。繫上安全帶吧。」

「有多少追過來？」艾芮兒問，並扣上加速椅的安全帶。

「不只五部。」尼可．沃隆佐夫說。答答答的射擊聲傳來，速度快到融合為一。沉默。

發動程序啟動，奧廖爾號的人工智慧說，**外氣閥開啟中**。

「他們上來了！」公頻上有人聲打斷廣播，「地上爬得滿滿的。」

「幫我們清出一些空間！」在露娜與路卡辛侯之間就座的尼可．沃隆佐夫大吼。

「我們有新發射計畫。」VTO船長說：「預備。」

倒數計時器出現在所有人的鏡片上。尼可．沃隆佐夫牽起露娜和路卡辛侯的手。「叫出來是好的。」他話還沒說完，奧廖爾號便轟一聲升空了。扯開嗓門大吼的聲音在乘客艙內結合成巨大的咆哮。槍砲聲和火箭升空的巨響交織出不和諧音，而聲音的縫隙間有依稀可聞的微型炮發射音，喀，喀，喀。太空船搖晃，座位搖晃，空氣搖晃，乘客身體的每一個細胞都搖晃著。盧卡斯在他心愛的人臉上看到恐懼與痛苦。你害怕點火太快結束，你會從天空墜落；接著你害怕升空過程也會在一瞬間結束，以大爆炸畫下句點；最後，你害怕這一切永遠不會有盡頭。

主引擎關閉倒數開始，奧廖爾說，距離自由落體還有三、二、一秒。

結束了。盧卡斯感覺到肚子浮起，自己的重量消失了。尼可．沃隆佐夫一看到亞別娜．阿沙默露出痛苦的表情便掙脫安全帶，拿嘔吐袋飄向她。她乾嘔後口齒不清地道歉，然後是沉默。在沉默中，所有人都清楚聽見艙壁上的喀喀聲了。喀嚓，喀嚓，一路朝斜坡移動。

「靠，」尼可．沃隆佐夫說：「它們攀在機身上。」

「怎麼會？」艾芮兒說。

「肯定是在發射升空時跳上來了。它們在機槍的彈道內側，所以打不中它們。」尼可．沃隆佐夫說。

「它們能開門嗎？」路卡辛侯問。

「它們可以破壞系統，使我們我們無法安全降落。」

「你的意思是墜毀。」露娜．柯塔說。

「我的意思是墜毀。」

「我們要怎麼擺脫它們？」艾莉西亞．柯塔問。

「得有人出去幹掉它們。」達柯塔．凱爾．馬肯齊說。

「這裡有太空衣嗎？」艾莉西亞問。

「有兩件短程移動衣。」達柯塔．馬肯齊說：「有人負責確認裝備真是很棒的事呢，對不對？」她解開安全帶，將自己推離座位，飛向天花板上的氣閥，那裡通往控制中心。她從蘿莎莉歐．迪．齊奧爾科夫斯基身邊飛過時輕拍對方的後腦勺。「來吧，戰士，有兩件太空衣。讓我們瞧瞧妳身上還有沒有勇士學者精神吧。」

地表活動衣貼身且密封，加壓於皮膚表面，附頭盔和循環維生包，設計上可讓穿戴者在四十八小時內自由活動，不受環境傷害。

短程移動衣是有延展性的纖維緊身衣，緊度足以補強人類肌膚自然的抗壓力，避免液體流失。白色不吸熱。頭盔兼人工呼吸機黏在太空衣上，穿戴者得小心維持膠條完整性才能保持氣密度。設計上只能允許穿戴者在真空中活動十五分鐘。

平均而言，月球飛船的彈道飛行會維持十五分鐘。如果一個問題無法在短程移動衣的壽命期間內解決，那就永遠不會解決了。

維修氣閥小到不行，蘿莎莉歐和達柯塔得蜷縮在彼此身上才塞得進去，姿勢有如子宮中的雙胞胎。

「繫鏈，繫鏈，繫鏈。」謝尼亞船長在密封艙外氣閥的同時說。

「十五分鐘。」達柯塔．馬肯齊在太空衣頻道上說。蘿莎莉歐將武器扣在身上，將自己扣在氣閥內側的攀附用鐵鎖上。一把斧頭和三條照明彈，對上可以開展成一百把刀的機器人。

氣閥開啟了，蘿莎莉歐將自己拖上船身，結果立刻就失去了方向感。低頭，太陽環的黑極為深邃，彷彿能將銀色月亮切成兩半。她叫出聲，緊抓握把，害怕自己掉下去。不對，月球不在她下方，也不在上方。此刻沒有上下，只有運動方向。對，她在墜落，所有東西都在墜落。她又檢查了鐵鎖一遍，要是施力過度，她一下子就會飛離月球飛船了。

寧靜海在她下方疾馳，她覺得肚子裡有股飄浮感。

十四分鐘。

短程移動衣的抬頭顯示器很陽春，但上頭的資訊足以定位敵人。有兩架機器人在機身另一頭，燃料槽之間。奧廖爾是一個自由落體的攀爬架：上頭的支架和建築橫梁讓人很容易往上爬。不對，不是攀爬，攀爬代表前進方向與重力方向相反。這是另一種形式的運動，是匍匐。蘿莎莉歐在月球飛船的表面上匍匐前進，身後拖著越來越長的繫鏈。

「妳們動作得快一點。」謝尼亞船長插嘴，「我們已經有個燃料幫浦故障了。」

不需要抬頭顯示器了，敵人就在視線範圍內。兩架機器人正在鋸一條燃料管線。月球飛船和摩托車的機組都掛在外部。蘿莎莉歐取出一條照明彈，達柯塔舉起斧頭。

「我們該怎麼做？」蘿莎莉歐問。這問題在機器人辨識出威脅後，自行取得了解答。合成肌肉收縮，人造肌腱繃緊，背甲分解成數塊又重新連結，準備採取行動。其中一部襲來了，蘿莎莉歐揮棒斥退它的殺戮戳刺，猛拉其手臂並扭斷關節。噴灑出的潤滑油模糊了她的面罩，但她沒時間擦拭。她扭轉照明彈的蓋子，化學物質混合、燃燒了起來。她將照明彈塞到機器人的感應器陣列中。機器人後退，雙手戳入多重眼部構造與照明彈之間。光線搖曳不定，然後熄滅了，氧化劑已耗盡。機器人躍起，分解。一隻利如針的腿擦過蘿莎莉歐的肚子，切開薄薄的短程移動衣。她空出來的手抓住支架，盪開，閃避敵方的致命衝刺。接著達柯塔．凱爾．馬肯齊使出渾身的力氣揮動斧頭，正中機器人的核心，將它擊飛到月球軌道去。

「靠。」蘿莎莉歐感覺得到太空衣上那一劃的確切位置。「靠，我在流血，靠靠靠靠。」

「別放在心上。」達柯塔說：「斧頭沒了。剩下一部機器人，兩把照明彈。」

第二部機器人彷彿也推導出同樣的結論，從月球飛船的機箱上退開。它看起來像是一道邪惡的陰影，細長的四肢抽離、掙脫機械裝置，準備攫獲獵物。蘿莎莉歐咬緊下顎，忍著痛。靠，痛死了。好痛好痛好痛。人體能在真空中存活多久？她的安全帽密封狀況良好，但加壓肌膚破裂的情況下，她的身體等於赤裸地暴露在真空中。飄浮於無重力中的血滴串成了一條腰帶，她一動，血就會抹在白色的太空衣上。

機器人就快發動攻擊了，她只剩幾秒鐘的時間。

蘿莎莉歐扔了一個照明彈給達柯塔。

「我說塞，妳就把那玩意兒塞到那張爛臉裡。」

「妳要……」

在無重力戰鬥這個領域，問題總是得不到解答。蘿莎莉歐莽撞地衝向機器人，點燃探照燈，趁機器人藉光與熱定位她時，鑽過正在展開的刀刃，重重撞在一塊散熱板上，煞住自己。

「就是現在！」

達柯塔．凱爾．馬肯齊發動猛烈而盛怒的攻擊，速度極快，幾乎跟那機器人一樣快。她閃躲攻擊，以照明彈抵擋，而且永遠不忘將照明彈戳向機器人那發光的圓眼睛。

蘿莎莉歐在使人盲目的光亮中解開繫鏈，扣到機器人的其中一個膝關節上。機器人跳開，蘿莎莉歐跌了一跤，翻成頭下腳上的姿勢，一隻手死命抓住降落支架。奧廖爾劃著一個大弧，從高空掠過忒的坑洞和護牆，此刻就到達彈道軌道的頂點了。

蘿莎莉歐．薩爾加多．歐漢隆．迪．齊奧爾科夫斯基就是靠這樣贏的。

「達柯塔，抓住我。」

她撲向勇士學者，無依靠，無繫鏈的飛行。如果她誤判，如果達柯塔算錯時機，如果機器人失去方向感的異常狀態過快排除，她的飛行路徑就會變成離船軌道。到時候她根本不用擔心受損的短程移動衣還能維持她的生命多久，以秒速兩點七五公里的飛行速度撞上東寧靜海後一切就成定局了。她會變成一個隕石坑，那隕石坑搞不好還會以她命名。

達柯塔．凱爾．馬肯齊的前臂塞入蘿莎莉歐的腰帶間，她都想通了，按下繫鏈回收鈕，然後將閃爍的照明彈扔向機器人。絞盤將她們往回拉，使她們閃過機器人的揮擊，免於斷手斷腳的下場。

「謝尼亞，」蘿莎莉歐大喊，「旋轉船身！」

「我們還沒到轉向點。」謝尼亞船長開口，達柯塔開口壓過她的聲音，「照她的話做！讓船旋轉三百六十度！」

接著是一陣停頓。機器人倉促地撲向她們，高舉刀刃，彷彿是多臂的刀之神祇。蘿莎莉歐將自己拖向繫鏈另一頭的氣閥、門閂、鐵鎖。

「抓緊了。」謝尼亞船長說。接著世界旋轉了，加速力將蘿莎莉歐的手指從抓握物上掰開，不過達柯塔抓住了她。月亮、星星、太陽在她四周旋轉。別看，別看，妳會吐在頭盔裡。她得看，瞥向肩後一眼就夠了：機器人被離心力加速甩了出去，吊在完全展開、繃緊的繫鏈另一端。它很快就會開始往船身拉近。奧廖爾號在月球天際旋轉，調節火箭噴射出的火焰像是在慶祝嘉年華會。蘿莎莉歐爬上達柯塔的身體，來到氣閥邊緣，解開鐵鎖。鎖從她指尖掃過，機器人飛走了，循著它自己的彈道軌道，注定無法得救。他們不會用你的名字幫隕石坑命名的，你這鬼東西。

整個計畫全靠物理學，繫鏈驅動的動能。

「去你媽的三型老機器人。」蘿莎莉歐低語。她在公頻上說：「船長，敵人已消滅。」

「幹得好，謝謝妳們。」謝尼亞船長說：「進來吧。」

「表現得很好，勇士學者。」達柯塔．馬肯齊在她們兩人擠進氣閥時說。此時此地，那是蘿莎莉歐聽過最棒的一句話。她聽過在無重力狀態下吐在頭盔裡的恐怖故事，但有沒有人流傳過在頭盔裡哭的事蹟呢？

重力來了，回來了，調節火箭將奧廖爾號旋轉成下墜模式。蘿莎莉歐・薩爾加多・歐漢隆・迪・齊奧爾科夫斯基蜷縮成胎兒的姿態，墜向豐饒海，力竭與寬慰使她嚎啕大哭。

艾芮兒在主管套房中嗅聞了一陣，然後對著陳舊、無窗的辦公室抬起一邊眉毛，並懷疑地看著翻新的會議室。她來到盧卡斯的眼球聖殿時，再也藏不住內心厭惡了。「現在我想起自己為什麼會離開這個茅坑了。」她繼續快步前進，拖著一條煙霧。空調系統遲緩，煙霧也就散得慢。「石頭，石頭，石頭，石頭。」艾芮兒一面抱怨一面走下階梯，來到地面。

「嘴巴是出口。」艾莉西亞指出這點。艾芮兒翻了個白眼。艾芮兒在奧薩拉的嘴唇上停下腳步，碰了一下艾莉西亞的手。

「那是什麼？」

艾莉西亞瞄了幾眼才發現艾芮兒感興趣的物體。樹木通過加速生長程序，如今葉片茂密，緩慢搖曳，當中若隱若現的穹頂彷彿是夢中的景象。這裡住著古老、危險的神祇。

「帶我過去。」

碧賈浮大可叫出博阿維斯塔的地圖，不過艾芮兒喜歡在艾莉西亞移動的途中丟給她小小的任務、測試，讓她踏上陷阱。鐵手？對我哥哥或許是，但艾芮兒・柯塔沒那麼容易動搖。艾莉西亞在竹林間發現一條蜿蜒的石板路時，艾芮兒深吸了一口電子菸。瑪莉娜曾用她的上一根電子菸殺了一個刺客，尖端穿過對方下顎，穿出天靈蓋。月光菜鳥才有的力氣。足以為所愛之人殺人，也足以協助她熬過黑暗時期的力量，但不足以讓她留在月球。拿下鷹巢後，艾芮兒的思緒越來越常飄向瑪莉娜了。妳覺得地球如何？地球覺得妳如何？夜空中的光線會不會讓妳心中充滿想望，變得像月狼那樣？妳曾抬頭看著月亮，想起我嗎？自稱茂·迪·費洛的艾莉西亞啊，妳的力量又是什麼？那力量又會被這世界的什麼事物瓦解？一定會有的。

九彎十八拐的小徑盡頭是一座涼亭。柱基，圓柱，圓頂。柱基底部的四周有水奔流。艾芮兒踩上階梯。空氣清新，流水帶給它一股清甜。太陽線蔚藍，人造風吹得竹林沙沙響。竹莖遮蔽涼亭，將它隔絕於奧里莎的凝視之外。它四面受到包圍，隱祕性高。艾芮兒繞圈行走，手指拂過柱子。溫暖的石頭。

「就是這了。」艾芮兒宣布，「我會需要一張桌子、三張椅子，其中一張椅子要舒服好坐的，另外兩張不要。飲料一點就能送來。妳可以安排嗎？」

「我會立刻請人處理。盧卡斯要求和妳私下開會。」

艾芮兒品味了一下此刻。

「當然好，讓他知道來這裡就能找到我。」

艾芮兒還沒看到他從竹林迷宮中現身，就先聽到了枴杖敲在石塊上的聲音。

兩個半殘的人，在圓形涼亭中會面。

「這是媽最喜歡的地方，」盧卡斯說：「臨終前那段日子，她會來這和聖母奧敦拉說話，說是向對方告解。」

「姊妹會還剩下什麼？」艾芮兒問。

「教母。神之若望的神殿。傳奇。」盧卡斯把身體重心放到枴杖上，「這樣夠嗎？我不知道，我不是有信仰的那種人。妳要把這裡當成辦公室？」

「在我有辦法搬回梅利迪安前。」

「在妳搞定地球人前。我給了妳那個咒語，妳在飛船上為什麼不用？那個扈衛受了很重的刀傷。」

「有件事我得先做。盧卡斯，我不能讓你逍遙法外。」

盧卡斯露出狡詐的微笑，整個人垮在枴杖上。

「我就知道會有這天，之前我會夢到自己身體燃燒、吸不到空氣、溺死在融化的金屬中。可怕的夢。」

「你做了可怕的事。」

「我是為了拉法、卡林侯、媽，還有妳做的。」

「現在大家互不相欠了。」

「對。」

「你將會優雅地退休。」艾芮兒說。「照料庭園，成為地月兩界的巴莎諾瓦第一專家，投入運動事業——你現在有自己的手球隊了。學習政治，發表充滿洞見又辛辣的評論。養育兒子。」

艾芮兒從盧卡斯的表情看出，他的舊心傷又發疼了。

「妳似乎判得很輕。」

「是嗎？」艾芮兒說：「哥，你為什麼想見我？」

「妳為什麼要這麼做？大家都說柯塔家的人不涉足政治，結果看看我們，月之鷹主教大會。」

「維迪亞・拉歐讓我看了未來。」

盧卡斯一度無法把那名字跟人連起來。

「那個經濟學家，懷塔克里戈達德銀行的人。他的電腦會為你預言嗎？他叫它什麼了？」

「三皇，它不會幫我預言。他只跟我說，他跟王永晴、安塞爾默·雷耶斯、莫尼克·柏廷談過。月球交易所這想法是他提出來的。」

「我看了他的簡報。」

「當地球人開會提議挹注資金時你在場嗎？他們的前提是，這項計畫不需要投入人力資源。」

「什麼意思？」拄枴杖的盧卡斯不自在地調整了一下姿勢。

「維迪亞要求拉歐的電腦建構可能的未來模型，所有結果都指向一個人口被疾病消滅的月球。是瘟疫，盧卡斯。地球人對付我們的計畫。一架黑暗機器，磨碎所有價值。我是唯一一個能夠採取行動的人。我通往權力之路暢行無阻，我得走上前去阻止他們。」

「運用那些密碼。」

一聲令下（碧賈浮已將月之鷹的行動選項和權限完全視覺化），她就能宰掉每一個地球人。

「我們得成為比他們更好的人，盧卡斯。」

她不會招來另一次降鐵的。

「他們不會猶豫。」

她細看那排虛擬的指令、布告、行政職權，有了。動個念就完成了。

「我不會那樣做，盧卡斯。」

「那就這樣吧。」他皺縮拇指與其他手指，做出柯塔式行禮。「我會退休，但不會優雅地退休。我打算盡可能表現出惱人、氣急敗壞的態度，總是得有人監督妳，妹妹。」

「盧卡斯。」

他在樓梯頂端轉身。

「我先前說要做的那件事，我首先要做的事，剛剛辦好了。」

在列文虎克，一名VTO鋪軌皇后將太空衣連上故障貨物拖車的問題偵測插槽。

在阿布瓦法南端的玻璃場上，一名玻璃工派出匆忙奔走的維修機器人，要它去搜尋裂痕。

在蛇海的氦氣田上，一名塵工打開真空筆，在馬肯齊氦氣的商標上草草塗出**柯塔氦氣**幾個字。

在梅利迪安泰勒斯可娃大道的七放克熱食店內，知名的麵食師傅正在扭轉、延展、拉長上等麵糰，他的客人則在大聊八卦，說柯塔對柯塔那場官司多麼驚人、意外。

在忒，一名園藝師正在確認植物塔有無空位，並交叉比對AKA種子銀行的資訊。她聽說接下來會有一場名流婚禮，馬肯齊、沃隆佐夫、阿沙默的聯姻。總得有人供應鮮花。

在南后柏斯塔八十七樓，一名學童的視線從網路連線的同學身影移到公寓窗外。閃過她眼睛右下角的是什麼？傳單嗎？她好愛傳單。

在那幾雙眼睛的右下角，每一雙眼睛的右下角，都有四個小圖示，有生以來，有記憶以來一向如此。空氣、水、傳輸、碳：四大元素。

那四道小亮光同時消失了，各地皆然。

眾人先是陷入恐慌，因為半世紀以來，那代表生命、健康、財富的幾道光從來不曾暗去。

接著全月球的人都屏住了呼吸。閉氣，不知道自己還會不會有下一口氣可以吸。閉氣，直到眼球突出，大腦沸騰，心臟尖叫。直到他們再也憋不住。

全月球呼出了一口氣。

然後吸氣。沒收費，代表比西幣的金色圖示旁有一串數字，數字沒跳，無費用告知。不用錢。第二口氣，第三口氣，以及之後的一口，又一口，又一口，都一樣。呼吸免費。

艾芮兒．柯塔廢除了四大元素系統。

那年輕人很帥，月球典型的那種帥。高，棕皮膚，柔和的棕色眼珠，黑髮，刮得很仔細的鬍子，彷彿以量子為單位。高是當然的，整體令人愉悅。她剛來到月球時覺得月球人很難看：身體很不勻稱，上半身發達，四肢太長，關節微妙地歪掉。如今她已懂得用月球人的美學來欣賞他們的外貌，而就他們的標準而言，這年輕人很順眼。他在外頭還有五個一樣帥的同伴，如果她跟他唱反調，他們隨時可以衝進公寓內。月球受託管理機構的中年官員，對上一個精壯的年輕巴西人。

不知道他把刀藏在西裝中的何處？她納悶。

這裡的流行又變了。她始終不懂月球人為何那麼著迷於古裝和復古風尚。她知道他們認為她很寒酸，儘管她穿著最端莊、最有政治意味的套裝。她認為他們太娘、太反動了。

「王女士？我的名字是聶爾森．米德羅斯，月之鷹派我前來。能請您往這裡移步嗎？」

他指著門。

機器人原本可以切開這又跩又蠢的小子身上的西裝，把他剁成碎片的。機器人進入休眠狀態不聽命令後，她就知道自己非來這趟不可了。

「它會通往哪裡？」王永晴問：「外氣閥，還是一把砍向我頸椎的刀？」

「女士，」聶爾森．米德羅斯說：「您傷害了我的自尊。你們在地球上也許是那樣辦事的，但我們這裡的人很文明。」

她想像中的保全就在門外等著，還有莫尼克、安塞爾默，以及一隊三輪摩托。

「我們要去車站？」王永晴問。莫尼克和安塞爾默從來沒搞懂梅利迪安的三度空間配置，不過她在貴州的摩天樓長大，這裡的坡道和電梯對她來說就像童年的走廊、穿越道、天橋，她辨識得了。

「有輛機動車在等各位。」聶爾森·米德羅斯說：「我們將會護送各位到安全的地點，各位在政權轉移期間將保有安全和舒適的生活。」

「人質。」王永晴說。

「人質這個字已經是過去式了。」保全隊長說：「月球已不同於往昔，各位是我們的客人。」

「不能退房的客人。」

「這就要看各位的政府對於協商工作有多積極了，不過您接受的待遇將是六星級的。」

「你要帶我們去哪裡？」

年輕男子的笑像是滿天星斗。

「博阿維斯塔。」

「還行嗎？」

「妳是月之鷹。」艾莉西亞·柯塔說。

艾芮兒·柯塔氣呼呼地噘嘴。

「我哥到底看上妳哪裡？**還行。**」她誇張地讓一隻手沿著華服的正面往下滑。

禮服，克里斯托巴爾·巴倫西亞加一九五三年設計款，馬尼奧說。艾莉西亞對五〇年代的女裝一竅不通，而且一點也不在乎。**黑色無內襯羊毛，以上等菱紋絲緞妝點。帽子為奧格·塔普設計款，鞋子為羅傑·維威耶設計款，包包和手套為卡布雷利設計款。**

艾莉西亞調整了一下塔普寬簷車輪帽。

「完美。」

「鐵手，妳真是滿嘴屁話的騙子。妳打算穿這樣介紹我入場嗎？」

艾莉西亞在這裡，在新月亭的前廳隨侍過多少次？她為盧卡斯的袖釦、領帶、西裝外套下襬的位置擔憂過多少次？習慣和迷信很快就成了儀式。

「我喜歡這造型。」艾莉西亞說，她只學會四〇年代的穿搭風格。她喜歡四〇年代，在當時肯定可以驚豔四座。

「妳喜歡穿得像個難民。」艾芮兒說。

「怎麼會有人能跟妳一起工作？」艾莉西亞說。

艾芮兒對她的輕蔑之語露出燦爛的微笑。

「因為他們愛我，親愛的。嗯，那得之後再說了。不耐的龍是很容易發火的。現在我要妳進去，用神會嫉妒的那種辭令介紹我進場。」

「盧卡斯有個……哏。」

「哏？」

「舊時代流傳下來的，最初的年代。『各位：月之鷹降臨了。』」

艾芮兒發出不悅的噓聲。

「那太荒謬了，親愛的。說出我的名字、我的頭銜，然後華麗登場。」

「好的，小姐。」

艾芮兒現在露出了真誠的笑。

「我他媽怕死了，懂吧。」她吐實。

「妳在克拉維斯法庭壓倒了盧卡斯。」艾莉西亞說。

「那是我的主場，我的領域。我在這裡根本搞不懂自己在幹啥。」

「盧卡斯也不懂，妳聽了可能會安心一點。」艾莉西亞說。

「強納森・阿猶德廢除月球開發法人時，我就坐在另一頭。」艾芮兒說：「他也不懂自己在幹啥，沒人懂。」

「妳是個英雄，妳廢除了四大元素，逮捕了地球人……」

「是請盧卡斯照料他們。」艾芮兒歡快地說：「妳真會討我開心，茂。好啦，好戲該上場了。」

艾莉西亞打開會議室門時，發現艾芮兒把她調整好的塔普帽調回了原本的傾斜角度。艾莉西亞走入光中，熟悉的議會低語化為沉默。在刺眼強光中，她看到保留給龍與望族的座位坐滿了人，地球人區全是空的。後方樓座一字排開的是遠端大學的學者、系主任、學院長。

「各位，」她說：「艾芮兒・柯塔，月之鷹。」

艾芮兒站到聚光燈下，取代艾莉西亞的位置。她的臉隱沒在帽子的寬簷下方，眾人徹底沉默。她抬頭，微笑，張開雙手。滿月亭歡聲雷動。

「你一進去就打電話給我，聽到了嗎？」

羅伯森翻了個白眼，試圖在車站擠滿乘客的大廳甩掉他，搭上前往月台的下行手扶梯，不過地球很燦亮，華格納・柯塔此時擁有月狼的視力和反應能力，毫不費力地跟上男孩。

「好好好，我一進去就打電話。」

華格納知道自己對羅伯森保護過頭了。他和馬克斯、亞君簽了共同監護合約；地球滿盈時，羅伯森會和海德住在一起，華格納則回狼幫。他們很誠實、友善、深情，而且值得信賴，他們甚至換了工作，搬到希帕提婭去，好跟西奧菲勒斯斬斷關係。羅伯森在那裡會過著安全又快樂的生活，有人照料。但誰又能怪華格納過度保護呢？畢竟西奧菲勒斯發生了那件慘事，而這孩子又在神之若望刺殺了布萊斯．馬肯齊。

刺殺。十三歲的孩子將五根毒針插入布萊斯．馬肯齊的眼球，儘管只要一根就一定能取他性命。五根是為了向全月球宣告，這是柯塔家遲來的公道。毒針由那孩子的叔叔取得，由他的死黨遞交給他。他把毒針藏在自己的頭髮裡，因為布萊斯要他裸體，暴露出他的脆弱。

華格納不能再想下去了。在明亮的地球光下，情感燃燒得比平常更燙、更旺。當他想到羅伯森被當作人質、當作玩物時，挫敗、軟弱、失格的感覺便油然而生，而他此刻無法盯著那些感覺看太久。

他辦不到的事，盧卡斯辦到了。盧卡斯完成了復仇。不是基於他對哥哥或他姪子的忠心，而是為了柯塔家族的名譽。家人擺第一，家族永遠是最重要的。

安妮麗絲也是為了家人才背叛羅伯森。他恨她，但不怪她。阿沙默製作的五死毒針還不足以讓布萊斯．馬肯齊付出代價。

列車進站了，人群朝階梯移動。華格納和他並肩搭上下樓的電扶梯。天啊，這孩子越長越大了。他們曾接受某個姓馬肯齊的人的施恩才逃離這種城市，那彷彿還是幾小時前的事，當時羅伯森仍是一個睡在他肩膀上的可愛小鬼，列車載著他們往東駛向寧靜海。

「你不需要跟著我去氣閥。」他們走下手扶梯時，羅伯森說。列車在加壓玻璃外靜候著，是一輛巨大的雙層赤道特快車。艾芮兒廢棄四大元素後，梅利迪安人至今仍處於暈眩、不敢置信的狀態中，簡直可用宿醉形容。敲掉一根生命支柱，世界屋頂卻還是立在那裡。人民的激動情緒為一棟棟方樓帶來煥發光彩。下一步會是什麼？廢除克拉維斯法庭，制定法律？選舉？政治？樂觀主義甚至散播到赤道特快車的乘客之間：大家微笑，讓路給彼此，談笑風生，而且氣氛閒適，因為大家呼吸的某一口氣不再是帳戶中的損益帳目了。

羅伯森頑固地站在華格納和氣閥之間，盡他全力明確表態：就到這裡為止了，他們該分手了。

「神之若望見。」華格納說。地球轉暗後，他立刻就會走馬上任。柯塔氦氣回來了，但它永遠無法回到從前。氦氣時代已結束，新時代開始了。陽家發電，馬肯齊採礦，阿沙默生產，沃隆佐夫飛天。柯塔家現在做什麼？

柯塔家搞政治。

華格納和羅伯森緊緊相擁，抱了許久。男孩還是沒什麼肉，骨瘦如柴。

「神之若望見。」羅伯森說，並轉向氣閥，「爸……」

華格納的心臟倒轉了。

「你說什麼？」

羅伯森臉紅了，接著他抬起頭，來勢洶洶又堅定地說：「爸！」

「怎麼啦，兒子？」

「照顧好自己。」

接著他轉身穿過氣閥，進入巨大的列車中。華格納也轉身了，他心臟發燙，呼吸困難，喉嚨縮得好緊。他搭手扶梯進入梅利迪安的燈火與湛藍地球的光芒之中，往狼群所在之處移動。

一步，兩步，三步，羅伯森就位移了二十公尺，來到屋頂的世界。新城市，新的公共設施成了他的跑酷場地。希帕提婭比西奧菲勒斯大得多，它的祕密跑酷地形更是刺激得多。這裡的黑暗豎井深到有回音產生，穹頂高到有自己的氣候系統。管線配置讓他可以在無人察覺的情況下監視所有街區。這裡還有起重機、導管、梯子、扶手。這裡也比較古老——羅伯森稍早深入探索城市核心，發現上個世紀的姓名和日期。厚厚一層灰塵。這些老舊的處女地非常吸引他，就像是他的教堂，療癒之地。

羅伯森知道馬克斯和亞君為何要直接帶著他和海德搬到這新城市來。對羅伯森而言，西奧菲勒斯永遠會散發出血與恐懼的氣味。不過海德在這裡遭遇了安妮麗絲。

我會看到她，海德說，**每天都會。我發現眼角有什麼東西在動，一看就看到了她。**

他每天都會回到這個灰塵教堂來，直到他發現那腳印。抓地鞋跟，小小的，間距很長。是跑酷玩家的腳印。完美遭到了玷汙，於是他加上自己的腳印，沿著另一位玩家的路徑穿越塵土，對著兩根管子使出踩牆借力，翻到一個導管節點上。

另一個玩家。不是只有他一個。

起先他感覺到糾結，帶著忿恨的怒意。

憤怒很好，他的諮商師說，**憤怒是對的，問題在於憤怒帶你往哪裡去。**

把毒針插到布萊斯．馬肯齊的眼睛裡，那就是憤怒帶我到達的地方，每次會面他都想這樣講，但從沒開口。他將憤怒留給沙。在沙上，他可以取出憤怒，看著它，要求它帶他穿過原始的沙子，抵達某個新天地。結果有人比他先跑過那片沙了。這激起不同的憤怒，它的半衰期很短，很快就化為了不同的情緒：好奇，激動。另一名跑者。

他愛海德，海德組成他一半的靈魂，但他永遠無法成為跑酷玩家，而玩家的認知永遠無法解釋給非玩家。

他不是一個人。

「唷呵。」

那是海德。羅伯森翻過一根粗水管，躍上一台狹窄的起重機，坐下，腳在高空中晃啊晃的。海德在下方抬頭看著他，身上唯一的一抹黑是蓋在他一隻眼睛上的頭髮。

「真希望你不會玩那些花招，我看了就不舒服。」他對上方喊道。

「那就上來吧。」羅伯森說。

海德做了一個低級的手勢。

「你又翹掉諮商了。」

在西奧菲勒斯事件後，在盧卡斯・柯塔要求他為了家族在神之若望做出那件事後，大人安排羅伯森和海德去心理諮商。**得持續幾個月**，醫生說，**或者幾年**。

「我的諮商師是人類。」羅伯森說。

海德皺起臉，彷彿嘗到什麼噁心的東西。

「啥時開始的？」

「我妨礙人工智慧辦事之後開始的。」

「『妨礙人工智慧』？」

「戴米安是這麼說的。」

「你的諮商師叫戴米安？」

「他自稱戴米安，有點太常微笑了。」

「也許吧。」海德說：「直接跟人工智慧聊會比較簡單。」

「我喜歡這裡。」

「會有效的。」

「一切都有效，也都沒效。」

「我有東西要給你。」海德舉起一隻手，他的掌中有個小包裹，精美的織品包起來的。自在、舒適地擱在那裡。羅伯森喘不過氣了。

「你從哪弄來的？」

「東西寄到馬克斯和亞君那裡。」海德呼喊，「是從恆光宮寄來的。你覺得……」

羅伯森從穿越道一躍而下，海德瞪大眼睛。不過二十公尺對曾經墜落三千公尺的人來說，根本不算什麼。那次墜落後還起身走路，走了幾步。此刻他舉起雙手，使寬鬆的上衣變成降落傘，中斷下墜的過程。羅伯森．柯塔蜷縮身體落地，靈巧地放下雙腳。他搖搖頭，讓梳得高高的頭髮露出來。

「……這安全嗎？」

「現在安全了。」羅伯森接過小包裹，解開美麗的織品。是半副牌，跟他猜想的一樣。

「謝謝你，達瑞斯。」羅伯森低聲說。

「達瑞斯？」海德問：「是，那個達瑞斯嗎？」

羅伯森從跑酷短褲中取出他的撲克牌，將那半副牌疊上去，交錯洗牌。它們又重聚了，完整了。

「就是那個達瑞斯。之後我會解釋的，現在不是時候。嘿，我發現了一家新的熱食店，我們去試試吧。」

「應該可以。」海德說。小孩子去熱食店很重要，比心理諮商重要。那是他們社交生活的核心，朋友的所在之處。

「好，」羅伯森說：「我們來試試希帕提婭的西班牙豆漿吧。」

王永晴又要求會面了，這是她抵達博阿維斯塔以來的第五次。

「這次是要做什麼？」盧卡斯．柯塔問托基尼奧。

要求列印機連線權，他的副靈回覆，**有幾個企業大使得穿同一套衣服連穿三天**。

盧卡斯嘆了一口氣，轉動椅子，望向外頭蔥鬱的葉景，他王國中的綠意。他希望創造的是原始風景，結果自己成了鍍金監獄的典獄長。真是富有詩意的懲罰。

「我的行程表？」托基尼奧向他展示一排格子。「延後跟奈歐蜜．亞蘭的會面，嚴正道歉。改排王女士。」盧卡斯能做的不多。僧多粥少，新列印機運到神之若望才是明智的做法。王永晴將會提出抗議，就跟前幾次一樣站著說話。他將送上更多制式的致歉，然後邀請她入座，一起聊天。她這個人很好聊。藝術，政治，地月兩界的差異。還有爵士，她是狂熱愛好者。她太聰明了，不會誤以為他們擁有共同的敵人。家人擺第一，家族永遠是最重要的

不過他們還是一起打發時間，做這些小小的交流。

今天的談話品質肯定會特別好。艾芮兒向新的月球議會發表就任演說時說出了那個字眼，自從廢止四大元素的喜悅磨滅（陶醉的半衰期很短）後，就縈繞著所有想像空間的那個字眼。**獨立**。艾芮兒拋出一個美妙的詞藻就能獲得信賴，但盧卡斯在自家流亡的過程中，固定會攔截地球與其月球代表的通訊內容，發現他們的用字越來越灰暗，語調變得強硬，越來越表現出鐵石心腸的態度。

如果艾芮兒決定扣押這些地球人，以確保地球不會對梅利迪安和南后扔核彈，那他可能還得在這

裡待好一段時間。一定會有顆彈頭的側邊以真空筆寫著**神之若望**，他對此深信不疑。喝茶聽調式爵士之餘，王永晴肯定會帶來最美妙的恐怖故事，嚇得他背脊發涼。

事情不會那樣演變的。地球人以為自己很強悍，能精明地談妥生意，不過他們並沒有在成長過程中掙來每一口空氣、每一滴水，住處不是從岩層上一刀刀削出來的。他們並沒有和月球夫人爭辯過自己的壽命長度。艾芮兒永遠會使出無賴招數。

獨立將會是荊棘之路。月球人數量稀少，武器也少，敵人多得像天上繁星。不過站在制高點的人是他們，盧卡斯・柯塔心想，這也就夠了。

托基尼奧發出叮一聲。**你有來自南后的貨品**。

他沒見過現在這個保全。華格納從神之若望輪調他們過來，臉孔換得很快。保全人員跟他保護的人若變得太熟，無助於維安。月狼在神之若望幹得很好：去馬肯齊的工程很直截了當。他們沒什麼復仇行動，不過小聖者和前馬肯齊氦氣的員工（他們改跟復活的柯塔氦氣簽約）之間仍有摩擦。不敬的態度，刻意冷落，冰冷視線和表情。「這是巴西人的城市，說葡萄牙文！」雙方擺出架式，槓上彼此，大打出手。只要氦氣還在流動，這狀況就不會解決。華格納曾當過玻璃工，知道易熔金屬礦業的未來在太空，不是在地球。

這貨品是一個長而扁的防撞箱。盧卡斯相信這不是彈運送來的。在這裡，所有東西都以3D列印，運送手工製品已成為一門逐漸失傳的技藝。它擺在盧卡斯桌上，不過他非常猶豫，不知道該不該打開它。打開就得接受挑戰，就得讓它測試自己的勇氣與獻身的能耐。但他還是非常想用力彈開釦鎖，雙手捧起裡頭的東西，緊擁懷中，探索它的曲線和輪廓。

羅伯森和海德待在西奧菲勒斯。領養一事已底定，華格納是唯一一個可以治療那男孩心傷的人。

其中一些傷是盧卡斯親手造成的。他差點想像自己的作為可以讓那孩子宣泄怒火，不過他並不會自我欺瞞，他的天生缺陷並不包含這項。他冶煉羅伯森，把他當成了隕鐵之刃。

露娜和她媽待在忒，好個古怪的孩子。她那半生人半骷髏的臉部彩繪成為了月球傳說，希望、堅持與正義的象徵。盧卡斯總覺得那彩繪會永遠藏在她的皮膚之下，這念頭揮之不去。

路卡辛侯準備要踏上他的第一次單獨旅行了。他要去梅利迪安見亞別娜．阿沙默。盧卡斯堅持反對——不是因為這趟旅程可能對路卡辛侯負荷太大，而是因為亞別娜．阿沙默會將他生吞活剝。危險、有野心又飢渴的年輕女子。吼叫聲迴盪在奧薩拉的空間和凹陷處之中。路卡辛侯的反抗力道說服了盧卡斯，使他點頭放行。那個扈衛會跟他一起去。盧卡斯不記得她的名字，不過她在奧廖爾飛行途中發揮了作用。他也許會和她簽永久合約。

真是一堆劫後殘骸，我們每一個人都是。

不過家人此刻都不在他身邊，他什麼也沒有，除了塞滿會議行程的一天，以及南后送來的特別之物。

「托基尼奧，取消我十點半的會議。」他打開鎖，移開蓋子。「還有十一點、十一點半的會議。」

他提起吉他盒，放到桌上。全身上下的本能都要他一口氣打開盒子，但匆促會壞了這經驗。一切事物都有它伴隨的喜悅和完美。盧卡斯．柯塔的手指滑過真皮，還有亮銅色的搭釦和樞紐。接著他彈開釦鎖，打開盒子。

最先撲向他的是香味。木料，珍貴無比的有機亮光漆，天然樹脂和蠟。那馨香令盧卡斯差點向後彈。接著他看到顏色，太陽金、琥珀黃、桃花心木的赤褐、琴桁間的珍珠母菱紋（從忒養殖的珍珠貝上手工採的）、音孔附近的鑲嵌細工形成光環。他拿起它，彷彿它是個新生兒。它光燦健壯，充滿生命力。他謹慎地坐下，不過吉他自己告訴他拿法、擺放位置、兩者身體該如何交會。

他想要它說話，想迎接它的第一組母音，想聽它的聲調和嗓音，但他的手指懸在弦上，猶豫著。

他完全不懂奏法，而且是比不懂還要不懂。任何關係的開端皆是如此：陌生人吸引彼此。

他辦得到嗎？他有時間，能獻身，嚴以律己，這些鑽研艱難學問的條件他都有，但這樣是不是還不夠？萬一他學習、練習、鑽研多年後才發現自己永遠無法像喬安．吉巴托那樣使琴弦呢喃和發笑，到時候該怎麼辦？

那仍然會是值得踏上的一段旅程。也許只有喬安．吉巴托能夠當喬安．吉巴托，盧卡斯．柯塔只需要成為盧卡斯．柯塔。不過幾年後有一天，他要是能和荷西．納德斯一起演奏還是會感到開心的。

他的手指撥過琴弦，走音了。它千里迢迢從南后來到此地，倖存下來，期待它發出演奏會級的音調實在太不理性了。

那就調音吧。在他演奏生涯之中，每天都要做的第一件事就是這個。

所有的優秀技藝都得花一輩子的時間才磨得出來。

麵粉，糖，奶油，蛋。

蛋糕的四大元素。

路卡辛侯重塑記憶後，記憶之間的連結性還是時時令他驚訝。一想到亞別娜．阿沙默，他的記憶就說：**蛋糕**。

「我以前會做蛋糕？」他問金吉。

你以前出了名地會做蛋糕，金吉說，並丟出一連串派對、驚喜活動、禮物的照片，最後的高潮是他用草莓蛋糕上的真奶油抹到亞別娜．阿沙默的脈輪上。

「我要帶蛋糕去找她。」路卡辛侯說。

金吉叫出好幾個食譜，但這些都配不上亞別娜。

「是不是有種蛋糕叫咖啡蛋糕？」路卡辛侯問。

有，金吉說，並叫出配方和做法。得用到稀有材料（其中一樣在現有政治局勢下無法取得，不過列印機可以合成咖啡香料，沒嘗過真咖啡豆味道的人都會買單），使用到的器材也都需要高度技術性，令人生畏。

我可以調一部外燴用微波爐過來，金吉說。

「會有差別嗎？」

就跟使用合成咖啡一樣有差。

麵粉。路卡辛侯看著那白色粉末皺眉，伸一根手指進去，驚訝於它的絲質液態感，接著將手放入碗中，感受它流過自己的肌膚，穿過指間。

糖。他嗅聞那結晶，弄溼指尖，沾一下，嘗一口。各種影像淹沒他的腦海，感官記憶的洪流鮮明又濃烈，逼得他一路後退，靠上烹飪房的牆壁。

奶油。凝結的牛油。他拿起一小塊，擠爛它，享受那油膩的膏狀觸感，然後抹在左右兩邊的顴骨上。感覺又髒又性感。

蛋。他雙手各拿起一個，欣賞它完美的完整性。這是他手掌上的宇宙，卻又是從活物中誕生的。他搖搖頭。

他得運用這些難以指望的材料，行使魔法。

咖啡蛋糕說，我願意移動天空中的地球，討你歡心。他想起自己曾在某處，對某人說這句話。是露娜，在那段黑暗的長途跋涉之路上。

碗，烘焙用具，工具，調味料，妝點用的材料都在手上了。缺了一樣東西，不太對勁。路卡辛侯深呼吸，然後甩開鞋子，脫下上衣，縮起肚子肌肉，鬆開褲子，讓它落地。他跨出去，踢開它。

赤身裸體，準備好要做蛋糕了。

他壓壓手指，喀啦，拿起奶油，開始動工。在他頭上，在奧薩拉眉毛弧線和博阿維斯塔的人造天空之上，赤裸無空氣，且輻射肆虐的豐饒海月壤往四面八方延伸，直至視野之外。

（全系列結束）

詞彙表

月球居民使用多種語言，有些單字借自中文、葡萄牙文、俄文、約魯巴文、西班牙文、阿拉伯文、阿肯文。

黃金綠旗：巴西國旗。
碧賈浮：蜂鳥。
勇士學者：阿拉伯的信仰騎士。在月亮上為遠端大學的戰士兼學者。
歐科：婚姻伴侶。
谷夏：月球社群網站上最大的八卦平台。
奧里莎：非洲與巴西文化融合出的烏班達信仰中的聖靈與聖人。
黑星：AKA的地表工人。取自迦納國家足球隊的暱稱。
羊夫：馬肯齊金屬的黑話，指地表工人。原指牧羊場男性工人新手。
小聖者：神之若望居民的暱稱。
娜娜：阿散蒂人對長者的敬稱。
播棋：阿散蒂人的益智遊戲，須將棋子放入棋洞中，像在播種。
查巴林：自由接案的有機物回收者，回收後會將有機物賣給所有有機物的擁有者：月球開發法人。
武士：太陽企業的保全。
中秋：月球的重要慶典，重要性僅次於新年。

月球曆

月球曆分為十二個月，以十二星座命名：牡羊、金牛、雙子、巨蟹、獅子、處女、天秤、天蠍、射手、魔羯、水瓶、雙魚，外加元旦一天。

每個月的日期沿用夏威夷曆法，以不重複的月相為一個月內的每一天命名。月球月份有三十天，無「週」的概念。

辮日 Hilo
弓日 Hoaka
勃日 Ku Kahi
二勃日 Ku Lua
三勃日 Ku Kolu
止勃日 Ku Pau
勃瘠日 Ole Ku Kahi
二勃瘠日 Ole Ku Lua
三勃瘠日 Ole Ku Kolu
止勃瘠日 Ole Ku Pau

隱日 Huna
敬坎神日 Mohalu
果日 Hua
神日 Akua
星日 Hoku
聖日 Mahealani
氣日 Kulua
植勃日 Lā’au Kū Kahi
二植勃日 Lā’au Kuū Lua
止植勃日 Lā’au Pau

再勃瘠日 ‘Ole Kū Kahi
再二勃瘠日 ‘Ole Kū Lua
再止勃瘠日 ‘Ole Pau
卡那落勃日 Kāloa Kū Kahi
卡那落二勃日 Kāloa Kū Lua
止卡那落日 Kāloa Pau
坎神日 Kāne
洛諾日 Lono
命日 Mauli
滅日 Muku

此外，大城市（南后例外）採三班制工時：晨、晝、夜。每班八小時。晨班的正午是晝班的晚上八點，也是夜班的凌晨四點。

100

新月球帝國III：王者之戰

•原著書名：*Luna: Moon Rising* •作者：伊恩．麥克唐諾（Ian McDonald）•翻譯：黃鴻硯•校對：呂佳真•美術設計：蕭旭芳•責任編輯：徐凡•國際版權：吳玲緯•行銷：巫維珍、何維民、蘇莞婷、林圃君•業務：李再星、陳紫晴、陳美燕、葉晉源•副總編輯：巫維珍•編輯總監：劉麗真•總經理：陳逸瑛•發行人：凃玉雲•出版社：麥田出版／城邦文化事業股份有限公司／10483台北市中山區民生東路二段141號5樓／電話：(02) 25007696／傳真：(02) 25001966、發行：英屬蓋曼群島商家庭傳媒股份有限公司城邦分公司／台北市中山區民生東路二段141號11樓／書虫客戶服務專線：(02) 25007718；25007719／24小時傳真服務：(02) 25001990；25001991／讀者服務信箱：service@readingclub.com.tw／劃撥帳號：19863813／戶名：書虫股份有限公司•香港發行所：城邦（香港）出版集團有限公司／香港灣仔駱克道193號東超商業中心1樓／電話：(852) 25086231／傳真：(852) 25789337•馬新發行所／城邦（馬新）出版集團【Cite(M) Sdn. Bhd.】／41-3, Jalan Radin Anum, Bandar Baru Sri Petaling, 57000 Kuala Lumpur, Malaysia.／電話：+603-9056-3833／傳真：+603-9057-6622／讀者服務信箱：services@cite.my•印刷：前進彩藝有限公司•2020年10月初版•定價480元

國家圖書館出版品預行編目資料

新月球帝國III：王者之戰／伊恩．麥克唐諾（Ian McDonald）著；黃鴻硯譯. -- 初版. -- 臺北市：麥田出版：家庭傳媒城邦分公司發行, 2020.10
面；　公分. --（Hit暢小說；RQ7100）
譯自：Luna III: Moon Rising
ISBN 978-986-344-818-1（平裝）
873.57　　109012438

城邦讀書花園
www.cite.com.tw